최상위 수학

중 2/2

디딤돌

Structure

상위권을 위한 심화 학습 교재, 최상위 수학

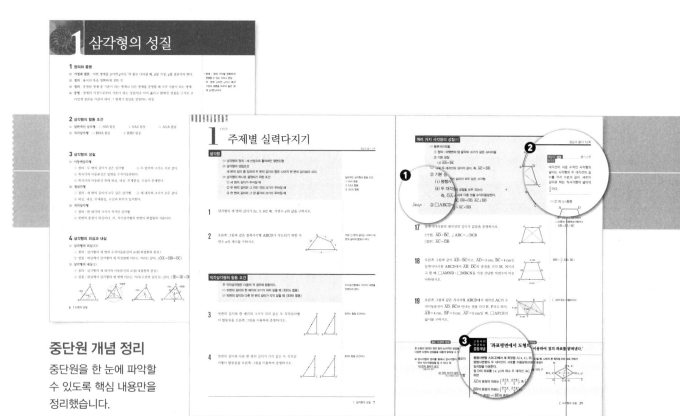

중단원 개념 정리

중단원을 한 눈에 파악할
수 있도록 핵심 내용만을
정리했습니다.

1STEP 주제별 실력 다지기

고난도 문제 유형들을 주제별로 정리하여
차근차근 실력을 쌓을 수 있도록 하였습니다.

❶, ❷ DEEP의 심화 주제와 최상위 NOTE를
통해서 최상위 실력을 쌓을 수 있는 바탕을
마련하였습니다.

❸ 학년별 연계를 통하여 내용의 흐름을
파악하고, 연계된 내용 안에서의 핵심을 볼 수
있도록 하였습니다.

정답과 해설

정답과 해설에서 최상위 NOTE를
심도 있게 다루어 원리에 대한
이해를 더욱더 견고히 할 수
있도록 하였습니다.

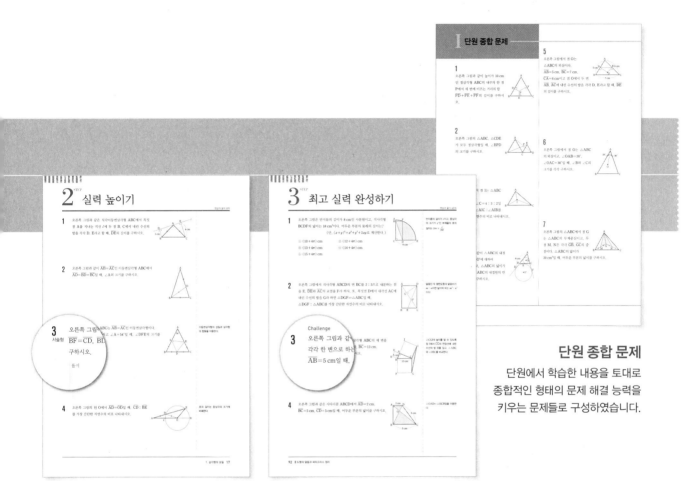

단원 종합 문제

단원에서 학습한 내용을 토대로
종합적인 형태의 문제 해결 능력을
키우는 문제들로 구성하였습니다.

2STEP 실력 높이기

특목고 시험 등에 잘 나오는 문제들을 통해
실전 감각을 익히고, 서술형 문항을 통해
논리적인 사고를 키울 수 있도록 하였습니다.

3STEP 최고 실력 완성하기

문제해결력을 요구하는 심화문제들을 통해서
최고의 실력을 완성할 수 있도록 하였고,
Challenge에서는 최상위 문제들을 실었습니다.

Contents

I 도형의 성질

1 삼각형의 성질

1 정의와 증명

(1) **가정과 결론** : 어떤 명제를 'p이면 q이다.'의 꼴로 나타낼 때, p를 가정, q를 결론이라 한다.

(2) **정의** : 용어의 뜻을 명확하게 정한 것

(3) **정리** : 증명된 명제 중 기본이 되는 명제나 다른 명제를 증명할 때 자주 사용이 되는 명제

(4) **증명** : 명제의 가정으로부터 기본이 되는 성질이나 이미 옳다고 밝혀진 성질을 근거로 조리있게 결론을 이끌어 내어 그 명제가 참임을 설명하는 과정

2 삼각형의 합동 조건

(1) **일반적인 삼각형** : ① SSS 합동 　② SAS 합동 　③ ASA 합동

(2) **직각삼각형** : ① RHA 합동 　② RHS 합동

3 삼각형의 성질

(1) **이등변삼각형**

① 정의 : 두 변의 길이가 같은 삼각형 　② 두 밑각의 크기는 서로 같다.

③ 꼭지각의 이등분선은 밑변을 수직이등분한다.

④ 꼭지각의 이등분선 위에 외심, 내심, 무게중심, 수심이 존재한다.

(2) **정삼각형**

① 정의 : 세 변의 길이가 모두 같은 삼각형 　② 세 내각의 크기가 모두 같다.

③ 외심, 내심, 무게중심, 수심의 위치가 일치한다.

(3) **직각삼각형**

① 정의 : 한 내각의 크기가 직각인 삼각형

② 빗변의 중점이 외심이다. 즉, 직각삼각형의 빗변이 외접원의 지름이다.

4 삼각형의 외심과 내심

(1) **삼각형의 외심(O)**

① 정의 : 삼각형의 세 변의 수직이등분선의 교점(외접원의 중심)

② 성질 : 외심에서 삼각형의 세 꼭짓점에 이르는 거리는 같다. ($\overline{OA}=\overline{OB}=\overline{OC}$)

(2) **삼각형의 내심(I)**

① 정의 : 삼각형의 세 내각의 이등분선의 교점(내접원의 중심)

② 성질 : 내심에서 삼각형의 세 변에 이르는 거리(수선의 길이)는 같다. ($\overline{ID}=\overline{IE}=\overline{IF}$)

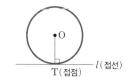

  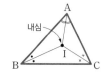 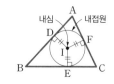

STEP 1 주제별 실력다지기

삼각형

(1) 삼각형의 정의 : 세 선분으로 둘러싸인 평면도형

(2) 삼각형의 성립조건

　　세 변의 길이 중 임의의 두 변의 길이의 합은 나머지 한 변의 길이보다 크다.

(3) 삼각형이 하나로 결정되기 위한 조건

　　① 세 변의 길이가 주어질 때

　　② 두 변의 길이와 그 끼인 각의 크기가 주어질 때

　　③ 한 변의 길이와 그 양 끝각의 크기가 주어질 때

> 일반적인 삼각형의 합동 조건
> ① SSS 합동
> ② SAS 합동
> ③ ASA 합동

1 삼각형의 세 변의 길이가 $2x$, 2, 6일 때, 자연수 x의 값을 구하시오.

2 오른쪽 그림과 같은 볼록사각형 ABCD가 작도되기 위한 자연수 x의 개수를 구하시오.

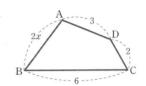

> 가장 긴 변의 길이는 나머지 세 변의 길이의 합보다 작다.

직각삼각형의 합동 조건

두 직각삼각형은 다음의 각 경우에 합동이다.

(1) 빗변의 길이와 한 예각의 크기가 각각 같을 때 (RHA 합동)

(2) 빗변의 길이와 다른 한 변의 길이가 각각 같을 때 (RHS 합동)

> 직각삼각형에서 직각의 대변을 빗변이라 한다.

3 빗변의 길이와 한 예각의 크기가 각각 같은 두 직각삼각형이 합동임을 오른쪽 그림을 이용하여 증명하시오.

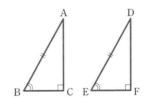

> RHA 합동 조건이다.

4 빗변의 길이와 다른 한 변의 길이가 각각 같은 두 직각삼각형이 합동임을 오른쪽 그림을 이용하여 증명하시오.

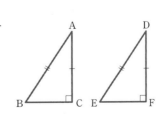

> RHS 합동 조건이다.

1. 삼각형의 성질　**7**

이등변삼각형

(1) 정의 : 두 변의 길이가 같은 삼각형

(2) 기본 정리

　① 이등변삼각형의 두 밑각의 크기는 같다.

　② 이등변삼각형의 꼭지각의 이등분선은 밑변을 수직이등분한다.

　③ 두 내각의 크기가 같은 삼각형은 이등변삼각형이다.

5 다음은 오른쪽 그림과 같이 $\overline{AB}=\overline{AC}$인 이등변삼각형 ABC의 두 밑각의 크기가 같음을 증명한 것이다. □ 안에 알맞은 것을 써넣으시오.

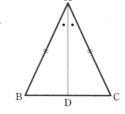

[가정]   (가)

[결론]   (나)

──────── 증명 ────────

(작도 설명) ∠A의 이등분선과 $\overline{BC}$와의 교점을 D라고 하면

(공간 설정) △ABD와 △ACD에서

(내용 설명)   (가)   (가정)   …… ㉠

           ∠BAD＝∠CAD   …… ㉡

           (다) 는 공통   …… ㉢

(판정) ㉠, ㉡, ㉢에 의해

           (라)   (SAS 합동)

(결론) ∴   (나)

증명 순서

① 작도 설명 : 작도가 필요하면 작도를 한 다음 설명한다. 필요 없는 경우도 있다.

② 공간 설정 : 합동이 될 수 있는 삼각형을 찾는다.

③ 내용 설명 : 합동 조건을 설명한다.

④ 판정 : 위의 사항에서 나타난 결과를 찾는다.

⑤ 결론 : 결론을 나열한다.

6 오른쪽 그림과 같이 $\overline{AB}=\overline{AC}$인 이등변삼각형 ABC의 꼭지각 A의 이등분선은 밑변을 수직이등분함을 증명하시오.

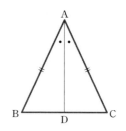

7 오른쪽 그림과 같이 $\overline{AB}=\overline{AC}$인 이등변삼각형 ABC에서 $\overline{AD}=\overline{AE}$가 되도록 $\overline{AC}$, $\overline{AB}$ 위에 각각 두 점 D, E를 잡을 때, $\overline{BD}=\overline{CE}$임을 증명하시오.

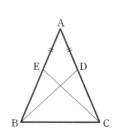

△ABD≡△ACE임을 이용하여 증명한다.

8 오른쪽 그림과 같이 $\overline{AB}=\overline{AC}$인 이등변삼각형 ABC의 두 꼭짓점 B, C에서 $\overline{AC}$, $\overline{AB}$에 내린 수선의 발을 각각 D, E라고 할 때, 다음을 증명하시오.

(1) $\overline{BD}=\overline{CE}$

(2) $\overline{PB}=\overline{PC}$

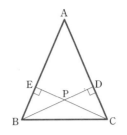

(1) △ABD≡△ACE임을 이용하여 증명하는 것이 편리하다.

9 오른쪽 그림과 같이 △ABC, △ECD가 모두 정삼각형일 때, $\overline{AD}=\overline{BE}$임을 증명하시오.

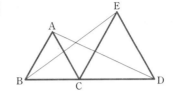

△ACD≡△BCE임을 이용하여 증명한다.

10 오른쪽 그림과 같이 $\overline{AB}=\overline{AC}$인 이등변삼각형 ABC의 밑변 BC 위의 임의의 한 점 P에서 $\overline{PD}\,/\!/\,\overline{AB}$, $\overline{PE}\,/\!/\,\overline{AC}$가 되도록 평행선을 그을 때, $\overline{PD}+\overline{PE}=\overline{AB}$임을 증명하시오.

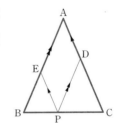

$\overline{BE}=\overline{PE}$, $\overline{AE}=\overline{PD}$임을 이용하여 증명한다.

11 오른쪽 그림에서 △ABC는 $\overline{AB}=\overline{AC}$인 이등변삼각형이다. 세 점 D, E, F는 각각 $\overline{BC}$, $\overline{AC}$, $\overline{AB}$ 위의 점이고, $\overline{CD}=\overline{BF}$, $\overline{BD}=\overline{CE}$, ∠A$=50°$일 때, ∠FDE의 크기를 구하시오.

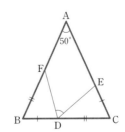

△FBD≡△DCE임을 이용한다.

19 오른쪽 그림과 같은 △ABC에서 $x-y$의 값을 구하시오.

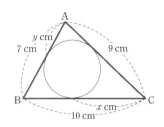

20 오른쪽 그림에서 점 O는 △ABC의 외심, 점 I는 △ABC의 내심이고 ∠BIC=110°, ∠ABC=60°일 때, ∠OAI의 크기를 구하시오.

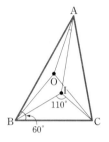

∠BIC=90°+$\frac{1}{2}$∠BAC
∠BOC=2∠BAC

21 오른쪽 그림에서 점 O와 점 I는 각각 △ABC의 외심과 내심이다. ∠BAD=30°이고 ∠CAE=40°일 때, ∠x의 크기를 구하시오.

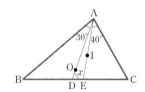

$\overline{BO}$, $\overline{CO}$를 그어 삼각형의 외심과 내심의 성질을 이용한다.

22 오른쪽 그림에서 점 O와 점 I는 각각 직각삼각형 ABC의 외심과 내심이다. 두 원의 반지름의 길이가 각각 3, 1일 때, △ABC의 넓이를 구하시오.

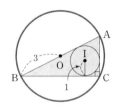

△ABC의 내접원의 반지름의 길이가 r일 때,
△ABC
=$\frac{1}{2}$×r×(△ABC의 둘레의
길이)

23 오른쪽 그림에서 점 I는 △ABC의 내심일 때, 점 I는 △ABC와 그 내접원의 세 접점으로 만들어진 △DEF의 외심임을 증명하시오.

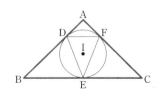

$\overline{ID}=\overline{IE}=\overline{IF}$임을 이용하여 증명한다.

삼각형의 오심(3)−무게중심(G)

(1) 정의 : 세 중선의 교점

(2) 기본 정리

　① 삼각형의 무게중심은 세 중선을 꼭짓점으로부터
　　2 : 1로 나눈다.

　② 세 중선에 의하여 삼각형의 넓이는 6등분된다.

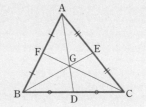

최상위 01 NOTE　풀이 2쪽

높이가 같은 두 삼각형의 넓이의 비는 밑변의 길이의 비와 같음을 이용하여 세 중선에 의하여 나누어지는 삼각형의 넓이를 구할 수 있다.

중선 : 꼭짓점과 대변의 중점을 이은 선분

$\overline{AG} : \overline{GD} = \overline{GG'} : \overline{G'D}$
　　　$= 2 : 1$

24 오른쪽 그림에서 점 G와 점 G′은 각각 △ABC, △GBC의 무게중심이다. $\overline{GG'}=4$ cm일 때, $\overline{AD}$의 길이를 구하시오.

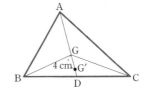

25 오른쪽 그림에서 점 G는 △ABC의 무게중심이다. △ABC=18 cm²일 때, △GAF, △BDG, △CEG의 넓이의 합을 구하시오.

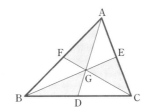

Deep

삼각형의 오심(4)−수심(H), 방심

(1) 수심(H) : 세 꼭짓점에서 각 대변에 내린 수선의 교점

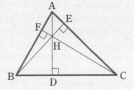

(2) 방심

　① 정의 : 한 꼭지각과 다른 두 외각의 이등분선의 교점

　② 기본 정리

　　• 방심에서 세 변 또는 그 연장선에 내린 수선의 길이는 같다.

　　• (△ABC의 둘레의 길이)$=2\overline{AD}=2\overline{AE}$

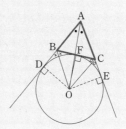

(2) ②
△OBD≡△OBF
(RHA 합동),
△OCF≡△OCE
(RHA 합동),
△OAD≡△OAE
(RHA 합동)이므로
$\overline{BD}=\overline{BF}, \overline{CF}=\overline{CE},$
$\overline{AD}=\overline{AE}$
∴ (△ABC의 둘레의 길이)
$=\overline{AB}+\overline{BC}+\overline{CA}$
$=\overline{AB}+\overline{BF}+\overline{FC}+\overline{CA}$
$=(\overline{AB}+\overline{BD})+(\overline{CE}+\overline{CA})$
$=\overline{AD}+\overline{AE}$
$=2\overline{AD}=2\overline{AE}$

26 오른쪽 그림에서 점 H는 △ABC의 수심이고 $\overline{AD}:\overline{BE}:\overline{CF}=6:9:8$일 때, $\overline{AB}:\overline{BC}:\overline{CA}$를 가장 간단한 자연수의 비로 나타내시오.

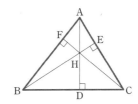

△ABC의 넓이를 S라고 하면
$S=\dfrac{1}{2}\times\overline{BC}\times\overline{AD}$
　$=\dfrac{1}{2}\times\overline{CA}\times\overline{BE}$
　$=\dfrac{1}{2}\times\overline{AB}\times\overline{CF}$

27 오른쪽 그림과 같은 △ABC에서 세 점 D, E, F는 접점이
다. $\overline{AB}=6$ cm, $\overline{BC}=5$ cm, $\overline{CA}=3$ cm일 때, $\overline{AD}$의 길
이를 구하시오.

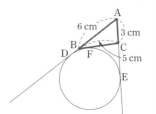

(△ABC의 둘레의 길이)
$=2\overline{AD}=2\overline{AE}$

Deep

사선식

좌표평면 위의 세 점 A(x_1, y_1), B(x_2, y_2), C(x_3, y_3)으로
이루어진 △ABC의 넓이 S는

$$S=\frac{1}{2}\left|\begin{matrix} x_1 & x_2 & x_3 & x_1 \\ y_1 & y_2 & y_3 & y_1 \end{matrix}\right|$$

$$=\frac{1}{2}\left|(x_1y_2+x_2y_3+x_3y_1)-(x_2y_1+x_3y_2+x_1y_3)\right|$$

↳ 실선 부분의 곱의 합　　↳ 점선 부분의 곱의 합

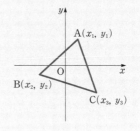

사선식에서 쓰는 좌표의 순서는
세 점 A, B, C의 어떤 것을 먼
저 써도 좋지만 반드시 처음에
쓴 좌표를 마지막에도 쓴다. 또,
일반적으로 볼록다각형에는 모
두 적용된다.

볼록다각형: 모든 내각의 크기
가 180°보다 작다.

오목다각형: 내각의 크기가
180°보다 큰 각이 존재한다.

28 좌표평면 위의 세 점 A$(0, -1)$, B$(3, 4)$, C$(4, 1)$로 이루어진 △ABC의 넓이를 구
하시오.

29 오른쪽 그림과 같은 오목오각형 ABCDE의 넓이를 구하
시오.

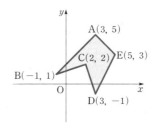

오목오각형의 넓이 S는
$S=$□ABDE$-$△BCD
단, 좌표는 한 방향으로 돌려서
쓴다. 예를 들면 □ABDE의
넓이를 구할 때, A → B → D
→ E → A 또는 E → D → B
→ A → E, … 등으로 쓴다.

중2 삼각형의 넓이

1. 내접원의 반지름 r를 알 때
$$\triangle ABC=\frac{r}{2}(a+b+c)$$

2. 외접원의 반지름 R를 알 때
$$\triangle ABC=\frac{abc}{4R}$$

고 등 까 지
연 결 되 는
중등개념

고2 헤론의 공식

'삼각형의 넓이는 여러 방법으로 구할 수 있다.'

삼각형의 세 변의 길이만 주어져도 삼각형의 넓이를 구할 수 있다.
△ABC의 세 변의 길이가 주어질 때, △ABC의 넓이를 S라 하면

$$S=\sqrt{s(s-a)(s-b)(s-c)}\left(단, s=\frac{a+b+c}{2}\right)$$

이를 헤론의 공식이라 한다.

※ $x^2=a\,(a>0)$이면 $x=\pm\sqrt{a}$로 나타낸다.

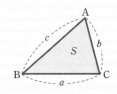

삼각형의 넓이를 두 가지 방법으로 구하여 푸는 문제 – 수선의 용법

(1) 삼각형의 한 꼭짓점에서 대변에 그은 수선은 삼각형의 높이로 볼 수 있다.

(2) 직각삼각형을 만든다.

(1)의 예

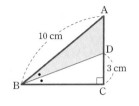

$\triangle ABH \equiv \triangle ACH$

(RHS 합동)

30 오른쪽 그림과 같은 △ABC에서 ∠ABD=∠CBD이고, $\overline{AB}$=10 cm, $\overline{CD}$=3 cm일 때, △ABD의 넓이를 구하시오.

(2)의 예

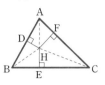

$\triangle ABC = \triangle HAB + \triangle HBC + \triangle HCA$

31 오른쪽 그림과 같이 ∠C=90°인 직각삼각형 ABC에 반지름의 길이가 같은 세 원이 내접해 있다. $\overline{AB}$=13 cm, $\overline{BC}$=12 cm, $\overline{CA}$=5 cm일 때, 이 원의 반지름의 길이를 구하시오.

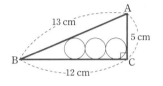

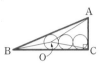

32 오른쪽 그림과 같이 넓이가 S이고, 한 변의 길이가 a인 정삼각형 ABC의 내부에 점 P가 있다. 이때 $\overline{PD}+\overline{PE}+\overline{PF}$의 값을 구하시오.

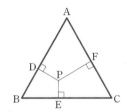

점 P와 각 꼭짓점 A, B, C를 잇는 선분을 그으면
$\triangle ABC = \triangle PAB + \triangle PBC + \triangle PCA$

33 오른쪽 그림과 같이 넓이가 40 cm²이고, $\overline{AB}=\overline{AC}$=10 cm인 이등변삼각형 ABC의 밑변 BC 위에 임의의 점 P를 잡을 때, 점 P에서 $\overline{AB}$, $\overline{AC}$에 각각 내린 수선의 길이의 합을 구하시오.

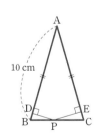

$\overline{AP}$를 그으면
$\triangle ABC = \triangle PAB + \triangle PAC$

34 오른쪽 그림과 같은 사면체 O−ABC에서 ∠AOB=∠AOC=∠BOC=90°이고, $\overline{OA}=a$, $\overline{OB}=b$, $\overline{OC}=c$이다. △ABC의 넓이를 S라고 할 때, 점 O에서 △ABC에 내린 수선의 길이를 구하시오.

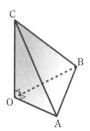

사면체의 부피 V는
$V=\dfrac{1}{6}abc$
이다.

삼각형의 넓이의 응용

(1) 넓이 분할

$\triangle ABD : \triangle ACD = \overline{BD} : \overline{CD}$

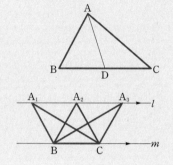

(2) 평행선과 넓이

$l \,/\!/\, m$일 때,

$\triangle A_1 BC = \triangle A_2 BC = \triangle A_3 BC$

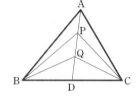

(1)

$\triangle ABD = \dfrac{1}{2} \times \overline{BD} \times \overline{AH}$

$\triangle ACD = \dfrac{1}{2} \times \overline{CD} \times \overline{AH}$

$\therefore \triangle ABD : \triangle ACD$
$= \overline{BD} : \overline{CD}$

(2) 밑변의 길이와 높이가 모두 같다.

35 오른쪽 그림과 같은 △ABC에서
$\triangle PBQ : \triangle PCQ = \overline{BD} : \overline{CD}$임을 증명하시오.

36 오른쪽 그림에서 △ABC의 넓이는 40 cm²이고,
$\overline{AP} : \overline{PC} = 2 : 1$, $\overline{BQ} : \overline{QC} = 2 : 3$일 때, △PQC의 넓이를
구하시오.

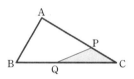

먼저 $\overline{AQ}$를 긋는다.

37 오른쪽 그림에서 $\overline{AD} \,/\!/\, \overline{BC}$, $\overline{AB} \,/\!/\, \overline{DE}$일 때, 다음 중
△DFC와 넓이가 같은 삼각형을 모두 고르면? (정답 2개)

① △AEF   ② △CEF   ③ △BEF

④ △BEG   ⑤ △ABG

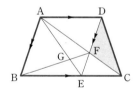

38 오른쪽 그림의 △ABC에서 점 M은 $\overline{BC}$의 중점이고,
$\overline{AD}$, $\overline{EM}$은 각각 $\overline{BC}$에 수직이다. △ABC의 넓이가 10 cm²
일 때, △BDE의 넓이를 구하시오.

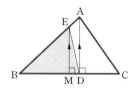

$\overline{AM}$을 그은 후
△DEM=△AEM
임을 이용한다.

1 오른쪽 그림과 같은 직각이등변삼각형 ABC에서 꼭짓
점 A를 지나는 직선 *l*에 두 점 B, C에서 내린 수선의
발을 각각 D, E라고 할 때, $\overline{DE}$의 길이를 구하시오.

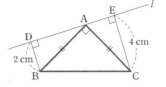

합동인 두 삼각형을 찾는다.

2 오른쪽 그림과 같이 $\overline{AB}=\overline{AC}$인 이등변삼각형 ABC에서
$\overline{AD}=\overline{BD}=\overline{BC}$일 때, ∠A의 크기를 구하시오.

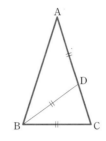

3 오른쪽 그림에서 △ABC는 $\overline{AB}=\overline{AC}$인 이등변삼각형이다.
서술형 $\overline{BF}=\overline{CD}$, $\overline{BD}=\overline{CE}$이고 ∠A=54°일 때, ∠DFE의 크기를
구하시오.

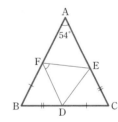

이등변삼각형의 성질과 삼각형
의 합동을 이용한다.

풀이

4 오른쪽 그림의 원 O에서 $\overline{AD}=\overline{OD}$일 때, $\overparen{CD} : \overparen{BE}$
를 가장 간단한 자연수의 비로 나타내시오.

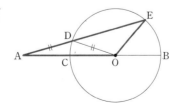

호의 길이는 중심각의 크기에
비례한다.

5 오른쪽 그림과 같이 ∠C=90°인 직각이등변삼각형 ABC에서
서술형 ∠A의 이등분선이 $\overline{BC}$와 만나는 점을 D라 하자. $\overline{AB}$=20 cm
이고 $\overline{CD}$=6 cm일 때, △ABD의 넓이를 구하시오.

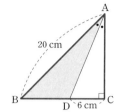

보조선을 그어 직각삼각형을 만들고, 직각삼각형의 합동을 이용한다.

> 풀이

6 오른쪽 그림과 같이 ∠B=∠C인 이등변삼각형 ABC에 정삼
각형 DEF가 내접해 있다. ∠AFE=∠x, ∠BDF=∠y일
때, ∠CED의 크기를 ∠x, ∠y의 식으로 나타내시오.

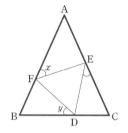

7 오른쪽 그림에서 점 I는 △ABC의 내심이고 ∠C=78°일 때,
서술형 ∠x+∠y의 크기를 구하시오.

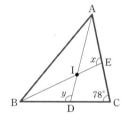

점 I가 △ABC의 내심이므로 ∠BAD=∠CAD, ∠ABE=∠CBE임을 이용한다.

> 풀이

8 오른쪽 그림과 같은 이등변삼각형 ABC에서 두 점 O, I는 각각
△ABC의 외심과 내심이다. ∠A=40°일 때, ∠OCI의 크기를 구
하시오.

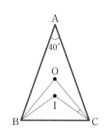

9 오른쪽 그림과 같은 △ABC에서 점 I가 내심이고 내접원의 반지름의 길이가 2 cm, △ABC의 넓이는 25 cm²이다. 이 때 △ABC의 둘레의 길이를 구하시오.

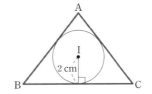

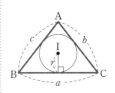

$$\triangle ABC = \frac{r}{2}(a+b+c)$$

10 오른쪽 그림에서 원 I는 △ABC의 내접원이다. $\overline{AB}=16$ cm, $\overline{BC}=18$ cm, $\overline{BD}=10$ cm일 때, $\overline{CA}$의 길이를 구하시오.

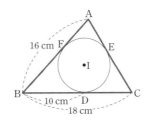

11 다음 중 외심과 무게중심이 항상 일치하는 삼각형은?

① 직각삼각형   ② 정삼각형   ③ 이등변삼각형

④ 예각삼각형   ⑤ 둔각삼각형

외심과 무게중심이 일치하면
(중선)=(수직이등분선)이다.

12 오른쪽 그림과 같은 삼각형 ABC의 외접원의 중심이 O이다. ∠ABO=20°이고, ∠ACO=40°일 때, ∠BOC의 크기를 구하시오.

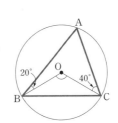

13
서술형
오른쪽 그림과 같이 △ABC의 꼭짓점 A에서 $\overline{BC}$에 내린 수선의 발을 D라 하고, $\overline{AC}$의 중점 M을 지나면서 $\overline{AB}$에 평행한 직선과 $\overline{BC}$의 교점을 E라 하자. ∠B=2∠C이고 $\overline{AB}$=12 cm, $\overline{ME}$=6 cm일 때, $\overline{DE}$의 길이를 구하시오.

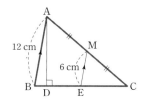

직각삼각형의 외심은 빗변의 중점임을 이용한다.

풀이

14
오른쪽 그림과 같은 직각삼각형 ABC에서 점 G는 △ABC의 무게중심이고 $\overline{GD}$=2 cm일 때, $\overline{AB}$의 길이를 구하시오.

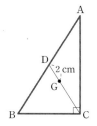

$\overline{CG} : \overline{GD}=2 : 1$

15
오른쪽 그림에서 점 G는 삼각형 ABC의 무게중심이고 어두운 부분의 넓이의 합이 10 cm²일 때, △ABC의 넓이를 구하시오.

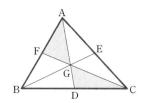

세 중선에 의해 나누어진 6개의 삼각형의 넓이는 모두 같다.

16
오른쪽 그림과 같이 빗변의 길이가 10 cm인 직각삼각형 ABC의 외심과 수심 사이의 거리를 구하시오.

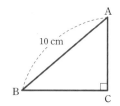

△ABC의 수심은 점 C이다.

17 오른쪽 그림과 같이 $\overline{AB}=7\ cm$, $\overline{BC}=5\ cm$, $\overline{CA}=6\ cm$인 $\triangle ABC$의 내접원과 방접원에 대하여 $\overline{PQ}$의 길이를 구하시오. (단, 6개의 점 D, E, F, G, P, Q는 모두 접점이다.)

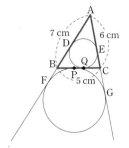

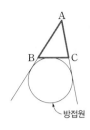

방접원

18 오른쪽 그림과 같은 사각형 ABCD에서 $\triangle OAB=3\ cm^2$, $\triangle OBC=4\ cm^2$, $\triangle OCD=2\ cm^2$일 때, $\triangle OAD$의 넓이를 구하시오.

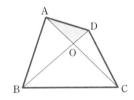

$\triangle OAD : \triangle OCD$
$= \triangle OAB : \triangle OBC$

19 오른쪽 그림과 같은 사각형 ABCD와 그 내접원에 대하여 $\overline{AB}=10\ cm$, $\overline{BC}=12\ cm$, $\overline{CD}=5\ cm$일 때, $\overline{AD}$의 길이를 구하시오.

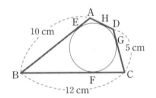

$\overline{AE}=\overline{AH}$, $\overline{BE}=\overline{BF}$,
$\overline{CG}=\overline{CF}$, $\overline{DG}=\overline{DH}$
$\therefore \overline{AB}+\overline{CD}=\overline{AD}+\overline{BC}$

20 오른쪽 그림에서 점 I는 $\triangle ABC$의 내심이다. $\overline{DE} /\!/ \overline{BC}$이고, $\overline{AB}=6\ cm$, $\overline{BC}=8\ cm$, $\overline{AC}=7\ cm$일 때, $\triangle ADE$의 둘레의 길이를 구하시오.

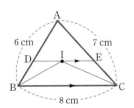

$\triangle DBI$, $\triangle ECI$는 모두 이등변 삼각형이다.

1 오른쪽 그림에서 △AB′C′은 △ABC를 점 A를 중심으로 $\overline{AB} /\!/ \overline{B'C'}$이 되도록 회전시킨 삼각형이다. $\overline{BC}$와 $\overline{B'C'}$, $\overline{AB'}$과의 교점을 각각 D, E라 하고, $\overline{AB}=8$ cm, $\overline{BC}=10$ cm일 때, $\overline{BD}$의 길이를 구하시오.

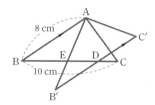

△EAB와 △EB′D는 모두 이등변삼각형이다.

2 오른쪽 그림과 같은 정사각형 ABCD에서 점 P는 $\overline{AB}$ 위의 점이고, 점 Q는 $\overline{BC}$의 연장선 위에 $\overline{DP}=\overline{DQ}$인 점이다. $\angle ADP=30°$일 때, $\angle BQP$의 크기를 구하시오.

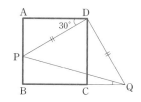

△APD≡△CQD임을 이용한다.

3 오른쪽 그림과 같이 $\overline{AB}=6$ cm, $\overline{BC}=10$ cm, $\overline{CA}=8$ cm인 직각삼각형 ABC에 반지름의 길이가 같은 두 원이 내접해 있다. 이 원의 반지름의 길이를 구하시오.

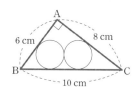

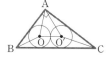

△ABC
=△OAB+△O′AC
+□OBCO′+△AOO′

4 오른쪽 그림과 같이 △ABC의 외접원 O의 중심이 $\overline{BC}$ 위에 있고, 원 O′은 △ABC의 내접원이다. 두 원 O, O′의 반지름의 길이가 각각 6 cm, 2 cm일 때, △ABC의 넓이를 구하시오.

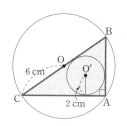

△ABC의 둘레의 길이를 먼저 구한다.

5 오른쪽 그림과 같이 정사각형 ABCD의 변 CD 위의 한 점을 E라 하고, $\overline{CE}=\overline{CF}$가 되도록 $\overline{BC}$의 연장선 위에 점 F를 잡는다. $\overline{BE}$의 연장선과 $\overline{DF}$가 만나는 점을 G라 할 때, $\angle DGE$의 크기를 구하시오.

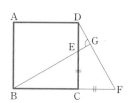

△BCE≡△DCF임을 이용한다.

6 오른쪽 그림과 같은 △ABC에서 두 점 M, N은 각각 $\overline{BC}$, $\overline{CA}$의 중점이고, $\overline{BN} \perp \overline{AM}$, $\overline{AM}=9\,cm$, $\overline{BN}=12\,cm$일 때, △ABC의 넓이를 구하시오.

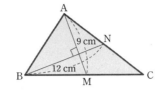

$\overline{AM}$과 $\overline{BN}$의 교점이 △ABC의 무게중심임을 이용한다.

7 오른쪽 그림과 같은 △ABC의 넓이는 $34\,cm^2$이고 $\overline{AD}:\overline{DE}=\overline{BE}:\overline{EF}=1:2$, $\overline{CF}=\overline{DF}$이다. 이때 △DEF의 넓이를 구하시오.

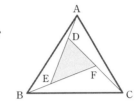

$\overline{AF}$, $\overline{CE}$를 그어 삼각형의 넓이 분할 정리를 이용한다.

8 세 점 O(0, 0), A(4, 0), B(3, 2)를 꼭짓점으로 하는 △OAB가 있다. 점 C(1, 0)을 지나면서 △OAB의 넓이를 이등분하는 직선 CD의 방정식을 구하시오.

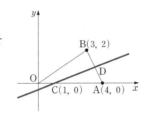

Challenge

9 오른쪽 그림과 같이 $\overline{AB}=\overline{AC}$인 이등변삼각형 ABC의 외접원과 내접원의 중심을 각각 O, I라 하고, $\overline{AI}$의 연장선과 외접원의 교점을 D라고 하자. 외접원의 반지름의 길이를 r, $\overline{OI}=d$라 할 때, $\overline{BD}$의 길이를 r, d의 식으로 나타내시오. (단, $\angle CAD = \angle CBD$)

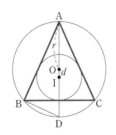

△DBI가 이등변삼각형임을 이용한다.

Challenge

10 오른쪽 그림과 같은 △ABC에서 $\overline{BC} /\!/ \overline{EA}$, $\overline{DB}:\overline{CA}=2:1$이고, $\angle CEA=90°$, $\angle BCA=120°$일 때, $\angle BAC$의 크기를 구하시오.

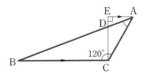

$\overline{DB}$의 중점을 O라 하고 $\overline{OC}$를 그어 이등변삼각형 OBC를 만든다.

2 사각형의 성질

1 사각형의 정의

(1) **사다리꼴** : 한 쌍의 대변이 평행한 사각형

(2) **등변사다리꼴** : 아랫변의 양 끝각의 크기가 같은 사다리꼴

(3) **평행사변형** : 두 쌍의 대변이 각각 평행한 사각형

(4) **마름모** : 네 변의 길이가 모두 같은 사각형

(5) **직사각형** : 네 내각의 크기가 모두 같은 사각형

(6) **정사각형** : 네 변의 길이가 모두 같고, 네 내각의 크기가 모두 같은 사각형

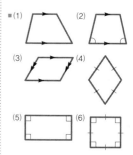

2 평행사변형

(1) **평행사변형의 성질**

① 두 쌍의 대변의 길이가 각각 같다.

② 두 쌍의 대각의 크기가 각각 같다.

③ 두 대각선이 서로 다른 것을 이등분한다.

(2) **평행사변형이 되는 조건**

다음 조건 중 어느 하나를 만족하는 사각형은 평행사변형이다.

① 두 쌍의 대변이 각각 평행하다.(정의)

② 두 쌍의 대변의 길이가 각각 같다.

③ 두 쌍의 대각의 크기가 각각 같다.

④ 두 대각선이 서로 다른 것을 이등분한다.

⑤ 한 쌍의 대변이 평행하고, 그 길이가 같다.

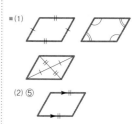

3 사각형의 성질

(1) **직사각형의 성질**

① 평행사변형의 모든 성질을 만족한다.

② 두 대각선의 길이가 같고, 서로 다른 것을 이등분한다.

(2) **마름모의 성질**

① 평행사변형의 모든 성질을 만족한다.

② 두 대각선은 서로 다른 것을 수직이등분한다.

(3) **정사각형의 성질**

① 직사각형과 마름모의 모든 성질을 만족한다.

② 두 대각선의 길이가 같고, 서로 다른 것을 수직이등분한다.

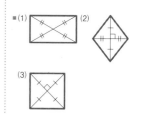

4 여러 가지 사각형 사이의 포함 관계

사다리꼴 ─①→ 등변사다리꼴 ─②→ 직사각형 ─③→ 정사각형
　　　　 └②→ 평행사변형 ─③→ 마름모 ─①→ 정사각형
　　　　　　　　　　　　└①→ 직사각형 ─③→ 정사각형

> 대각선의 성질
> ① 대각선의 길이가 같다.
> ② 대각선이 서로 다른 것을 이등분한다.
> ③ 대각선이 서로 수직이다.

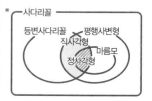

주제별 실력다지기

정답과 풀이 14쪽

평행사변형의 성질(1)

(1) 정의 : 두 쌍의 대변이 각각 평행한 사각형

(2) 평행사변형의 성질

   ① 두 쌍의 대변의 길이가 각각 같다.

   ② 두 쌍의 대각의 크기가 각각 같다.

   ③ 두 대각선이 서로 다른 것을 이등분한다.

(3) 평행사변형이 되는 조건

   ① 두 쌍의 대변이 각각 평행하다.(정의)

   ② 두 쌍의 대변의 길이가 각각 같다.

   ③ 두 쌍의 대각의 크기가 각각 같다.

   ④ 두 대각선이 서로 다른 것을 이등분한다.

   ⑤ 한 쌍의 대변이 평행하고, 그 길이가 같다.

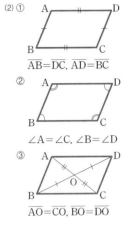

(2) ①

$\overline{AB}=\overline{DC}$, $\overline{AD}=\overline{BC}$

②

$\angle A=\angle C$, $\angle B=\angle D$

③

$\overline{AO}=\overline{CO}$, $\overline{BO}=\overline{DO}$

---

1 두 쌍의 대각의 크기가 각각 같은 사각형은 평행사변형이 됨을 증명하시오.

[가정] $\angle A=\angle C$, $\angle B=\angle D$

[결론] $\overline{AD}/\!/\overline{BC}$, $\overline{AB}/\!/\overline{DC}$

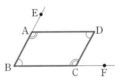

$\angle EAD=\angle ABC$, $\angle ABC=\angle DCF$가 되어 $\overline{AD}/\!/\overline{BC}$, $\overline{AB}/\!/\overline{CD}$임을 밝힌다.

---

2 한 쌍의 대변이 평행하고, 그 길이가 같은 사각형은 평행사변형이 됨을 증명하시오.

[가정] $\overline{AD}/\!/\overline{BC}$, $\overline{AD}=\overline{BC}$

[결론] $\overline{AB}/\!/\overline{DC}$

대각선 BD를 그으면 $\triangle ABD\equiv\triangle CDB$가 되어 $\angle ABD=\angle CDB$임을 이용하여 증명한다.

---

3 임의의 사각형의 각 변의 중점을 이어서 만든 사각형은 평행사변형이 됨을 증명하시오.

[가정] $\overline{AE}=\overline{BE}$, $\overline{BF}=\overline{CF}$, $\overline{CG}=\overline{DG}$, $\overline{AH}=\overline{DH}$

[결론] $\overline{EF}=\overline{HG}$, $\overline{EF}/\!/\overline{HG}$

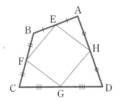

$\overline{EF}=\frac{1}{2}\overline{AC}=\overline{GH}$, $\overline{EF}/\!/\overline{AC}/\!/\overline{HG}$임을 이용하여 증명한다.

---

4 오른쪽 그림과 같이 평행사변형 ABCD의 각 변의 중점을 각각 E, F, G, H라 하고, $\overline{AG}$와 $\overline{BH}$의 교점을 P, $\overline{EC}$와 $\overline{BH}$의 교점을 Q, $\overline{FD}$와 $\overline{EC}$의 교점을 R, $\overline{AG}$와 $\overline{FD}$의 교점을 S라 하자. 다음 물음에 답하시오.

(1) □PQRS가 평행사변형임을 증명하시오.

(2) $\overline{AG}=8$ cm, $\overline{BH}=10$ cm일 때, $\overline{PQ}+\overline{QR}$의 길이를 구하시오.

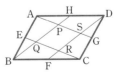

(2) 삼각형의 중점연결정리의 역을 이용한다.

$\overline{AM}=\overline{BM}$, $\overline{MN}/\!/\overline{BC}$이면 $\overline{AN}=\overline{CN}$, $\overline{MN}=\frac{1}{2}\overline{BC}$이다.

(1) 평행사변형의 넓이 S는
$$S = \overline{BC} \times \overline{AH}$$

(2) 평행사변형의 대각선은 평행사변형의 넓이를 이등분한다.
따라서 평행사변형 ABCD의 내부의 임의의 점 O에 대하여
$$S_1 + S_3 = S_2 + S_4$$

(3) 좌표평면에서의 평행사변형
평행사변형의 두 대각선의 중점은 일치하므로
$$\frac{x_1 + x_3}{2} = \frac{x_2 + x_4}{2}, \quad \frac{y_1 + y_3}{2} = \frac{y_2 + y_4}{2}$$
$$\therefore x_1 + x_3 = x_2 + x_4, \quad y_1 + y_3 = y_2 + y_4$$

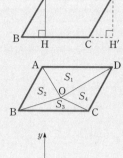
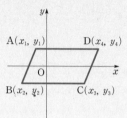

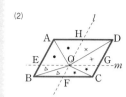

(1) $\triangle ABH \equiv \triangle DCH'$

(2)
$\overline{AB} /\!/ \overline{DC} /\!/ l$, $\overline{AD} /\!/ \overline{BC} /\!/ m$
이면 □AEOH, □EBFO,
□FCGO, □GDHO는 모두
평행사변형이다.
따라서 넓이가 같은 삼각형은
위의 그림과 같으므로
$$S_1 + S_3 = S_2 + S_4$$
$$= \bullet + \times + \triangle + \bigstar$$

---

5 오른쪽 그림과 같은 평행사변형 ABCD에서 $\angle E = 90°$, $\overline{AE} = 3$ cm, $\overline{EF} = 4$ cm, $\overline{AB} = 9$ cm일 때, $\triangle FBC$의 넓이를 구하시오.

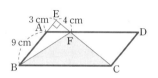

$\triangle FBC = \dfrac{1}{2} \times \overline{FC} \times \overline{BE}$

---

6 오른쪽 그림과 같은 평행사변형 ABCD의 대각선 AC 위의 점 O에 대하여 $\triangle OAD = 8$ cm^2, $\triangle OCD = 3$ cm^{2}일 때, $\triangle OAB$의 넓이를 구하시오.

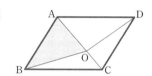

$\triangle OAB + \triangle OCD$
$= \triangle OAD + \triangle OBC$

---

7 좌표평면 위의 네 점 A(0, 0), B(2, 0), C(1, 1), D(a, b)로 이루어진 평행사변형은 3개이다. 이때 점 D의 좌표를 모두 구하시오.

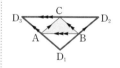

---

8 오른쪽 그림에서 □ABCD는 평행사변형이다. 네 꼭짓점 A, D, B, C에서 직선 l에 내린 수선의 발을 각각 P, Q, R, S라고 하면 $\overline{AP} = 10$ cm, $\overline{BR} = 5$ cm, $\overline{CS} = 9$ cm, $\overline{PQ} = 6$ cm, $\overline{QS} = 10$ cm이다. 이때 평행사변형 ABCD의 넓이를 구하시오.

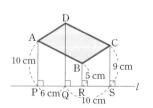

(평행사변형 ABCD의 넓이)
= □APQD + □CSQD
  − □BRPA − □BRSC

평행사변형의 분할

평행사변형 ABCD에서 $\overline{BE}=\overline{EC}$, $\overline{CF}=\overline{FD}$일 때,

(1) 두 점 G, G′은 각각 △ABC, △ACD의 무게중심이다.

　　$(\because \overline{AO}=\overline{OC})$

(2) $\overline{AG}:\overline{GE}=\overline{AG'}:\overline{G'F}=2:1$

　　$\therefore$ △AGG′∽△AEF (닮음비는 2 : 3)

(3) $\overline{BG}:\overline{GO}=\overline{DG'}:\overline{G'O}=2:1$이므로 $\overline{BG}=\overline{GG'}=\overline{G'D}$ $(\because \overline{BO}=\overline{OD})$

　　$\therefore$ △ABG=△AGG′=△AG′D

(4) △CEF∽△CBD (닮음비는 1 : 2)

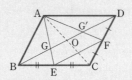

평행사변형의 분할된 넓이의 비

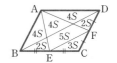

---

9 오른쪽 그림과 같은 평행사변형 ABCD에서 두 점 E, F는 각각 $\overline{BC}$, $\overline{CD}$의 중점이고, 두 점 G, H는 각각 대각선 BD와 $\overline{AE}$, $\overline{AF}$의 교점이다. ☐GEFH=5 cm² 일 때, △CEF의 넓이를 구하시오.

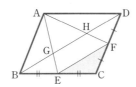

대각선 AC를 그으면 두 점 G, H는 각각 △ABC, △ACD의 무게중심이다.

---

10 오른쪽 그림의 평행사변형 ABCD에서 $\overline{AB}$, $\overline{BC}$의 중점을 각각 M, N이라고 할 때, △DMN : △BMN을 가장 간단한 자연수의 비로 나타내시오.

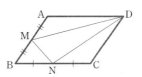

대각선 AC를 그어 평행사변형의 분할된 넓이의 비를 구한다.

---

11 오른쪽 그림과 같은 평행사변형 ABCD에서 $\overline{AB}$, $\overline{BC}$의 중점을 각각 M, N이라고 할 때, ☐ABCD의 넓이는 ☐AECD의 넓이의 몇 배가 되는지 구하시오.

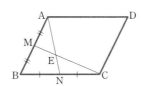

점 E는 △ABC의 무게중심이다.

---

12 오른쪽 그림과 같은 평행사변형 ABCD에서 두 변 AB, CD 위에 각각 $\overline{AP}:\overline{PB}=2:1$, $\overline{CR}:\overline{RD}=2:1$이 되도록 두 점 P, R를 잡는다. ☐ABCD의 넓이가 36 cm²일 때, ☐PQRS의 넓이를 구하시오.

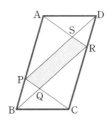

$\overline{PR}$를 그어 △PRS의 넓이를 이용한다.

사다리꼴의 성질

(1) 정의 : 한 쌍의 대변이 평행한 사각형

(2) 기본 성질 : $\overline{AD} /\!/ \overline{BC}$일 때

   ① $\triangle ABC = \triangle DBC$, $\triangle OAB = \triangle ODC$

   ② $\triangle OAD \backsim \triangle OCB$

   ③ $\triangle OAB : \triangle OBC = \triangle OAD : \triangle OCD$

     $\triangle OAB : \triangle OAD = \triangle OBC : \triangle OCD$

   ④ $\square ABCD = \dfrac{1}{2}(\overline{AD} + \overline{BC}) \times \overline{AH}$

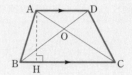

13 오른쪽 그림과 같이 $\overline{AD} /\!/ \overline{BC}$인 사다리꼴 ABCD에서 $\triangle ABO = 3\ cm^2$, $\triangle OBC = 9\ cm^2$일 때, $\square ABCD$의 넓이를 구하시오.

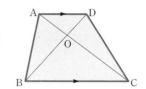

$\triangle OAB : \triangle OBC$ $= \triangle OAD : \triangle OCD$ $= \overline{OA} : \overline{OC}$

14 오른쪽 그림과 같이 반지름의 길이가 5 cm인 원에 외접하고 $\overline{AD} /\!/ \overline{BC}$인 사다리꼴 ABCD에서 $\overline{AB} = 11$ cm, $\overline{DC} = 13$ cm일 때, $\square ABCD$의 넓이를 구하시오.

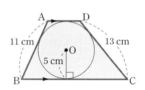

$\overline{AD} + \overline{BC} = \overline{AB} + \overline{CD}$

15 오른쪽 그림과 같이 $\overline{AD} /\!/ \overline{BC}$인 사다리꼴 ABCD에서 $\overline{AD} = 4$ cm, $\overline{BC} = 8$ cm일 때, 사다리꼴의 내부의 한 점 P에 대하여 $\triangle PAD = \triangle PBC$가 성립한다고 한다. 이때 $(\triangle PAD + \triangle PBC) : (\triangle PAB + \triangle PCD)$를 가장 간단한 자연수의 비로 나타내시오.

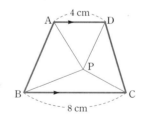

점 P에서 $\overline{AD}$, $\overline{BC}$에 각각 수선을 내리면 그 길이의 비는 2 : 1이다.

16 오른쪽 그림과 같이 $\overline{AD} /\!/ \overline{BC}$인 사다리꼴 ABCD에서 $\overline{DC}$의 중점을 M이라 할 때, $\triangle ABM : (\triangle AMD + \triangle MBC)$를 가장 간단한 자연수의 비로 나타내시오.

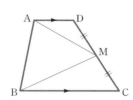

$\overline{BM}$의 연장선과 $\overline{AD}$의 연장선의 교점을 E라고 놓는다.

여러 가지 사각형의 성질(1)

(1) 등변사다리꼴
① 정의 : 아랫변의 양 끝각의 크기가 같은 사다리꼴
② 기본 성질
  (i) $\overline{AB}=\overline{DC}$
  (ii) 두 대각선의 길이가 같다. 즉, $\overline{AC}=\overline{DB}$

(2) 마름모
① 정의 : 네 변의 길이가 모두 같은 사각형
② 기본 성질
  (i) 평행사변형의 성질을 모두 갖는다.
  (ii) 두 대각선이 서로 다른 것을 수직이등분한다.
    즉, $\overline{OA}=\overline{OC}$, $\overline{OB}=\overline{OD}$, $\overline{AC}\perp\overline{BD}$

Deep ③ $\square ABCD=\dfrac{1}{2}\times\overline{AC}\times\overline{BD}$

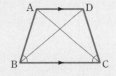
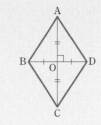

최상위 **02**
NOTE
풀이 13쪽

대각선이 서로 수직인 사각형의 넓이는 사각형의 두 대각선의 길이를 각각 가로의 길이, 세로의 길이로 하는 직사각형의 넓이의 $\dfrac{1}{2}$이다.

(1) ② 의 (i) 증명

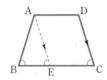

점 A에서 $\overline{DC}$에 평행한 선분을 그으면 $\square AECD$가 평행사변형이므로
$\angle B=\angle C=\angle AEB$에서
$\triangle ABE$는 이등변삼각형이다.
$\therefore \overline{AB}=\overline{AE}=\overline{DC}$

17 등변사다리꼴의 대각선의 길이가 같음을 증명하시오.

[가정] $\overline{AD} /\!/ \overline{BC}$, $\angle ABC=\angle DCB$
[결론] $\overline{AC}=\overline{DB}$

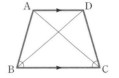

18 오른쪽 그림과 같이 $\overline{AD} /\!/ \overline{BC}$이고, $\overline{AD}=2$ cm, $\overline{BC}=4$ cm인 등변사다리꼴 ABCD에서 $\overline{AB}$, $\overline{DC}$의 중점을 각각 M, N이라고 할 때, $\square AMND : \square MBCN$을 가장 간단한 자연수의 비로 나타내시오.

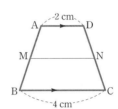

$\overline{MN}=\dfrac{1}{2}(\overline{AD}+\overline{BC})$

19 오른쪽 그림과 같은 직사각형 ABCD에서 대각선 AC의 수직이등분선이 $\overline{AD}$, $\overline{BC}$와 만나는 점을 각각 E, F라고 하자. $\overline{AB}=4$ cm, $\overline{BF}=3$ cm, $\overline{AF}=5$ cm일 때, $\square AFCE$의 넓이를 구하시오.

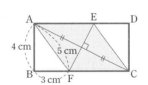

$\square AFCE$는 마름모이다.

중2 도형의 성질

한 도형의 정의와 정리 등의 논리적인 방법을 통하여 다양한 도형의 성질들을 새롭게 밝혀낼 수 있다.

(예) 정사각형의 정의를 통해서 정사각형이 마름모이면서 직사각형임을 알 수 있다. 즉
'네 변의 길이가 같고,
   마름모의 정의
네 각의 크기가 같은 사각형'
     직사각형의 정의

고등까지 연결되는 중등개념

고1 평면좌표

'좌표평면에서 도형의 성질을 이용하여 점의 좌표를 밝혀낸다.'

평행사변형 ABCD에서 세 꼭짓점 A(4, 4), B(0, 2), C(3, 0)일 때, 나머지 한 꼭짓점 D의 좌표 구하기
평행사변형의 두 대각선이 서로 이등분하므로 두 대각선의 중점이 일치함을 이용한다.
점 D의 좌표를 (x, y)라 하고 두 대각선 AC, BD의 중점을 각각 구하면
$\overline{AC}$의 중점의 좌표는 $\left(\dfrac{4+3}{2}, \dfrac{4+0}{2}\right)$, 즉 $\left(\dfrac{7}{2}, 2\right)$
$\overline{BD}$의 중점의 좌표는 $\left(\dfrac{0+x}{2}, \dfrac{2+y}{2}\right)$
($\overline{AC}$의 중점)$=$($\overline{BD}$의 중점)이므로 $x=7$, $y=2$
따라서 점 D의 좌표는 $(7, 2)$이다.

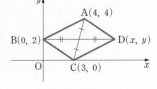

(1) 직사각형
　① 정의 : 네 내각의 크기가 모두 같은 사각형
　② 기본 성질
　　(i) 평행사변형과 등변사다리꼴의 성질을 모두 갖는다.
　　(ii) 두 대각선의 길이가 같고, 서로 다른 것을 이등분한다.

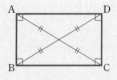

(2) 정사각형
　① 정의 : 네 변의 길이가 모두 같고, 네 내각의 크기가 모두 같은 사각형
　② 기본 성질
　　(i) 직사각형과 마름모의 성질을 모두 갖는다.
　　(ii) 두 대각선의 길이가 같고, 서로 다른 것을 수직이등분한다.

20 오른쪽 그림과 같은 직사각형 ABCD에서 $\overline{BC}$, $\overline{CD}$ 위의 두 점 P, Q에 대하여 점 Q는 $\overline{CD}$의 중점이고, △ABP=2, △PCQ=3일 때, □ABCD의 넓이를 구하시오.

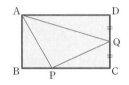

$\overline{BP}=a$, $\overline{PC}=b$, $\overline{QD}=c$로 놓고 푼다.

21 오른쪽 그림과 같이 가로, 세로의 길이가 각각 5 cm, 2 cm인 직사각형 ABCD에서 두 점 E, F는 대각선 BD를 3등분한 점이다. 이때 □AECF의 넓이를 구하시오.

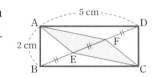

22 오른쪽 그림과 같이 정사각형 ABCD의 $\overline{BC}$, $\overline{CD}$ 위에 각각 점 P, Q를 잡으면 ∠PAQ=45°, ∠APQ=74°이다. 이때 ∠AQD의 크기를 구하시오.

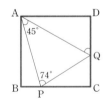

△ABP를 △ADQ의 옆으로 이동시킨다. 즉,

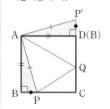

23 오른쪽 그림과 같이 한 변의 길이가 10 cm인 정사각형 ABCD의 대각선 BD 위에 $\overline{AB}=\overline{BE}$가 되도록 점 E를 잡은 뒤, 점 E에서 $\overline{BD}$의 수선을 그어 $\overline{CD}$와 만나는 점을 F라고 하자. 이때 $\overline{DE}+\overline{DF}$의 길이를 구하시오.

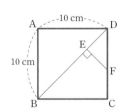

$\overline{BF}$를 그어 △BFE≡△BFC임을 이용한다.

합동이 되는 두 개의 도형을 찾아서 푸는 문제

(1) 합동인 두 도형, 접은 도형, 평행이동 또는 대칭이동, 회전이동한 도형은
　① 대응하는 각의 크기가 같다.
　② 대응하는 변의 길이가 같다.
　③ 넓이가 같다.
(2) 평행사변형을 접은 도형에서는 각의 이등분선이 반드시 나타나며 이등변삼각형을 찾아서 풀이에 이용한다.

24 오른쪽 그림에서 □ABCD는 정사각형이고, ∠EOF=90°일 때, 다음을 증명하시오.

(1) △OAE≡△ODF
(2) $\overline{AE}+\overline{AF}=\overline{AD}$
(3) □OEAF$=\dfrac{1}{4}$□ABCD

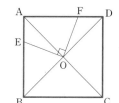

(1) $\overline{AO}=\overline{DO}$, ∠AOD=90° 임을 이용한다.

25 오른쪽 그림과 같이 평행사변형 ABCD를 대각선 BD를 접는 선으로 하여 꼭짓점 C가 점 C′에 오도록 접는다. 다음 물음에 답하시오.

(1) ∠ADB=30°일 때, ∠BPD의 크기를 구하시오.
(2) $\overline{AP}:\overline{PC'}$을 가장 간단한 자연수의 비로 나타내시오.

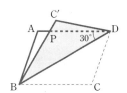

△BCD≡△BC′D이므로 $\overline{AD}=\overline{BC}=\overline{BC'}$이고, ∠PBD=∠CBD=∠PDB 이다.

26 오른쪽 그림과 같이 직사각형 ABCD의 꼭짓점 C가 점 A에 오도록 접었다. ∠BAE=26°일 때, ∠AEF의 크기를 구하시오.

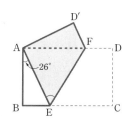

∠AEF=∠CEF

27 오른쪽 그림과 같이 평행사변형 ABCD에서 ∠DAC의 이등분선과 $\overline{BC}$의 연장선과의 교점을 E라고 하자. ∠DAC=40° 이고, △ACE를 꼭짓점 A를 중심으로 하여 꼭짓점 C가 직선 BC 위의 점 C′에 오도록 회전하였을 때, ∠AC′E′＋∠CAF의 크기를 구하시오.

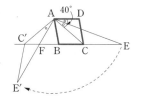

△ACE와 △ACC′은 모두 이등변삼각형이다.

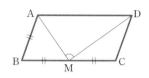

2 STEP 실력 높이기

1 오른쪽 그림과 같은 평행사변형 ABCD에서 $\overline{AB}=\overline{BM}=\overline{CM}$일 때, ∠AMD의 크기를 구하시오.

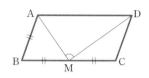

2 오른쪽 그림과 같이 $\overline{AB}=4\ cm$, $\overline{AD}=6\ cm$인 평행사변형 ABCD에서 ∠A, ∠D의 이등분선과 $\overline{BC}$의 교점을 각각 E, F라고 할 때, $\overline{EF}$의 길이를 구하시오.

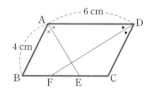

△ABE와 △CDF는 모두 이등변삼각형이다.

3 오른쪽 그림과 같은 직사각형 ABCD에서 $\overline{AB} : \overline{BC}=2 : 3$이고, 점 M은 $\overline{CD}$의 중점이다. $\overline{BP} : \overline{PC}=1 : 2$일 때, ∠AMP의 크기를 구하시오.

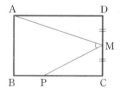

$\overline{AP}$를 그어 △ABP≡△PCM 임을 이용한다.

4 오른쪽 그림과 같은 □ABCD의 두 대각선 AC와 BD의 길이는 각각 8 cm, 6 cm이다. 이때 □ABCD의 각 변의 중점을 연결하여 만든 □EFGH의 둘레의 길이를 구하시오.

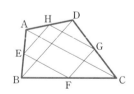

$\overline{EH}=\frac{1}{2}\overline{BD}$

$\overline{HG}=\frac{1}{2}\overline{AC}$

5 서술형

오른쪽 그림과 같이 $\overline{AB}=100$ cm인 평행사변형 ABCD에서 점 P는 점 A에서 점 B까지 매초 5 cm의 속도로, 점 Q는 점 C에서 점 D까지 매초 8 cm의 속도로 움직이고 있다. 점 P가 점 A를 출발한 지 6초 후에 점 Q가 점 C를 출발한다면, 점 Q가 출발한 지 몇 초 후에 $\overline{AQ} /\!/ \overline{PC}$가 되는지 구하시오.

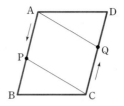

$\overline{AQ} /\!/ \overline{CP}$이려면 □APCQ는 평행사변형이어야 하므로 $\overline{AP}=\overline{CQ}$이어야 한다.

풀이

6 서술형

오른쪽 그림과 같이 평행사변형 ABCD의 내부에 임의의 한 점 P를 잡아 각 꼭짓점과 연결하였다.
$\triangle ABP=22$ cm², $\triangle CDP=26$ cm², $\triangle APD=25$ cm² 일 때, $\triangle BCP$의 넓이를 구하시오.

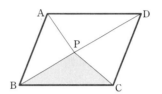

점 P에서 평행사변형의 각 변과 평행한 선을 각각 그어 본다.

풀이

7

다음 중 옳은 것을 모두 고르면? (정답 2개)

① 한 각이 90°인 평행사변형은 직사각형이다.
② 두 대각선이 서로 수직인 등변사다리꼴은 정사각형이다.
③ 이웃하는 두 변의 길이가 같은 사다리꼴은 마름모이다.
④ 두 쌍의 대각의 크기가 각각 같은 등변사다리꼴은 마름모이다.
⑤ 두 대각선의 길이가 같은 사각형의 각 변의 중점을 연결하여 만든 사각형은 마름모이다.

8

오른쪽 그림과 같이 한 변의 길이가 1 cm인 정사각형 ABCD가 있다. 변 AD 위의 점 P에 대하여 선분 PC와 대각선 BD의 교점을 Q라고 하면 $\overline{BQ} : \overline{QD}=2 : 1$이다. 이때 $\triangle PBQ$의 넓이를 구하시오.

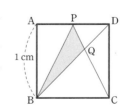

$\triangle PBQ = \triangle DQC$

9 다음 그림은 넓이가 48 cm²인 평행사변형 ABCD와 정육각형 ABCDEF를 각각 그린 것이다. 평행사변형과 정육각형 내부의 선분 GC, GE 위에 각각 임의의 점 P를 잡아서 평행사변형에서 △PAG, △PCH와 정육각형에서 △PBG, △PEH를 각각 만들었을 때, 이 4개의 삼각형의 넓이의 합을 구하시오. (단, 두 점 G, H는 각 변의 중점이다.)

점 P에서 각각의 삼각형의 밑변에 해당하는 변에 수선을 그어 본다.

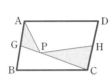
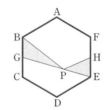

10 오른쪽 그림과 같이 $\overline{AD} /\!/ \overline{BC}$인 사다리꼴 ABCD에서 $\overline{AB} /\!/ \overline{DE}$이고, 점 E는 $\overline{BC}$의 중점이다. ∠ABE=80°, ∠AED=36°일 때, ∠DCE의 크기를 구하시오.

□ABED와 □AECD는 모두 평행사변형이다.

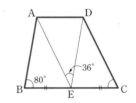

11
서술형 오른쪽 그림은 △ABC의 두 변 AB와 AC를 각각 한 변으로 하는 두 정사각형 ABED와 ACFG를 그린 것이다. 다음 물음에 답하시오.

⑴ △ACD와 △AGB가 합동임을 증명하시오.
⑵ ∠DIG의 크기를 구하시오.

정사각형의 성질을 이용하여 삼각형의 합동을 증명한다.

풀이

12 오른쪽 그림과 같이 한 점 D를 공유하는 두 정사각형 ABCD와 DEFG에서 $\angle BAE = 50°$, $\angle CDE = 30°$일 때, $\angle CGD$의 크기를 구하시오.

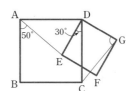

$\triangle ADE \equiv \triangle CDG$임을 이용한다.

13
서술형

오른쪽 그림과 같이 정사각형 $A_1B_1C_1D_1$에 내접하는 원을 그리고, 다시 그 원에 내접하는 정사각형 $A_2B_2C_2D_2$를 그리는 과정을 계속 반복한다. $\square A_9B_9C_9D_9$의 넓이가 $4\ cm^2$일 때, $\square A_1B_1C_1D_1$의 넓이를 구하시오.

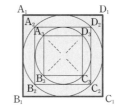

정사각형 $A_2B_2C_2D_2$, $A_4B_4C_4D_4$, $\cdots$를 $45°$만큼 회전시켜 본다.

풀이

14 $\square ABCD$가 $\angle A + \angle B = \angle C + \angle D$, $\angle A + \angle D = \angle B + \angle C$를 만족할 때, $\square ABCD$는 어떤 사각형이 되는지 말하시오.

15 오른쪽 그림과 같은 $\square ABCD$에서 두 대각선의 교점 O에 대하여 $\overline{BO} = \overline{OD}$이다. $\square ABCD$의 넓이가 30일 때, $\triangle ABC$의 넓이를 구하시오.

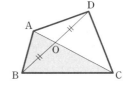

길이의 비에 의한 삼각형의 넓이의 분할을 이용한다.

16 오른쪽 그림과 같이 $\overline{\mathrm{AD}} /\!/ \overline{\mathrm{BC}}$인 사다리꼴 ABCD에서 두 대각 선의 교점 O에 대하여 $\overline{\mathrm{OA}}=\overline{\mathrm{OD}}$, $\overline{\mathrm{OB}}=\overline{\mathrm{OC}}$, $\angle \mathrm{AOD}=90°$이 고, $\overline{\mathrm{AB}}=a$이다. 점 O를 지나면서 $\overline{\mathrm{CD}}$에 수직인 직선이 $\overline{\mathrm{AB}}$, $\overline{\mathrm{CD}}$와 만나는 점을 각각 E, H라 할 때, $\overline{\mathrm{OE}}$의 길이를 구하시오.

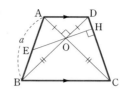

△OAB≡△ODC임을 이용하 여 크기가 같은 각을 찾아본다.

17 다음 각 사각형 ABCD의 네 변의 중점을 차례로 연결하여 만든 사각형 EFGH는 어 떤 사각형이 되는지 말하시오.

(1) 대각선이 서로 수직인 사각형 ABCD

(2) 대각선의 길이가 같은 사각형 ABCD

(3) 마름모 ABCD

(4) 직사각형 ABCD

18 오른쪽 그림과 같이 평행사변형 ABCD의 네 내각의 이등 분선에 의해 만들어지는 사각형 EFGH는 어떤 사각형인지 말하시오.

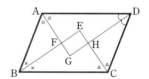

$\angle \mathrm{A}=\angle \mathrm{C}$, $\angle \mathrm{B}=\angle \mathrm{D}$
이므로
$\angle \mathrm{A}+\angle \mathrm{B}=\angle \mathrm{C}+\angle \mathrm{D}$
$=180°$

19 오른쪽 그림과 같은 평행사변형 ABCD에서 $\angle \mathrm{BAC}=\angle \mathrm{BDC}$이고, $\overline{\mathrm{AB}}=4\,\mathrm{cm}$, $\overline{\mathrm{BC}}=6\,\mathrm{cm}$일 때, △OAB의 넓이를 구하시오.

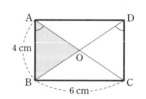

$\angle \mathrm{BAC}=\angle \mathrm{DCA}=\angle \mathrm{BDC}$

20
서술형

오른쪽 그림에서 직사각형 ABCD의 넓이가 120 cm²이고 △ABP=20 cm², △AQD=30 cm²일 때, △PCQ의 넓이를 구하시오.

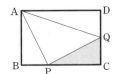

점 P에서 $\overline{AB}$와 평행한 선분을, 점 Q에서 $\overline{AD}$에 평행한 선분을 각각 그어 본다.

풀이

21

오른쪽 그림의 평행사변형 ABCD에서 평행사변형 내부의 임의의 한 점 P와 꼭짓점 A를 연결한 선분의 연장선이 $\overline{BC}$와 만나는 점을 E라 하자. $\overline{AP}:\overline{PE}$=3 : 4이고 △PBC=80일 때, △PDA의 넓이를 구하시오.

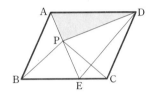

△AED에서 밑변이 $\overline{AD}$이고 $\overline{AD}/\!/\overline{BC}$이므로 $\triangle AED=\dfrac{1}{2}\Box ABCD$

22
서술형

오른쪽 그림과 같이 $\overline{AD}/\!/\overline{BC}$이고 $\overline{AD}$=6, $\overline{BC}$=10인 사다리꼴 ABCD에서 $\overline{AE}$는 □ABCD의 넓이를 이등분하는 선분이다. 이때 $\overline{EC}$의 길이를 구하시오.

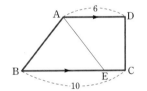

높이가 같은 두 삼각형의 넓이의 비는 밑변의 길이의 비와 같다.

풀이

23

오른쪽 그림과 같이 $\overline{AD}/\!/\overline{BC}$인 사다리꼴 ABCD에서 $\overline{AD}/\!/\overline{EF}$이고 $\overline{AE}:\overline{EB}$=2 : 1이다. $\overline{AD}$=3 cm, $\overline{BC}$=6 cm일 때, □AEFD : □EBCF를 가장 간단한 자연수의 비로 나타내시오.

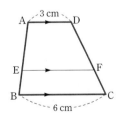

점 D에서 $\overline{BC}$에 수선을 그어 $\overline{EF}$, $\overline{BC}$와의 교점을 각각 P, Q라 하면 $\overline{DP}:\overline{PQ}$=2 : 1이다.

3^{STEP} 최고 실력 완성하기

1 오른쪽 그림과 같이 $\overline{AD} /\!/ \overline{BC}$인 사다리꼴 ABCD가 있다. $\angle A = 2\angle C$, $\overline{AD} = 2$ cm, $\overline{AB} = 3$ cm일 때, $\overline{BC}$의 길이를 구하시오.

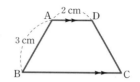

점 A에서 $\overline{CD}$에 평행한 직선을 긋는다.

2 오른쪽 그림과 같이 $\overline{AD} /\!/ \overline{BC}$인 사다리꼴 ABCD에서 $\overline{AC} \perp \overline{BD}$, $\overline{AH} \perp \overline{BC}$이고, $\overline{AD} = 5$ cm, $\overline{BC} = 30$ cm이다. $\overline{AC} = 25$ cm, $\overline{BD} = 24$ cm일 때, $\overline{AH}$의 길이를 구하시오.

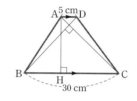

$\square ABCD$
$= \dfrac{1}{2} \times \overline{AC} \times \overline{BD}$
$= \dfrac{1}{2} \times (\overline{AD} + \overline{BC}) \times \overline{AH}$

3 오른쪽 그림과 같이 $\overline{AD} /\!/ \overline{BC}$인 사다리꼴 ABCD에서 $\overline{AD} = 6$ cm, $\overline{BC} = 18$ cm, $\overline{AB} = 20$ cm이고 $\angle A = \angle B = 90°$ 이다. 변 CD 위에 중점 E를 잡고 $\overline{EF}$가 사다리꼴 ABCD의 넓이를 이등분하도록 변 AB 위에 한 점 F를 잡을 때, $\overline{AF}$의 길이를 구하시오.

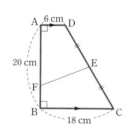

$\overline{DF}$와 $\overline{CF}$를 그으면
$\triangle DEF \equiv \triangle CEF$이므로
$\triangle ADF \equiv \triangle BCF$이다.

4 오른쪽 그림의 직사각형 ABCD는 가로의 길이가 12 cm, 세로의 길이가 8 cm이다. 점 E는 꼭짓점 A를 출발하여 변 AB 위를 매초 1 cm씩 이동하고, 점 F는 꼭짓점 C를 출발 하여 변 BC 위를 매초 2 cm씩 움직일 때, 사각형 EBFD의 넓이가 54 cm²가 되는 것은 두 점 E, F가 각각 두 꼭짓점 A, C를 출발한 지 몇 초 후 인지 구하시오.

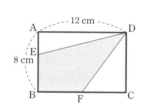

5 오른쪽 그림과 같은 마름모 ABCD에서 $\overline{AC}=8$ cm, $\overline{BD}=6$ cm, $\overline{AD}=5$ cm이다. 마름모 ABCD의 내부에 한 점 P를 잡을 때, 점 P에서 네 변에 내린 수선의 길이의 합인 $\overline{PE}+\overline{PF}+\overline{PG}+\overline{PH}$의 길이를 구하시오.

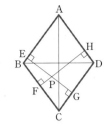

$\square ABCD$
$=\triangle PAB+\triangle PBC$
$\quad +\triangle PCD+\triangle PDA$

6 오른쪽 그림과 같은 사각형 ABCD가 있다. $\overline{AB}$ 위에 점 P를, $\overline{CD}$ 위에 점 Q를 잡고 선분 PQ의 중점을 R라 하자. 두 점 P, Q가 $\overline{AB}$, $\overline{CD}$ 위를 각각 움직일 때, 점 R가 그리는 도형은 어떤 모양인지 말하시오.

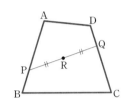

$\overline{PQ}$가 각각 $\overline{AD}$, $\overline{BC}$, $\overline{AC}$, $\overline{BD}$인 경우의 점 R를 기준으로 생각한다.

7 오른쪽 그림은 정사각형들을 붙여 놓은 것이다. 이때 정사각형 A의 한 변의 길이와 정사각형 B의 한 변의 길이의 비를 가장 간단한 자연수의 비로 나타내시오.

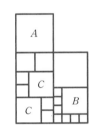

정사각형 A의 한 변의 길이를 $2a$, 정사각형 C의 한 변의 길이를 b라고 하여 정사각형 B의 한 변의 길이를 구한다.

Challenge

8 오른쪽 그림과 같은 사다리꼴 ABCD에서 $\overline{AD}/\!/\overline{BC}$이고, $\overline{AD}=15$ cm, $\overline{BC}=40$ cm, $\overline{AH}=20$ cm일 때, 정사각형 PQRS의 한 변의 길이를 구하시오.

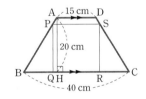

$\overline{AH'}:\overline{AH}=\overline{PM}:\overline{BE}$

Challenge

9 오른쪽 그림과 같이 직사각형 ABCD의 내부에 점 P가 있다. 대각선 BD를 긋고 점 P에서 각 꼭짓점을 연결하면 $\triangle PAB$, $\triangle PBC$의 넓이는 각각 9 cm², 6 cm²가 된다. 이때 $\triangle PBD$의 넓이를 구하시오.

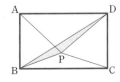

$\triangle PAD+\triangle PBC$
$=\triangle PAB+\triangle PCD$
$=\dfrac{1}{2}\square ABCD$
$=\triangle ABD$
$=\triangle BCD$

1

오른쪽 그림과 같이 높이가 10 cm 인 정삼각형 ABC의 내부의 한 점 P에서 세 변에 이르는 거리의 합 $\overline{PD}+\overline{PE}+\overline{PF}$의 길이를 구하시오.

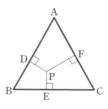

2

오른쪽 그림의 △ABC, △CDE 가 모두 정삼각형일 때, ∠BPD 의 크기를 구하시오.

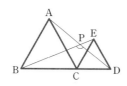

3

오른쪽 그림에서 점 I는 △ABC 의 내심이고, ∠A : ∠B : ∠C=4 : 3 : 2일 때, ∠BIC : ∠AIC : ∠AIB를 가장 간단한 자연수의 비로 나타내시오.

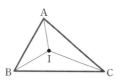

4

오른쪽 그림과 같이 △ABC의 내접 원 O와 방접원 O'에 대하여 $\overline{AD}$=6 cm이고, △ABC의 넓이가 6 cm²일 때, △ABC의 내접원의 반 지름의 길이를 구하시오.

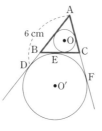

5

오른쪽 그림에서 점 O는 △ABC의 외심이다. $\overline{AB}$=5 cm, $\overline{BC}$=7 cm, $\overline{CA}$=6 cm이고 점 O에서 두 변 $\overline{AB}$, $\overline{AC}$에 내린 수선의 발을 각각 D, E라고 할 때, $\overline{DE}$ 의 길이를 구하시오.

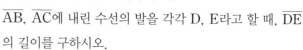
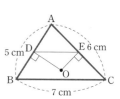

6

오른쪽 그림에서 점 O는 △ABC 의 외심이고, ∠OAB=20°, ∠OAC=30°일 때, ∠B와 ∠C의 크기를 각각 구하시오.

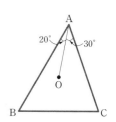

7

오른쪽 그림의 △ABC에서 점 G 는 △ABC의 무게중심이고, 두 점 M, N은 각각 $\overline{GB}$, $\overline{GC}$의 중 점이다. △ABC의 넓이가 20 cm²일 때, 어두운 부분의 넓이를 구하시오.

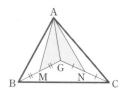

8

오른쪽 그림과 같은 도형에서 어두운 부분의 넓이의 합이 30 cm² 일 때, □BQFP, □CRES의 넓이의 합을 구하시오.
(단, $\overline{AP}=\overline{PF}$, $\overline{FS}=\overline{SE}$, $\overline{BQ}=\overline{QC}$, $\overline{CR}=\overline{RD}$)

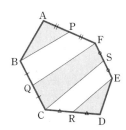

9

오른쪽 그림과 같은 둔각삼각형 ABC에서 $\overline{AM}=\overline{MB}$, $\overline{MD}\perp\overline{BC}$, $\overline{EC}\perp\overline{BC}$이고, △ABC의 넓이가 30 cm²일 때, △BDE의 넓이를 구하시오.

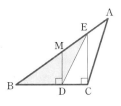

10

오른쪽 그림의 △ABC에서 $\overline{AB}=5$ cm, $\overline{BC}=6$ cm, $\overline{CA}=4$ cm일 때, $\overline{DF}$의 길이를 구하시오.

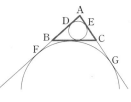

11

오른쪽 그림에서 점 H는 △ABC의 수심일 때, $\angle x+\angle y+\angle z$의 크기를 구하시오.

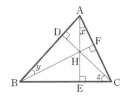

12

오른쪽 그림과 같이 △ABC의 세 변 AB, BC, CA를 3등분하여 세 점 B, C, A에 가까운 점을 각각 D, E, F라고 한다. △ABC의 넓이가 15 cm²일 때, △DEF의 넓이를 구하시오.

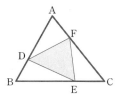

13

좌표평면에서 일차방정식 $2x-y+4=0$의 그래프와 x축, y축으로 둘러싸인 삼각형의 외심의 좌표를 구하시오.

14

오른쪽 그림에서 □ABCD는 정사각형이고, $\angle EOF=90°$, $\overline{AE}=3$ cm, $\overline{AF}=5$ cm일 때, △EOF의 넓이를 구하시오.

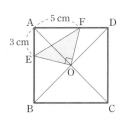

15

오른쪽 그림과 같이 평행사변형 ABCD의 내부에 한 점 O가 있다. △OAB=4 cm², △OBC=2 cm², △OCD=3 cm²일 때, △ODA의 넓이를 구하시오.

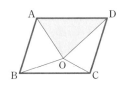

16

오른쪽 그림에서 점 I는 △ABC의 내심이다.

∠ADB+∠AEB=210°일 때, ∠C의 크기를 구하시오.

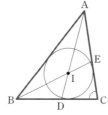

17

오른쪽 그림과 같이 $\overline{AB}=\overline{AC}=4$ cm인 이등변삼각형 ABC에서 $\overline{AB}/\!/\overline{EP}$, $\overline{AC}/\!/\overline{DP}$이고, $\overline{BC}=3$ cm일 때, □ADPE의 둘레의 길이를 구하시오.

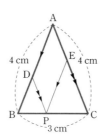

18

오른쪽 그림의 평행사변형 ABCD에서 $\overline{AD}=2\overline{AB}$이고, 두 점 H, G는 각각 $\overline{AD}$, $\overline{BC}$의 중점일 때, ∠EPF의 크기를 구하시오.

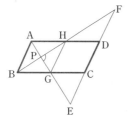

19

오른쪽 그림과 같이 정사각형 ABCD의 대각선 $\overline{BD}$ 위에 한 점 P가 있다. ∠AQD=70°일 때, ∠BCP의 크기를 구하시오.

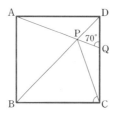

20

다음 조건을 만족하는 □ABCD 중 평행사변형이 <u>아닌</u> 것을 모두 고르면? (정답 2개)

(단, 점 O는 $\overline{AC}$, $\overline{BD}$의 교점이다.)

① $\overline{AB}=\overline{CD}$, $\overline{AD}=\overline{BC}$

② ∠A=∠C, ∠B=∠D

③ ∠A+∠B=180°, ∠C+∠D=180°

④ $\overline{OA}=\overline{OC}$, $\overline{OB}=\overline{OD}$

⑤ $\overline{AB}=\overline{BC}$, $\overline{CD}=\overline{AD}$, $\overline{AC}\perp\overline{BD}$

21

둘레의 길이가 24 cm인 평행사변형 ABCD에서 대각선 BD가 ∠B를 이등분할 때, $\overline{AB}$의 길이를 구하시오.

22

오른쪽 그림에서 두 점 I, I′은 각각 △ABC와 △ACD의 내심이고 점 O는 $\overline{BI}$와 $\overline{DI'}$의 연장선의 교점이다. ∠BAC=68°, ∠ABC=40°이고 $\overline{AC}=\overline{AD}$일 때, ∠IOI′의 크기를 구하시오.

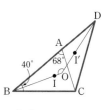

23

사각형 ABCD의 한 변 AB의 연장선 위에 $\overline{AB}=\overline{BE}$가 되도록 점 E를 잡는다. ∠ACE=90°일 때, 사각형 ABCD에 대한 다음 설명 중 옳은 것은?

① 정사각형이다.

② 평행사변형이다.

③ 마름모이다.

④ 두 내각의 크기가 같다.

⑤ 두 변의 길이가 같다.

II 도형의 닮음과 피타고라스 정리

1 도형의 닮음

1 닮은 도형

(1) **닮은 도형** : 한 도형을 일정한 비율로 확대 또는 축소하여 얻은 도형이 다른 도형과 합동일 때, 이 두 도형은 서로 닮음인 관계에 있다고 하며, 닮음인 관계에 있는 두 도형을 닮은 도형이라고 한다.

(2) **닮음의 기호 : ∽**

△ABC와 △A′B′C′이 서로 닮은 도형일 때, 기호 ∽를 사용하여

△ABC∽△A′B′C′과 같이 대응점의 순서가 같도록 쓴다.

① 대응점 : 점 A와 점 A′, 점 B와 점 B′, 점 C와 점 C′

② 대응변 : $\overline{AB}$와 $\overline{A′B′}$, $\overline{BC}$와 $\overline{B′C′}$, $\overline{CA}$와 $\overline{C′A′}$

③ 대응각 : ∠A와 ∠A′, ∠B와 ∠B′, ∠C와 ∠C′

■ 합동인 두 도형도 닮음이다.

■ 닮음을 나타내는 기호 ∽는 영어 Similar의 첫 글자 S를 옆으로 하여 쓴 것이다.
■ 기호의 구별
① 닮음 : ∽
② 넓이가 같다 : =
③ 합동 : ≡

2 닮은 도형의 성질

(1) 두 닮은 평면도형에서 대응변의 길이의 비는 일정하고, 대응각의 크기는 같다.

(2) 두 닮은 입체도형에서 대응하는 모서리의 길이의 비는 일정하고, 대응하는 면은 서로 닮은 도형이다.

■ 임의의 두 정n각형, 두 정n면체, 두 원, 두 구, 두 직각이등변삼각형은 서로 닮음이다.

3 삼각형의 닮음 조건

(1) 세 쌍의 대응변의 길이의 비가 같을 때,

$a : a′ = b : b′ = c : c′$ (SSS 닮음)

(2) 두 쌍의 대응변의 길이의 비가 같고, 그 끼인 각의 크기가 같을 때,

$b : b′ = c : c′$, ∠A = ∠A′ (SAS 닮음)

(3) 두 쌍의 대응각의 크기가 각각 같을 때,

∠B = ∠B′, ∠C = ∠C′ (AA 닮음)

⑩ △ABC∽△DEF

(1)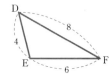

(2)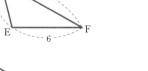

(3)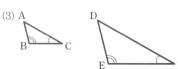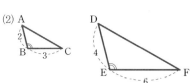

1 STEP 주제별 실력다지기

정답과 풀이 30쪽

삼각형의 닮음 조건

(1) SSS 닮음 : 세 쌍의 대응변의 길이의 비가 같은 두 삼각형은 닮음이다.

(2) SAS 닮음 : 두 쌍의 대응변의 길이의 비가 같고, 그 끼인 각의 크기가 같은 두 삼각형은 닮음이다.

(3) AA 닮음 : 두 쌍의 대응각의 크기가 각각 같은 두 삼각형은 닮음이다.

1 다음 그림에서 x의 값을 구하시오.

(1)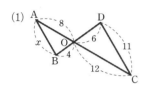

(2)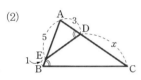

(3)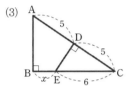

(4)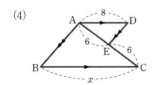

2 다음 그림에서 x의 값을 구하시오.

(1)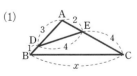

(2)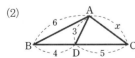

(1) $\triangle ABC \backsim \triangle AED$
　　　　　(SAS 닮음)

(2) $\overline{AB} : \overline{DB} = 6 : 4$

　　$\overline{BC} : \overline{BA} = 9 : 6$

　　∠B는 공통

　∴ $\triangle ABC \backsim \triangle DBA$
　　　　　(SAS 닮음)

2개의 삼각형이 한 쌍으로 된 닮음

∠ACB=∠DAB이면 △ABC∽△DBA (AA 닮음)이므로

(1) $\overline{AB}^2=\overline{BD}\times\overline{BC}$

(2) $\overline{AB}\times\overline{AC}=\overline{AD}\times\overline{BC}$

[증명] △ABC와 △DBA에서

∠BCA=∠BAD이고 ∠B는 공통이므로 두 삼각형은 닮음이다.

따라서 $\overline{AB}:\overline{DB}=\overline{BC}:\overline{BA}$이므로 $\overline{AB}^2=\overline{BD}\times\overline{BC}$ ······ (1)

또, $\overline{AC}:\overline{DA}=\overline{BC}:\overline{BA}$이므로 $\overline{AB}\times\overline{AC}=\overline{AD}\times\overline{BC}$ ······ (2)

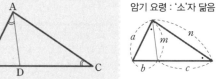

암기 요령 : '소'자 닮음

(1) $a^2=b(b+c)$
   → 짧은 것 곱하기 긴 것
   → 제곱이

(2) $an=m(b+c)$
   → 'ㄴ' 곱한 것
   → 'ㅅ' 곱한 것이

---

3 오른쪽 그림에서 ∠BAD=∠ACB일 때, 다음 중 옳지 <u>않</u>은 것을 모두 고르면? (정답 2개)

① ∠ADB=∠CAB   ② $\overline{AB}^2=\overline{BD}\times\overline{BC}$

③ $\overline{AC}^2=\overline{CD}\times\overline{BC}$ ④ $\overline{AB}\times\overline{AC}=\overline{AD}\times\overline{BC}$

⑤ $\overline{AD}^2=\overline{BD}\times\overline{CD}$

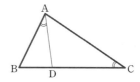

∠BAD=∠ACB,
∠B는 공통이므로
△DBA∽△ABC (AA 닮음)

---

4 오른쪽 그림에서 ∠ABC=∠ACD이고 $\overline{AC}=5$ cm, $\overline{BC}=8$ cm, $\overline{CD}=4$ cm일 때, △ADC와 △DBC의 넓이의 비를 가장 간단한 자연수의 비로 나타내시오.

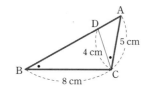

△ABC∽△ACD
(AA 닮음)이므로
$\overline{AC}\times\overline{BC}=\overline{CD}\times\overline{AB}$
$\overline{AC}^2=\overline{AD}\times\overline{AB}$

---

5 오른쪽 그림에서 ∠ABC=∠DAC이고, $\overline{AB}=6$ cm, $\overline{AC}=4$ cm, $\overline{CD}=2$ cm일 때, $\overline{AD}+\overline{BD}$의 길이를 구하시오.

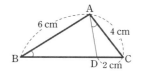

△ABC∽△DAC
(AA 닮음)이므로
$\overline{AC}^2=\overline{CD}\times\overline{CB}$
$\overline{AB}\times\overline{AC}=\overline{AD}\times\overline{BC}$

---

6 오른쪽 그림에서 ∠BAC=∠BDE이고, $\overline{BC}=4$ cm, $\overline{CD}=3$ cm, $\overline{BE}=2$ cm일 때, 다음 물음에 답하시오.

(1) $\overline{AE}$의 길이를 구하시오.

(2) $\overline{AC}:\overline{DE}$를 가장 간단한 자연수의 비로 나타내시오.

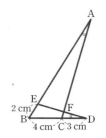

∠BAC=∠BDE,
∠B는 공통이므로
△ABC∽△DBE (AA 닮음)

3개의 삼각형이 한 쌍으로 된 닮음(직각삼각형의 닮음)

∠BAC=∠ADC=90°이면

△ABC∽△DBA∽△DAC (AA 닮음)이므로

(1) ∠ABC=∠DAC, ∠BAD=∠BCA

(2) $\overline{AB}^2=\overline{BD}\times\overline{BC}$

(3) $\overline{AC}^2=\overline{CD}\times\overline{CB}$

(4) $\overline{AD}^2=\overline{BD}\times\overline{CD}$

(5) $\overline{AB}\times\overline{AC}=\overline{AD}\times\overline{BC}$

(6) $\overline{AB}^2 : \overline{AC}^2=\overline{BD} : \overline{CD}$ (∵ (2), (3)에서)

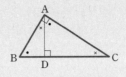

최상위 **03**
NOTE
풀이 29쪽

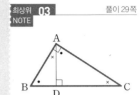

위의 그림과 같은 도형에서 3개의 직각삼각형 ABC, DBA, DAC의 닮음을 이용하여 선분의 길이에 대한 공식을 유도할 수 있다.

7 오른쪽 그림의 △ABC에서 $\overline{AB}$=3 cm, $\overline{BC}$=5 cm,
$\overline{CA}$=4 cm일 때, 다음 길이를 구하시오.

(1) $\overline{AD}$

(2) $\overline{BD}$

(3) $\overline{CD}$

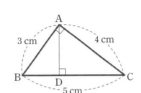

8 오른쪽 그림의 △ABC에서 $\overline{AC}$=5 cm, $\overline{CD}$=3 cm,
$\overline{AD}$=4 cm일 때, $\overline{AB}$의 길이를 구하시오.

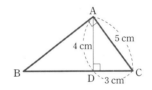

먼저 $\overline{BD}$의 길이를 구한다.

9 오른쪽 그림의 △ABC에서 ∠A=∠ADB=90°,
$\overline{BD}$=2 cm, $\overline{CD}$=8 cm, $\overline{BM}=\overline{CM}$, $\overline{DQ}\perp\overline{AM}$일 때,
$\overline{AQ}$의 길이를 구하시오.

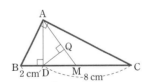

직각삼각형에서
(빗변의 중점)
=(직각삼각형의 외심)
이므로 $\overline{AM}=\overline{BM}=\overline{CM}$

10 오른쪽 그림과 같이 $\overline{AB}$=6 cm, $\overline{BC}$=10 cm,
$\overline{CA}$=8 cm, ∠A=90°인 직각삼각형 ABC에서 빗변의
중점을 M이라 하고, 점 A에서 $\overline{BC}$에 내린 수선의 발을 D
라고 할 때, △ADM의 넓이를 구하시오.

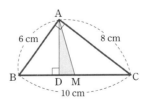

4개의 삼각형이 한 쌍으로 된 닮음

∠BED=∠ACB=90°이면

△ABC∽△DBE∽△AFE∽△DFC이므로

(1) $\overline{BE} \times \overline{BA} = \overline{BC} \times \overline{BD}$

(2) $\overline{AF} \times \overline{CF} = \overline{DF} \times \overline{EF}$

(3) $\overline{AB} : \overline{DB} = \overline{AC} : \overline{DE}$

⋮

그 외에도 다수의 닮음비가 나온다.

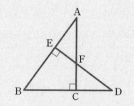

점 F는 △ABD의 수심이다.

11 오른쪽 그림에서 $\overline{AB} \perp \overline{CD}$, $\overline{BC} \perp \overline{AE}$이고, $\overline{AB}=10$ cm, $\overline{BE}=\overline{EC}=6$ cm일 때, $\overline{BD}$의 길이를 구하시오.

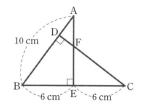

12 오른쪽 그림에서 점 H는 △ABC의 수심이고, $\overline{BD}=\overline{CD}=6$ cm, $\overline{HD}=4$ cm일 때, $\overline{AH}$의 길이를 구하시오.

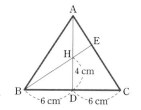

점 H가 △ABC의 수심이므로 $\overline{AD} \perp \overline{BC}$, $\overline{BE} \perp \overline{AC}$이다.

13 오른쪽 그림에서 $\overline{AF}=15$ cm, $\overline{DF}=9$ cm, $\overline{FE}=5$ cm, $\overline{BD}=13$ cm일 때, △ABE의 넓이를 구하시오.

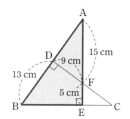

$\overline{FC}$의 길이를 구한 다음, △ABE∽△CBD임을 이용한다.

14 오른쪽 그림은 $\overline{AB}=6$ cm, $\overline{BC}=8$ cm, $\overline{BD}=10$ cm인 직사각형 ABCD에서 대각선 BD를 접는 선으로 하여 점 C가 점 E에 오도록 접은 것이다. $\overline{AD}$와 $\overline{BE}$의 교점 P에서 $\overline{BD}$에 내린 수선의 발을 Q라 할 때, $\overline{PQ}$의 길이를 구하시오.

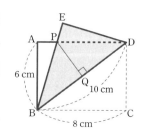

특수한 경우의 닮음

(1) 세 각의 크기가 같은 도형의 닮음

$\angle ABC = \angle EDC = \angle ACE$일 때,

$\triangle ABC \backsim \triangle CDE$

(2) 두 쌍의 평행선이 이루는 도형의 닮음

$\overline{AB} /\!/ \overline{EF} /\!/ \overline{DC}$이고 $\overline{AF} /\!/ \overline{EC}$일 때,

$\triangle ABF \backsim \triangle EFC$, $\triangle AFE \backsim \triangle ECD$

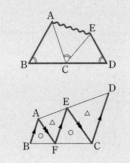

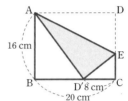

(1) 역도 항상 성립한다.

즉, $\triangle ABC \backsim \triangle CDE$이면
$\angle ABC = \angle EDC = \angle ACE$

(2) ○표시된 도형끼리, △표시된 도형끼리 닮음이다.

[증명] $\overline{AB} /\!/ \overline{EF}$에서
$\angle ABF = \angle EFC$(동위각)
$\overline{AF} /\!/ \overline{EC}$에서
$\angle AFB = \angle ECF$(동위각)
∴ $\triangle ABF \backsim \triangle EFC$
(AA 닮음)
같은 방법으로
$\triangle AFE \backsim \triangle ECD$이다.

15 오른쪽 그림과 같이 $\overline{AB} = 16$ cm, $\overline{BC} = 20$ cm인 직사각형 ABCD에서 점 D를 $\overline{CD'} = 8$ cm인 점 D′에 오도록 접었을 때, $\overline{DE}$의 길이를 구하시오.

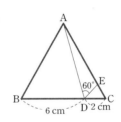

$\triangle ADE \equiv \triangle AD'E$이므로
$\angle AD'E = 90°$이다.
∴ $\triangle ABD' \backsim \triangle D'CE$

16 오른쪽 그림과 같이 정삼각형 ABC의 변 BC 위에 점 D를 잡아 $\angle ADE = 60°$가 되도록 하였다. $\overline{BD} = 6$ cm, $\overline{CD} = 2$ cm일 때, $\overline{CE}$의 길이를 구하시오.

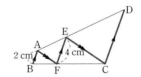

$\triangle ABD \backsim \triangle DCE$

17 오른쪽 그림과 같이 $\overline{AB} /\!/ \overline{EF} /\!/ \overline{DC}$이고 $\overline{AF} /\!/ \overline{EC}$이다. $\overline{AB} = 2$ cm, $\overline{EF} = 4$ cm일 때, $\overline{CD}$의 길이를 구하시오.

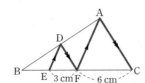

$\triangle ABF \backsim \triangle EFC$이고 닮음비는 $\overline{AB} : \overline{EF} = \overline{AF} : \overline{EC}$
$= 1 : 2$
이므로 $\triangle AFE \backsim \triangle ECD$에서 닮음비는 $1 : 2$이다.

18 오른쪽 그림과 같이 $\overline{AC} /\!/ \overline{DF}$, $\overline{AF} /\!/ \overline{DE}$이고, $\overline{CF} = 6$ cm, $\overline{EF} = 3$ cm일 때, $\overline{BE}$의 길이를 구하시오.

$\triangle DEF \backsim \triangle AFC$이고 닮음비는 $\overline{EF} : \overline{FC} = \overline{DE} : \overline{AF}$
$= 1 : 2$
이므로 $\triangle BDE \backsim \triangle BAF$에서 닮음비는 $1 : 2$이다.

1 다음 그림의 평행사변형의 넓이가 S일 때, 어두운 부분의 넓이를 S로 나타내시오.

(1)
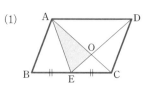

(2)
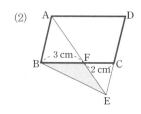

(1) △OAD∽△OCE
(AA 닮음)
(2) △FAB∽△FEC
(AA 닮음)

2 오른쪽 그림에서 $\overline{AB}=\overline{AE}=3$ cm, $\overline{BD}=2$ cm, $\overline{CD}=7$ cm일 때, $\dfrac{\overline{DE}}{\overline{AC}}$ 를 구하시오.

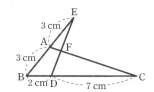

△ABC∽△DBE
(SAS 닮음)

3 오른쪽 그림과 같은 직사각형 ABCD의 한 꼭짓점 B를 $\overline{CD}$의 중점 M에 오도록 접었을 때, $\overline{BP} : \overline{PC}$를 가장 간단한 자연수의 비로 나타내시오.

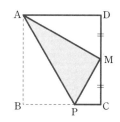

$\overline{BP}=\overline{MP}$임을 이용한다.

4
서술형

오른쪽 그림에서 $\overline{AB} /\!/ \overline{DC}$이고 $\overline{AB}\perp\overline{BC}$, $\overline{DC}\perp\overline{BC}$이다. $\overline{AB}=3$, $\overline{DC}=2$, $\overline{BC}=10$이고, $\overline{BC}$ 위의 점 P를 잡아 $\overline{AP}+\overline{DP}$의 길이가 최소가 되도록 할 때, $\overline{BP}$의 길이를 구하시오.

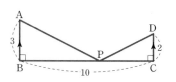

점 D를 $\overline{BC}$를 대칭축으로 하여 대칭이동한 점을 D′이라 할 때, $\overline{AD'}$과 $\overline{BC}$가 만나는 점이 P이면 $\overline{AP}+\overline{DP}$의 길이가 최소가 된다.

풀이

5 오른쪽 그림과 같은 평행사변형 ABCD에서 $\overline{AM} : \overline{MD}=1 : 2$일 때, $\triangle BCP : \square ABPM$을 가장 간단한 자연수의 비로 나타내시오.

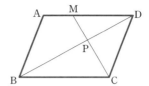

$\overline{MD} : \overline{BC}=\overline{PM} : \overline{PC}$

6 오른쪽 그림과 같이 $\overline{AC}=4 \text{ cm}$, $\overline{BC}=3 \text{ cm}$, $\overline{CD}=2 \text{ cm}$이고, $\angle BAC=\angle BCD$일 때, $\overline{AD}$의 길이를 구하시오.

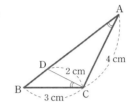

$\overline{AC} \times \overline{BC}=\overline{CD} \times \overline{AB}$
$\overline{BC}^2=\overline{BD} \times \overline{BA}$

7 오른쪽 그림과 같이 $\angle A=90°$인 직각삼각형 ABC에서 $\angle ADC=90°$이고 $\overline{AB}=20$, $\overline{AD}=12$, $\overline{CD}=9$일 때, $\overline{AC}$의 길이를 구하시오.

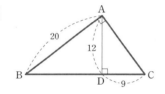

$\triangle ABD \backsim \triangle CAD$임을 이용한다.

8 오른쪽 그림과 같이 $\angle BAC=\angle ADC=90°$이고, $\overline{AB}=4 \text{ cm}$, $\overline{AC}=2 \text{ cm}$일 때, $\overline{BD} : \overline{CD}$를 가장 간단한 자연수의 비로 나타내시오.

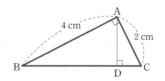

$\overline{AB}^2=\overline{BD} \times \overline{BC}$,
$\overline{AC}^2=\overline{CD} \times \overline{CB}$에서
$\overline{AB}^2 : \overline{AC}^2=\overline{BD} : \overline{CD}$

9
서술형

오른쪽 그림과 같이 ∠A=90°인 직각삼각형 ABC에서 $\overline{AD}\perp\overline{BC}$, $\overline{DE}\perp\overline{AC}$이고 $\overline{AB}=8$, $\overline{AC}=6$, $\overline{BC}=10$일 때, $\overline{AE}$의 길이를 구하시오.

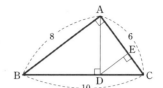

$\triangle ABC = \dfrac{1}{2}\times\overline{AB}\times\overline{AC}$
$= \dfrac{1}{2}\times\overline{BC}\times\overline{AD}$

풀이

10

오른쪽 그림과 같은 정사각형 ABCD에서 $\overline{CD}$, $\overline{AD}$의 중점을 각 각 M, N이라 하고 $\overline{BM}$과 $\overline{CN}$의 교점을 E라 할 때, $\overline{BE}:\overline{EM}$ 을 가장 간단한 자연수의 비로 나타내시오.

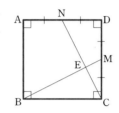

$\triangle BCM \equiv \triangle CDN$이므로
$\triangle BCE \backsim \triangle CME$

11

오른쪽 그림의 △ABC에 직사각형 PQRS가 내접한다. $\overline{AH}\perp\overline{BC}$이고, $\overline{AH}=12$ cm, $\overline{BC}=16$ cm, $\overline{PQ}:\overline{QR}=1:2$ 일 때, $\overline{QR}$의 길이를 구하시오.

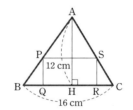

$\overline{QR}=x$ cm라 하면
$\overline{PQ}=\dfrac{1}{2}x$ cm이다.

12

오른쪽 그림과 같이 ∠BAC=∠ADC=90°이고, $\overline{AB}=15$ cm, $\overline{BD}=9$ cm일 때, △ABC의 넓이를 구하시오.

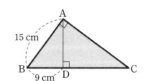

$\overline{AB}^2=\overline{BD}\times\overline{BC}$
$\overline{AD}^2=\overline{BD}\times\overline{CD}$

13 오른쪽 그림과 같이 ∠C=90°인 △ABC에서 $\overline{AM}=\overline{BM}$ 이고, ∠CDA=∠DHC=90°이다. $\overline{AC}=6$ cm, $\overline{BC}=8$ cm, $\overline{AB}=10$ cm일 때, $\overline{DH}$의 길이를 구하시오.

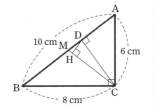

△CDM도 3개의 삼각형이 한 쌍으로 된 닮은 도형이다.

14 오른쪽 그림과 같이 $\overline{AB}=\overline{AC}=2\overline{BC}$인 △ABC에서 $\overline{BH}\perp\overline{AC}$일 때, $\overline{AH}:\overline{CH}$를 가장 간단한 자연수의 비로 나타내시오.

서술형

풀이

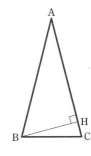

이등변삼각형의 꼭지각의 이등 분선은 밑변을 수직이등분한다.

15 오른쪽 그림과 같이 한 변의 길이가 8 cm인 정사각형 ABCD에서 꼭짓점 B를 $\overline{AE}=3$ cm, $\overline{AF}=4$ cm가 되는 점 F에 오도록 접었다. 이때 $\overline{FG}$의 길이를 구하시오.

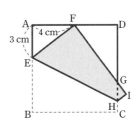

△EAF∽△FDG

16 오른쪽 그림과 같은 정삼각형 ABC에서 ∠BED=60°이고, $\overline{CE} : \overline{EA} = 2 : 3$일 때, $\overline{BD} : \overline{DC}$를 가장 간단한 자연수의 비로 나타내시오.

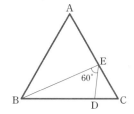

△ABE∽△CED임을 이용한다.

17 오른쪽 그림과 같은 △ABC에서 $\overline{BC} /\!/ \overline{DE}$, $\overline{BE} /\!/ \overline{DF}$가 되도록 $\overline{AB}$, $\overline{AC}$ 위에 각각 세 점 D, E, F를 잡았다. $\overline{AE} = 4\,cm$, $\overline{EC} = 2\,cm$일 때, $\overline{EF}$의 길이를 구하시오.

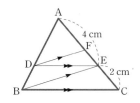

△DEF∽△BCE임을 이용한다.

18 오른쪽 그림에서 △ABC∽△ADE이고, ∠BAC=30°, ∠B=70°, ∠ADC=40°일 때, ∠CED의 크기를 구하시오.

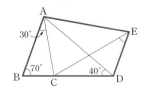

△ABD∽△ACE (SAS 닮음)

19 오른쪽 그림과 같은 평행사변형 ABCD의 $\overline{BD}$ 위에 $\overline{BE} : \overline{ED} = 3 : 2$가 되도록 점 E를 잡아 $\overline{AE}$의 연장선이 $\overline{CD}$와 만나는 점을 F, $\overline{BC}$의 연장선과 만나는 점을 G라고 할 때, $\overline{EF} : \overline{FG}$를 가장 간단한 자연수의 비로 나타내시오.

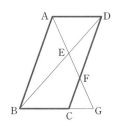

△EDA∽△EBG,
△FDA∽△FCG
임을 이용한다.

3 STEP 최고 실력 완성하기

1 오른쪽 그림과 같이 $\overline{AD}/\!\!/\overline{BC}$인 사다리꼴 ABCD에서 $\overline{BC}$의 중점을 M이라 하자. $\overline{AD}=2$ cm, $\overline{BC}=6$ cm일 때, △ABE : △AEO를 가장 간단한 자연수의 비로 나타내시오.

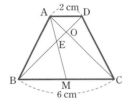

△ABE : △AEO
=$\overline{BE}$: $\overline{EO}$

2 오른쪽 그림의 △ABC에서 $\overline{AC}=12$ cm, $\overline{BC}=15$ cm이고, △ABC의 넓이는 48 cm²이다. 이 삼각형의 내부에 그림과 같이 정사각형 PQRS를 내접시키고, 점 B에서 $\overline{AC}$에 내린 수선의 발을 H라고 할 때, $\overline{QC}$의 길이를 구하시오.

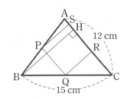

△BPQ ∽ △BAC임을 이용한다.

3 오른쪽 그림과 같이 ∠A=90°인 직각삼각형 ABC에서 $\overline{AB}$: $\overline{AC}=3$: 2일 때, $\overline{BD}$와 $\overline{CD}$를 각각 한 변으로 하는 두 직사각형 BPQD와 DQRC에 대하여 □BPQD : □DQRC를 가장 간단한 자연수의 비로 나타내시오.

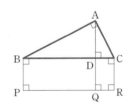

□BPQD : □DQRC
=$\overline{BD}$: $\overline{CD}$
=$\overline{AB}^2$: $\overline{AC}^2$

4 오른쪽 그림과 같이 $\overline{AD}/\!\!/\overline{BC}$인 사다리꼴 ABCD에서 $\overline{AD}=1$ cm, $\overline{BC}=3$ cm이다. $\overline{CD}$ 위에 $\overline{DP}$: $\overline{PC}=1$: 2가 되도록 점 P를 잡을 때, △ABP : (△PDA+△PBC)를 가장 간단한 자연수의 비로 나타내시오.

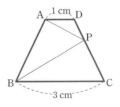

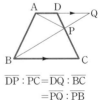

$\overline{DP}$: $\overline{PC}=\overline{DQ}$: $\overline{BC}$
=$\overline{PQ}$: $\overline{PB}$

5 오른쪽 그림과 같이 $\overline{AB}=8$ cm, $\overline{BC}=7$ cm, $\overline{CA}=6$ cm인 △ABC에서 ∠PAC=∠PBA일 때, $\overline{PC}$의 길이를 구하시오.

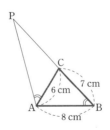

$\overline{PC}=x$ cm, $\overline{PA}=y$ cm로 놓고 2개의 삼각형이 한 쌍으로 된 닮은 도형의 공식을 적용한다.

1. 도형의 닮음   55

6 오른쪽 그림과 같이 $\overline{AB}=\overline{AC}=6$ cm인 △ABC에서 $\angle BAE=\angle CAF$이고, $\overline{AF}=\overline{BE}=4$ cm, $\overline{CE}=\overline{DE}=5$ cm 일 때, $\overline{BD}+\overline{CD}$의 길이를 구하시오.

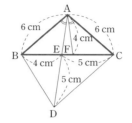

△ABE≡△ACF
(ASA 합동)
△ABE∽△ADB
(SAS 닮음)
△ACE∽△ADC
(SAS 닮음)

7 오른쪽 그림과 같이 네 점 A, B, C, D는 한 직선 위에 있고, △ABE, △BCF, △CDG는 각각 $\overline{AB}$, $\overline{BC}$, $\overline{CD}$를 한 변으로 하는 정삼각형이다. 세 점 E, F, G를 지나는 직선과 $\overrightarrow{AB}$의 교점을 H라 하고, $\overline{AE}=4$ cm, $\overline{AH}=12$ cm일 때, $\overline{CG}$의 길이를 구하시오.

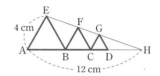

$\overline{AB}=4$ cm이므로 △HAE∽△HBF에서 $\overline{BF}$의 길이를 구하고, △HBF∽△HCG에서 $\overline{CG}$의 길이를 구한다.

8 오른쪽 그림과 같은 △ABC에서 $\overline{BC}=\overline{BE}$, $\angle BDC=\angle BEC$, $\angle EBC=40°$일 때, $\angle ADE$의 크기를 구하시오.

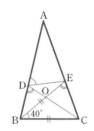

△ODB∽△OEC이므로 $\overline{OD}:\overline{OE}=\overline{OB}:\overline{OC}$이고, $\angle DOE=\angle BOC$이므로 △ODE∽△OBC

Challenge

9 오른쪽 그림과 같은 등변사다리꼴 ABCD에서 $\overline{AC}=\overline{BD}=\overline{BC}=3\overline{AB}$이고, $\overline{AB}/\!/\overline{DE}$일 때, $\overline{BE}:\overline{EC}$를 가장 간단한 자연수의 비로 나타내시오.

△BCD∽△DCE에서 $\overline{DC}^2=\overline{EC}\times\overline{BC}$이다.

Challenge

10 오른쪽 그림과 같이 $\angle A=90°$인 직각삼각형 ABC에 내접하고 있는 정사각형 DEFG에서 $\overline{AE}$, $\overline{AF}$와 $\overline{DG}$의 교점을 각각 H, I라 하고, $\overline{DH}=a$, $\overline{HI}=b$, $\overline{IG}=c$라고 할 때, a, b, c 사이의 관계식을 구하시오.

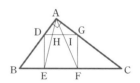

△DBE∽△GDA∽△CGF 임을 밝힌다.
또, $\overline{AD}:\overline{AB}=1:x$로 놓고, $\overline{BE}$, $\overline{EF}$, $\overline{FC}$를 각각 x를 이용하여 나타낸다.

2 닮음의 응용

1 삼각형에서 평행선과 선분의 길이의 비

△ABC에서 두 점 D, E가 $\overline{AB}$, $\overline{AC}$ (또는 그 연장선) 위의 점일 때

(1) $\overline{DE} /\!/ \overline{BC}$이면

$\overline{AB} : \overline{AD} = \overline{AC} : \overline{AE} = \overline{BC} : \overline{DE}$

$\overline{AD} : \overline{DB} = \overline{AE} : \overline{EC}$

(2) $\overline{AB} : \overline{AD} = \overline{AC} : \overline{AE}$ 또는 $\overline{AD} : \overline{DB} = \overline{AE} : \overline{EC}$이면

$\overline{DE} /\!/ \overline{BC}$

■ 닮음이 되는 도형의 형태

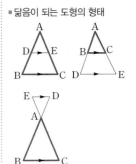

2 평행선 사이에 있는 선분의 길이의 비

두 직선이 몇 개의 평행선과 만날 때, 두 직선이 평행선과 만나서 생기는 선분의 길이의 비는 모두 같다.

즉, $l /\!/ m /\!/ n /\!/ p$일 때,

$a : b : c = a' : b' : c'$ 또는 $a : a' = b : b' = c : c'$

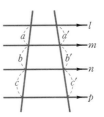

3 삼각형의 중점연결정리

(1) 삼각형의 두 변의 중점을 연결한 선분은 나머지 한 변과 평행하고, 그 길이는 나머지 한 변의 길이의 $\frac{1}{2}$이 된다.

[가정] $\overline{AD} = \overline{DB}$, $\overline{AE} = \overline{EC}$

[결론] $\overline{DE} /\!/ \overline{BC}$, $\overline{DE} = \frac{1}{2}\overline{BC}$

■ 삼각형의 중점연결정리는 여러 도형의 증명 과정에 자주 이용되므로 확실히 익힌다.

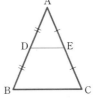

(2) 삼각형의 중점연결정리의 역

삼각형의 한 변의 중점을 지나고, 다른 한 변에 평행한 직선은 나머지 한 변의 중점을 지난다.

[가정] $\overline{AD} = \overline{DB}$, $\overline{DE} /\!/ \overline{BC}$

[결론] $\overline{AE} = \overline{EC}$

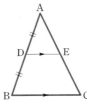

4 닮은 도형의 넓이와 부피의 비

닮은 두 도형의 닮음비가 $m : n$이면

(1) 선분의 길이의 비는 $m : n$이다.

(2) 겉넓이, 넓이의 비는 $m^2 : n^2$이다.

(3) 부피의 비는 $m^3 : n^3$이다.

주제별 실력다지기

삼각형에서 평행선과 선분의 길이의 비

(1) 기본형

$\overline{BC} /\!\!/ \overline{DE}$일 때,

① △ABC∽△ADE

② $\overline{AB} : \overline{AD} = \overline{AC} : \overline{AE} = \overline{BC} : \overline{DE}$

(2) 응용형

$\overline{BC} /\!\!/ \overline{DE}$, $\overline{DF} /\!\!/ \overline{AC}$일 때,

① △ADE∽△DBF이고 □DFCE는 평행사변형이다.

② $\overline{AD} : \overline{DB} = \overline{AE} : \overline{DF} = \overline{AE} : \overline{EC}$

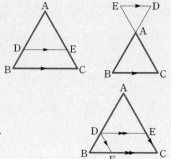

$\overline{BC} /\!\!/ \overline{DE}$에서
∠ABC=∠ADE,
∠ACB=∠AED
이므로 △ABC∽△ADE
　　　　　(AA 닮음)
△ADE∽△DBF
(AA 닮음)이고,
□DFCE는 평행사변형이므로
$\overline{DF} = \overline{EC}$
∴ $\overline{AD} : \overline{DB} = \overline{AE} : \overline{DF}$
　　　　　$= \overline{AE} : \overline{EC}$

1 다음 그림에서 $\overline{BC} /\!\!/ \overline{DE}$일 때, x의 값을 구하시오.

(1)
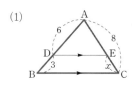

(2)
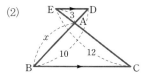

(3)
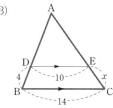

(단, $\overline{AD} : \overline{AE} = 5 : 6$)

(4)
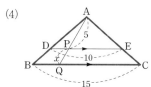

2 다음 **보기** 중 $\overline{BC} /\!\!/ \overline{DE}$인 것을 모두 고르시오.

┌───── 보기 ─────┐

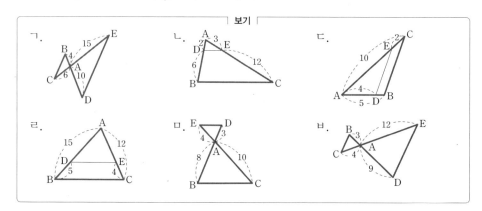

삼각형에서 평행선과 선분의 길이의 비의 역

(i) $\overline{AB} : \overline{AD} = \overline{AC} : \overline{AE}$
$= \overline{BC} : \overline{DE}$이면
$\overline{BC} /\!\!/ \overline{DE}$

(ii) $\overline{AD} : \overline{DB} = \overline{AE} : \overline{EC}$이면
$\overline{BC} /\!\!/ \overline{DE}$

삼각형의 내각의 이등분선의 정리

△ABC에서 ∠BAD＝∠CAD일 때,
$\overline{AB}:\overline{AC}=\overline{BD}:\overline{CD}$

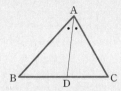

3 다음 그림의 △ABC에서 $\overline{AB}:\overline{AC}=\overline{BD}:\overline{CD}$임을 증명하시오.

(1) △ABE, (2) △AED가 이등변삼각형임을 이용한다.

(1)

(2)

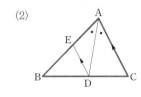

4 오른쪽 그림과 같은 □ABCD에서 ∠BAC＝∠DAC이고, $\overline{AC}$와 $\overline{BD}$의 교점을 E라고 하자. $\overline{AB}=4$ cm, $\overline{AD}=3$ cm일 때, △CBE : △CDE를 가장 간단한 자연수의 비로 나타내시오.

△CBE : △CDE
＝$\overline{BE}:\overline{DE}$

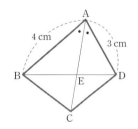

5 오른쪽 그림에서 점 I는 △ABC의 내심이다. $\overline{AB}=15$ cm, $\overline{BD}=6$ cm, $\overline{CD}=4$ cm일 때, $\overline{AE}$의 길이를 구하시오.

$\overline{AB}:\overline{AC}=\overline{BD}:\overline{CD}$
$\overline{BA}:\overline{BC}=\overline{AE}:\overline{CE}$

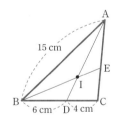

6 오른쪽 그림에서 ∠BAC＝∠BCD, ∠ACE＝∠DCE이고, $\overline{AB}=12$ cm, $\overline{BC}=6$ cm일 때, $\overline{AE}$의 길이를 구하시오.

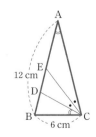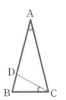

△BCD∽△BAC (AA 닮음)
이므로
$\overline{BC}^2=\overline{BD}\times\overline{BA}$
$\overline{AC}\times\overline{BC}=\overline{AB}\times\overline{CD}$

오른쪽 그림과 같이 ∠EAD=∠CAD일 때,

$\overline{AB} : \overline{AC} = \overline{BD} : \overline{CD}$

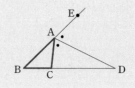

7 다음 그림에서 $\overline{AB} : \overline{AC} = \overline{BD} : \overline{CD}$임을 증명하시오.

(1) △EAD, (2) △ABE,
(3) △AEC가 이등변삼각형임
을 이용한다.

(1)

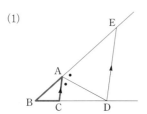

(2)

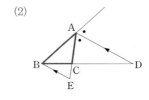

(3)

오른쪽 그림의 △ABC

8 오른쪽 그림과 같은 삼각형 ABC에서 $\overline{AD}$가 ∠A의 외각의
이등분선이고, $\overline{AB}=12$ cm, $\overline{AC}=8$ cm이다. △ACD의
넓이가 36 cm²일 때, △ABC의 넓이를 구하시오.

삼각형의 외각의 이등분선의 정
리를 적용하여
△ABC : △ACD를 구한다.

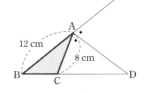

9 오른쪽 그림의 △ABC에서 $\overline{AB}=6$, $\overline{BC}=3$, $\overline{AC}=4$이
고 $\overline{AD}$가 ∠CAE의 이등분선일 때, $\overline{CD}$의 길이를 구하
시오.

삼각형의 외각의 이등분선의 정
리에 의해
$\overline{AB} : \overline{AC} = \overline{BD} : \overline{CD}$

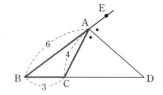

각의 이등분선과 평행선

평행선이 있을 때, 각의 이등분선에 의해 이등변삼각형이 만들어진다.

10 오른쪽 그림에서 $\overline{PQ}/\!/\overline{BC}$이고, 점 I는 $\triangle ABC$의 내심이다. $\overline{AP}=6$ cm, $\overline{PB}=3$ cm, $\overline{BC}=8$ cm일 때, $\overline{CQ}$의 길이를 구하시오.

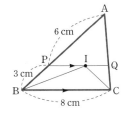

△PBI, △QIC는 이등변삼각형이다.

11 오른쪽 그림의 평행사변형 ABCD에서 $\angle ABE=\angle CBE$이다. $\overline{AB}=6$ cm, $\overline{BF}=2\overline{EF}$일 때, $\overline{BC}$의 길이를 구하시오.

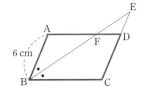

△CBE는 이등변삼각형이다.

Deep

각의 이등분선과 직각

직각이 있을 때, 각의 이등분선에 의해 합동이 되는 삼각형을 찾는다.

12 오른쪽 그림과 같이 $\angle C=90°$인 직각삼각형 ABC에서 $\angle BAD=\angle CAD$, $\overline{AB}=5$ cm, $\overline{BC}=4$ cm, $\overline{CA}=3$ cm일 때, $\overline{DE}$의 길이를 구하시오.

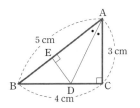

△ADE≡△ADC

13 오른쪽 그림과 같은 평행사변형 ABCD에서 $\angle D$의 이등분선과 $\overline{AF}$가 수직으로 만난다. $\overline{AB}=4$ cm, $\overline{BC}=6$ cm일 때, $\overline{CF}$의 길이를 구하시오.

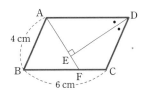

$\overline{AF}$와 $\overline{DC}$의 연장선이 만나는 점을 G라고 하면 △DAE≡△DGE이다.

(1) 3개의 평행선

$l /\!/ m /\!/ n$일 때,

① $a : b = c : d$

② $a : (a+b) = c : (c+d)$

③ $b : (a+b) = d : (c+d)$

(2) 4개의 평행선

$l /\!/ m /\!/ n /\!/ r$일 때,

① $a : b : c = d : e : f$

② $(a+b+c) : a = (d+e+f) : d$

③ $(a+b) : (b+c) = (d+e) : (e+f)$

④ $(a+b) : c = (d+e) : f$

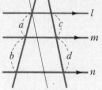

14 다음 그림에서 $l /\!/ m /\!/ n /\!/ k$일 때, x의 값을 구하시오.

(1)

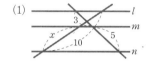

(2)

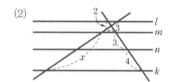

(1) $\overline{AD} /\!/ \overline{BC}$인 사다리꼴 ABCD에서 $\overline{EF} /\!/ \overline{BC}$이고,

$\overline{AD} = a$, $\overline{BC} = b$, $\overline{AE} = m$, $\overline{EB} = n$일 때,

$$\overline{EF} = \frac{an+bm}{m+n}$$

증명은 15번 참고

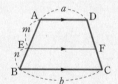

(2) $\overline{AD} /\!/ \overline{BC}$인 사다리꼴 ABCD에서 $\overline{EF} /\!/ \overline{BC}$이고,

$\overline{AD} = a$, $\overline{BC} = b$일 때,

$$\overline{EO} = \overline{FO} = \frac{ab}{a+b}$$

증명은 16번 참고

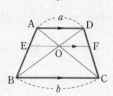

15 오른쪽 그림과 같이 $\overline{AD} /\!/ \overline{BC} /\!/ \overline{EF}$인 사다리꼴 ABCD에서

$\overline{AD} = a$, $\overline{BC} = b$이고, $\overline{AE} : \overline{EB} = m : n$일 때,

$$\overline{EF} = \frac{an+bm}{m+n}$$임을 증명하시오.

$\overline{AC}$를 긋는다.

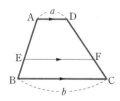

16 오른쪽 그림과 같이 $\overline{AD} \,/\!/\, \overline{BC} \,/\!/\, \overline{EF}$인 사다리꼴 ABCD에서 $\overline{AD}=3$ cm, $\overline{BC}=6$ cm일 때, $\overline{EF}$의 길이를 구하시오.

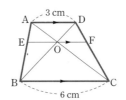

$\overline{AE} : \overline{EB} = \overline{AO} : \overline{OC}$
$= \overline{AD} : \overline{BC}$

17 오른쪽 그림과 같이 $\overline{AD} \,/\!/\, \overline{EF} \,/\!/\, \overline{BC}$인 사다리꼴 ABCD에서 $\overline{AD}=6$ cm, $\overline{BC}=12$ cm, $\overline{EP}=\overline{PQ}=\overline{QF}$일 때, $\overline{AE} : \overline{EB}$를 가장 간단한 자연수의 비로 나타내시오.

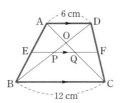

$\overline{AE} : \overline{EB} = 1 : x$로 놓고 푼다.

평행선과 선분의 길이의 비의 응용

오른쪽 그림과 같이 $\overline{AC}$와 $\overline{BD}$의 교점을 E라 할 때, $\overline{AB} \,/\!/\, \overline{EF} \,/\!/\, \overline{DC}$이고 $\overline{AB}=a$, $\overline{CD}=b$, $\overline{BC}=c$이면

(1) $\overline{AE} : \overline{EC} = \overline{BE} : \overline{ED} = \overline{BF} : \overline{FC} = a : b$

(2) $\overline{EF} = \dfrac{ab}{a+b}$ (3) $\overline{BF} = \dfrac{ac}{a+b}$ (4) $\overline{CF} = \dfrac{bc}{a+b}$

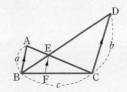

(2)의 증명
$\triangle ABE \backsim \triangle CDE$
       (AA 닮음)에서
$\overline{BE} : \overline{DE} = \overline{AB} : \overline{CD} = a : b$
또, $\triangle BCD$에서
$\overline{BE} : \overline{BD} = \overline{EF} : \overline{DC}$이므로
$a : (a+b) = \overline{EF} : b$
$\therefore \overline{EF} = \dfrac{ab}{a+b}$

18 다음 그림에서 $\overline{AB} \,/\!/\, \overline{EF} \,/\!/\, \overline{DC}$일 때, x의 값을 구하시오.

(1)
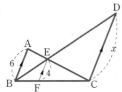

(2)

(3)

19 오른쪽 그림에서 $\overline{AB} \,/\!/\, \overline{EF} \,/\!/\, \overline{DC}$이고 $\overline{BM}=\overline{MN}=\overline{NC}$일 때, $\overline{EF}$의 길이를 구하시오.

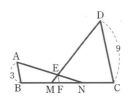

$\overline{NF}=a$, $\overline{MF}=b$라고 놓고 닮음을 이용한다.

삼각형의 중점연결정리와 무게중심

(1) **삼각형의 중점연결정리**

① 삼각형의 두 변의 중점을 연결한 선분은 나머지 변과 평행하고 그

길이는 나머지 변의 길이의 $\frac{1}{2}$이다.

즉, △ABC에서 $\overline{AD}=\overline{DB}$, $\overline{AE}=\overline{EC}$이면

$\overline{DE}/\!/\overline{BC}$, $\overline{DE}=\frac{1}{2}\overline{BC}$

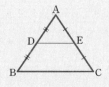

② 삼각형에서 한 변의 중점을 지나고, 다른 한 변에 평행한 직선은 나머지 한 변의 중점을

지난다. 즉, △ABC에서 $\overline{AD}=\overline{DB}$, $\overline{DE}/\!/\overline{BC}$이면 $\overline{AE}=\overline{EC}$(①의 역)

③ 사다리꼴에서 중점연결정리의 활용

$\overline{AD}/\!/\overline{BC}$인 사다리꼴 ABCD에서 $\overline{AB}$, $\overline{DC}$의 중점을

각각 M, N이라 하면

$\overline{MN}/\!/\overline{BC}$, $\overline{MN}=\frac{1}{2}(\overline{AD}+\overline{BC})$

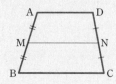

(2) **무게중심**

삼각형의 무게중심은 세 중선의 길이를 각 꼭짓점으로부터 각각

2 : 1로 나눈다.

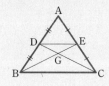

20 오른쪽 그림의 △ABC에서 두 점 D, F와 두 점 E, G는 각각

$\overline{AB}$, $\overline{AC}$의 삼등분점이다. $\overline{DE}=2$일 때, $\overline{PQ}$의 길이를 구하시오.

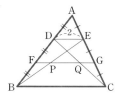

21 오른쪽 그림과 같이 $\overline{AD}/\!/\overline{BC}$인 사다리꼴 ABCD에서 두 점 E,

F는 각각 $\overline{AB}$, $\overline{DC}$의 중점이다. $\overline{AD}=10$ cm, $\overline{BC}=14$ cm,

□AEFD$=88$ cm^{2}일 때, □EBCF의 넓이를 구하시오.

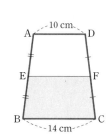

22 오른쪽 그림에서 점 G는 △ABC의 무게중심이고,

△ABC$=40$ cm^{2}일 때, △GDE의 넓이를 구하시오.

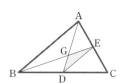

23 오른쪽 그림에서 □ABCD는 직사각형이고,

$\overline{CD}=\overline{DE}=2$ cm, $\overline{BC}=4$ cm일 때, △BOG의 넓이를 구하

시오. (단, 세 점 C, D, E는 한 직선 위에 있다.)

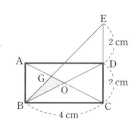

닮음의 활용

(1) 넓이와 부피

① 닮은인 두 도형의 넓이 또는 겉넓이의 비는 닮음비의 제곱의 비이다.

② 닮은인 두 도형의 부피의 비는 닮음비의 세제곱의 비이다.

(2) 축척

실제의 길이에 대한 축도에서의 길이의 닮음비의 값

(축도에서의 길이)=(실제 길이)×(축척)

축척이 $\dfrac{1}{5000}$이면

(축도에서의 길이) : (실제 길이)

=1 : 5000

24 오른쪽 그림과 같이 $\overline{AD}/\!/\overline{BC}$인 사다리꼴 ABCD에서 $\triangle OAD=3\ cm^2$, $\triangle OBC=27\ cm^2$일 때, $\square ABCD$의 넓이를 구하시오.

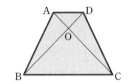

넓이의 비는 닮음비의 제곱의 비이다.

25 오른쪽 그림과 같이 원뿔을 높이의 삼등분점을 지나고 밑면에 평행한 평면으로 잘라서 세 개의 부분 A, B, C로 나누었다. 이 세 부분 A, B, C의 부피의 비를 가장 간단한 자연수의 비로 나타내시오.

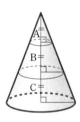

$A : (A+B) : (A+B+C)$

$=1^3 : 2^3 : 3^3$

26 높이가 5 m인 동상이 있다. 이 동상을 녹여서 높이가 50 cm이고 똑같이 닮은 동상을 만들려고 할 때, 만들 수 있는 동상의 개수를 구하시오.

부피의 비는 닮음비의 세제곱의 비이다.

27 오른쪽 그림은 윗면의 넓이가 $\pi\ cm^2$, 밑면의 넓이가 $4\pi\ cm^2$인 원뿔대를 높이의 이등분점을 지나고 밑면에 평행한 평면으로 잘라서 두 개의 크고 작은 원뿔대를 만든 것이다. 잘라낸 원뿔대 중 큰 것의 부피가 $10\pi\ cm^3$일 때, 작은 것의 부피를 구하시오.

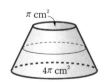

원뿔대로 원뿔을 그린 후 닮음비를 이용하여 부피의 비를 구한다.

메네라우스의 정리

한 직선이 △ABC의 변 또는 그 연장선과 만나는 점을 각각 X, Y, Z라 하면

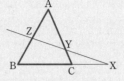

$$\frac{\overline{BX}}{\overline{CX}} \times \frac{\overline{CY}}{\overline{AY}} \times \frac{\overline{AZ}}{\overline{BZ}} = 1$$

이 성립한다.

증명 세 점 A, B, C에서 반직선 XZ에 내린 수선의 발을 각각 P, Q, R라 하면

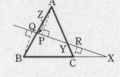

$\triangle XCR \backsim \triangle XBQ$이므로 $\dfrac{\overline{BX}}{\overline{CX}} = \dfrac{\overline{BQ}}{\overline{CR}}$ ...... ㉠

$\triangle YCR \backsim \triangle YAP$이므로 $\dfrac{\overline{CY}}{\overline{AY}} = \dfrac{\overline{CR}}{\overline{AP}}$ ...... ㉡

$\triangle APZ \backsim \triangle BQZ$이므로 $\dfrac{\overline{AZ}}{\overline{BZ}} = \dfrac{\overline{AP}}{\overline{BQ}}$ ...... ㉢

㉠, ㉡, ㉢의 각 변을 곱하면

$$\frac{\overline{BX}}{\overline{CX}} \times \frac{\overline{CY}}{\overline{AY}} \times \frac{\overline{AZ}}{\overline{BZ}} = \frac{\overline{BQ}}{\overline{CR}} \times \frac{\overline{CR}}{\overline{AP}} \times \frac{\overline{AP}}{\overline{BQ}} = 1$$

체바 정리

△ABC의 세 꼭짓점 A, B, C에서 각 대변에 적당한 선분을 그어 $\overline{AE}$, $\overline{BF}$, $\overline{CD}$가 한 점 O에서 만날 때,

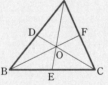

$$\frac{\overline{BD}}{\overline{AD}} \times \frac{\overline{CE}}{\overline{BE}} \times \frac{\overline{AF}}{\overline{CF}} = 1$$

이 성립한다.

증명

$$\frac{\overline{BD}}{\overline{AD}} = \frac{\triangle BCD}{\triangle ACD} = \frac{\triangle BOD}{\triangle AOD} = \frac{\triangle BCD - \triangle BOD}{\triangle ACD - \triangle AOD} = \frac{\triangle BCO}{\triangle ACO} \quad \cdots\cdots ㉠$$

$$\frac{\overline{CE}}{\overline{BE}} = \frac{\triangle CAE}{\triangle BAE} = \frac{\triangle COE}{\triangle BOE} = \frac{\triangle CAE - \triangle COE}{\triangle BAE - \triangle BOE} = \frac{\triangle CAO}{\triangle BAO} \quad \cdots\cdots ㉡$$

$$\frac{\overline{AF}}{\overline{CF}} = \frac{\triangle ABF}{\triangle CBF} = \frac{\triangle AOF}{\triangle COF} = \frac{\triangle ABF - \triangle AOF}{\triangle CBF - \triangle COF} = \frac{\triangle ABO}{\triangle CBO} \quad \cdots\cdots ㉢$$

㉠, ㉡, ㉢의 각 변을 곱하면

$$\frac{\overline{BD}}{\overline{AD}} \times \frac{\overline{CE}}{\overline{BE}} \times \frac{\overline{AF}}{\overline{CF}} = \frac{\triangle BCO}{\triangle ACO} \times \frac{\triangle CAO}{\triangle BAO} \times \frac{\triangle ABO}{\triangle CBO} = 1$$

28 오른쪽 그림과 같은 △ABC에서 $\overline{BE}:\overline{EC}=2:5$, $\overline{AF}:\overline{FC}=2:3$일 때, 다음을 가장 간단한 자연수의 비로 나타내시오.

(1) $\overline{AO}:\overline{OE}$

(2) $\overline{BO}:\overline{OF}$

(3) $\overline{AD}:\overline{DB}$

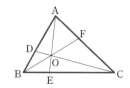

메네라우스의 정리와 체바 정리를 이용한다.

29 오른쪽 그림과 같은 △ABC에서 $\overline{BE}:\overline{EC}=2:3$, $\overline{AO}:\overline{OE}=5:1$일 때, 다음을 가장 간단한 자연수의 비로 나타내시오.

(1) $\overline{AD}:\overline{DB}$

(2) $\overline{AF}:\overline{FC}$

(3) $\overline{CO}:\overline{OD}$

(4) $\overline{BO}:\overline{OF}$

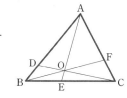

메네라우스의 정리를 이용한다. 주어진 조건과 (1)의 결과로 (3)을, 주어진 조건과 (2)의 결과로 (4)를 풀 수 있다.

30 오른쪽 그림에서 점 M은 $\overline{AB}$의 중점이고 $\overline{AP}:\overline{PC}=2:1$일 때, $\overline{PQ}:\overline{PB}$를 가장 간단한 자연수의 비로 나타내시오.

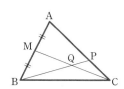

△ABP에서 메네라우스의 정리를 이용한다.

31 오른쪽 그림과 같이 △ABC에서 변 AB와 변 AC의 삼등분점 중에서 두 꼭짓점 A, C에 가까운 점을 각각 D, E라 하고, $\overline{DE}$와 $\overline{BC}$의 연장선이 만나는 점을 F라고 할 때, $\dfrac{\overline{CF}}{\overline{BC}}$를 구하시오.

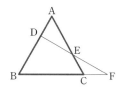

$\overline{AD}:\overline{DB}=1:2$, $\overline{AE}:\overline{EC}=2:1$이므로 △ABC에서 메네라우스의 정리를 이용한다.

32 오른쪽 그림과 같이 넓이가 40 cm²인 평행사변형 ABCD에서 $\overline{AE}:\overline{EB}=2:1$일 때, △ODF의 넓이를 구하시오.

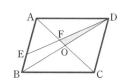

△ODF : △OAD $=\overline{OF}:\overline{OA}$

제르곤의 정리

△ABC의 내부에 임의의 한 점을 O라 하고 $\overline{AO}$, $\overline{BO}$, $\overline{CO}$의 연장선이 $\overline{BC}$, $\overline{AC}$, $\overline{AB}$와 만나는 점을 각각 D, E, F라 하면

$$\frac{\overline{OD}}{\overline{AD}}+\frac{\overline{OE}}{\overline{BE}}+\frac{\overline{OF}}{\overline{CF}}=1$$

이 성립한다.

증명 △ADC에서 $\dfrac{\overline{OD}}{\overline{AD}}=\dfrac{\triangle ODC}{\triangle ADC}$ ······ ㉠

△ADB에서 $\dfrac{\overline{OD}}{\overline{AD}}=\dfrac{\triangle ODB}{\triangle ADB}$ ······ ㉡

㉠, ㉡에서 $\dfrac{\overline{OD}}{\overline{AD}}=\dfrac{\triangle ODC}{\triangle ADC}=\dfrac{\triangle ODB}{\triangle ADB}$

가비의 리를 이용하면

$$\frac{\overline{OD}}{\overline{AD}}=\frac{\triangle ODC+\triangle ODB}{\triangle ADC+\triangle ADB}=\frac{\triangle OBC}{\triangle ABC} \quad ······ ㉢$$

위와 같은 방법으로

$$\frac{\overline{OE}}{\overline{BE}}=\frac{\triangle OCA}{\triangle ABC} \quad ······ ㉣$$

$$\frac{\overline{OF}}{\overline{CF}}=\frac{\triangle OAB}{\triangle ABC} \quad ······ ㉤$$

㉢, ㉣, ㉤을 변끼리 더하면

$$\frac{\overline{OD}}{\overline{AD}}+\frac{\overline{OE}}{\overline{BE}}+\frac{\overline{OF}}{\overline{CF}}=\frac{\triangle OBC+\triangle OCA+\triangle OAB}{\triangle ABC}$$

$$=\frac{\triangle ABC}{\triangle ABC}=1$$

가비의 리

$\dfrac{a}{b}=\dfrac{c}{d}=\dfrac{e}{f}=\dfrac{a+c+e}{b+d+f}$

(단, $b+d+f\neq0$)

---

33 오른쪽 그림과 같은 △ABC에서 $\overline{AO}:\overline{OD}=3:2$이고 $\overline{BO}:\overline{OE}=4:1$이다. 이때 $\overline{CO}:\overline{OF}$를 가장 간단한 자연수의 비로 나타내시오.

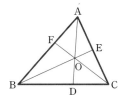

$\overline{AO}:\overline{OD}=3:2$에서
$\overline{OD}:\overline{AD}=2:5$
$\overline{BO}:\overline{OE}=4:1$에서
$\overline{OE}:\overline{BE}=1:5$

---

34 오른쪽 그림과 같은 △ABC에서 △BOA : △BOD=2 : 1, $\overline{CO}=\overline{OF}$이고, △OAC=5 cm²일 때, △ABC의 넓이를 구하시오.

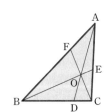

△BOA : △BOD=2 : 1
이므로 $\overline{AO}:\overline{OD}=2:1$이다.

1 오른쪽 그림에서 $l /\!/ m /\!/ n$일 때, x와 y의 값을 각각 구하시오.

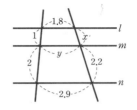

2 오른쪽 그림에서 $\overline{BC} /\!/ \overline{DE}$이고 $\overline{PC}=6$, $\overline{DQ}=5$, $\overline{QE}=10$일 때, $\overline{BP}$의 길이를 구하시오.

서술형

풀이

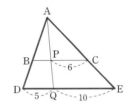

△ABP∽△ADQ이고
△APC∽△AQE이므로
삼각형의 선분의 길이의 비를
이용한다.

3 오른쪽 그림의 △ABC에서 $\overline{BC}=24$ cm, $\overline{AD}:\overline{DB}=2:3$, $\overline{DE} /\!/ \overline{BC}$, $\overline{DF} /\!/ \overline{AC}$, $\overline{EG} /\!/ \overline{AB}$일 때, $\overline{GF}$의 길이를 구하시오.

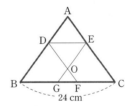

$\overline{DE}=\overline{BG}=\overline{CF}$

4 오른쪽 그림에서 $\overline{BF} /\!/ \overline{CE}$이고, $\overline{AB}=18$ cm, $\overline{BC}=9$ cm, $\overline{AF}=12$ cm, $\overline{DE}=9$ cm, $\overline{BF}=8$ cm일 때, $\overline{CG}$의 길이를 구하시오.

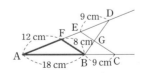

△ABF∽△ACE
△DEG∽△DFB

5
서술형 오른쪽 그림과 같이 $\overline{AD}/\!/\overline{BC}$인 사다리꼴 ABCD에서 대각선 $\overline{BD}$ 위에 점 P를 $\overline{DP}:\overline{PB}=3:1$이 되도록 잡고, 점 P를 지나고 $\overline{BC}$에 평행한 직선이 $\overline{AC}$와 만나는 점을 Q라 하자. $\overline{AD}=8$, $\overline{BC}=12$일 때, $\overline{PQ}$의 길이를 구하시오.

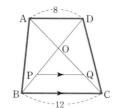

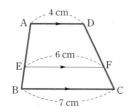

$\overline{BD}=\overline{BP}+\overline{DP}$
$\quad\ =\overline{BO}+\overline{DO}$
임을 이용한다.

풀이

6 오른쪽 그림과 같은 사다리꼴 ABCD에서 $\overline{AD}/\!/\overline{BC}/\!/\overline{EF}$이고, $\overline{AD}=4$ cm, $\overline{EF}=6$ cm, $\overline{BC}=7$ cm일 때, $\overline{AE}:\overline{EB}$를 가장 간단한 자연수의 비로 나타내시오.

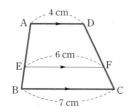

다음 그림과 같이 $\overline{BD}$를 그으면

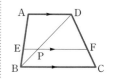

$\overline{BE}:\overline{BA}=\overline{EP}:\overline{AD}$
$\overline{DF}:\overline{DC}=\overline{PF}:\overline{BC}$

7 오른쪽 그림과 같이 넓이가 S이고, 한 변의 길이가 a인 정삼각형 ABC에서 $\overline{AD}:\overline{DC}=\overline{CE}:\overline{EB}=1:2$이다. 이때 $\overline{DE}$의 길이를 a, S의 식으로 나타내시오.

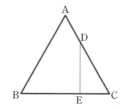

점 A에서 $\overline{BC}$에 내린 수선의 발을 H라고 하고, $\overline{CE}$, $\overline{EH}$의 길이를 구한다.

8 오른쪽 그림과 같은 직사각형 ABCD에서 $\overline{AB}=10$ cm, $\overline{AG}=9$ cm, $\overline{GD}=6$ cm일 때, $\overline{EF}$의 길이를 구하시오.

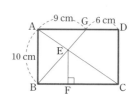

$\triangle EAG \backsim \triangle ECB$이므로
$\overline{AE}:\overline{CE}=\overline{AG}:\overline{CB}$이다.

9
서술형

오른쪽 그림과 같이 ∠C=90°인 직각삼각형 ABC에서
$\overline{AD}=\overline{BD}$, ∠BCE=∠ECA이고 $\overline{BC}=8$, $\overline{AC}=6$일 때,
△DCE의 넓이를 구하시오.

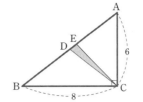

△ABC와 △DCE에서 밑변
은 각각 $\overline{AB}$, $\overline{DE}$이고 높이는
같으므로

$$\triangle DCE = \triangle ABC \times \frac{\overline{DE}}{\overline{AB}}$$

풀이

10 오른쪽 그림과 같은 △ABC에서 점 I는 △ABC의 내심이고,
$\overline{AB}=5$ cm, $\overline{BC}=6$ cm, $\overline{CA}=7$ cm일 때, $\overline{AI}:\overline{ID}$를 가장
간단한 자연수의 비로 나타내시오.

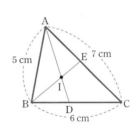

$\overline{BD}$의 길이를 먼저 구한다.
이때 $\overline{BD}=x$ cm라 하면
$\overline{AB}:\overline{AC}=x:(6-x)$이다.

11 오른쪽 그림에서 ∠BAD=∠CAD, ∠CAE=∠FAE이
고, $\overline{AB}=8$ cm, $\overline{AC}=4$ cm, $\overline{BC}=6$ cm일 때, $\overline{DE}$의 길
이를 구하시오.

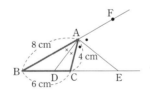

$\overline{CD}$, $\overline{CE}$의 길이를 각각 구한다.

12 오른쪽 그림과 같은 △ABC에서 점 I는 △ABC의 내심이고,
$\overline{AB}=10$ cm, $\overline{BC}=12$ cm, $\overline{CA}=8$ cm일 때,
△IAB : △IAC를 가장 간단한 자연수의 비로 나타내시오.

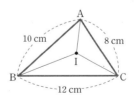

$\overline{AI}$의 연장선을 그어 $\overline{BC}$와의
교점을 D라고 하면, 삼각형의
내각의 이등분선의 정리에 의해
$\overline{AB}:\overline{AC}=\overline{BD}:\overline{CD}$이다.

13 오른쪽 그림과 같이 평행사변형 ABCD의 변 BC 위에 점 P가 있다. 또, ∠PAD의 이등분선이 변 BC 또는 그 연장선과 만나는 점을 Q라 하자. $\overline{AB}=4\,\text{cm}$, $\overline{AD}=7\,\text{cm}$, $\overline{AC}=5\,\text{cm}$이고, 점 P가 변 BC 위를 점 B에서부터 점 C까지 움직일 때, 점 Q가 변 BC 또는 그 연장선 위를 움직인 거리를 구하시오.

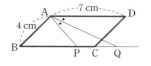

점 P가 점 B에 있을 때와 점 C에 있을 때의 그림을 각각 그려 점 Q가 움직인 거리를 구한다.

14 오른쪽 그림과 같이 $\overline{AD} /\!/ \overline{BC}$인 사다리꼴 ABCD에서 $\overline{BE}$는 ∠B의 이등분선이고, $\overline{BE} \perp \overline{CD}$, $\overline{AD}=1\,\text{cm}$, $\overline{BC}=3\,\text{cm}$일 때, 다음을 가장 간단한 자연수의 비로 나타내시오.

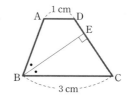

(1) $\overline{DE} : \overline{EC}$

(2) □ABED : △BCE

$\overline{AB}$의 연장선과 $\overline{DC}$의 연장선의 교점을 F라고 하면 △BEF ≡ △BEC이다.

15 오른쪽 그림과 같이 ∠ABQ=∠EFP=∠DCP=90°이고, $\overline{AB}=\overline{DC}=10\,\text{cm}$, $\overline{EF}=2\,\text{cm}$, $\overline{BC}=20\,\text{cm}$일 때, $\overline{PQ}$의 길이를 구하시오.

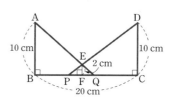

$\overline{PF}=a\,\text{cm}$, $\overline{FQ}=b\,\text{cm}$로 놓고 $\overline{FC}$와 $\overline{BF}$를 각각 a, b로 나타낸다.

16 오른쪽 그림의 △ABC에서 점 M은 $\overline{AB}$의 중점이고, 점 C에서 $\overline{AB}$에 내린 수선의 발을 D라 하자. $\overline{BC}=4\,\text{cm}$, ∠ABC=2∠BAC일 때, $\overline{MD}$의 길이를 구하시오.

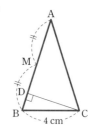

$\overline{AC}$ 위에 $\overline{BC} /\!/ \overline{ME}$인 점 E를 잡으면 점 E는 △ADC의 외심이다.

17
서술형

오른쪽 그림에서 점 G는 △ABC의 무게중심이고 두 점 E, F 는 각각 $\overline{BG}$, $\overline{GC}$의 중점이다. 어두운 부분의 넓이가 7일 때, △ABC의 넓이를 구하시오.

점 G가 무게중심이므로 점 G 와 세 꼭짓점을 연결하여 생긴 삼각형의 넓이는 같다.

풀이

18
서술형

오른쪽 그림에서 평행사변형 ABCD의 넓이는 80이고, $\overline{CP} : \overline{PD} = 1 : 2$가 되는 점을 P라 하자. $\overline{AP}$와 $\overline{BD}$의 교점을 Q라 할 때, △AOQ의 넓이를 구하시오.

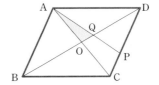

$\overline{BD}$와 평행한 선분을 점 P에서 그어 $\overline{AC}$와 만나는 점을 E라 하고, 평행선과 선분의 길이의 비를 이용한다.

풀이

19

오른쪽 그림과 같이 한 변의 길이가 10 cm인 정사각형 ABCD에 서 두 대각선의 교점을 O라 하자. $\overline{AO}$ 위에 $\overline{AM} : \overline{MO} = 3 : 2$인 점 M을 잡고 $\overline{DM}$의 연장선이 $\overline{AB}$와 만나는 점을 E라고 할 때, $\overline{AE}$의 길이를 구하시오.

△ABO에서 메네라우스의 정 리를 이용한다.

20 오른쪽 그림에서 평행사변형 ABCD의 넓이가 120이고, 세 점 M, N, R가 각각 $\overline{AB}$, $\overline{BC}$, $\overline{CD}$의 중점일 때, △PQR의 넓이를 구하시오.

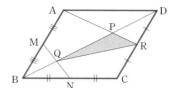

$\overline{AC}$를 그으면
△ABC에서 $\overline{MN} /\!/ \overline{AC}$이고
△ACD에서 점 P는 무게중심임을 이용하여 $\overline{BQ} : \overline{QP} : \overline{PD}$를 구한다.

21 오른쪽 그림과 같이 △ABC에서 점 D는 $\overline{AB}$의 중점이다. $\overline{AC}$ 위에 $2\overline{CE} = \overline{AE}$가 되도록 점 E를 잡고, $\overline{CD}$와 $\overline{BE}$의 교점을 F라고 하자. △CEF의 넓이를 S_1, ☐ADFE의 넓이를 S_2라고 할 때, $\dfrac{S_1}{S_2}$을 구하시오.

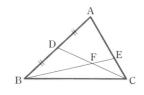

△ADC에서 메넬라우스의 정리를 이용한다.

22 큰 쇠구슬을 녹여서 같은 크기의 작은 쇠구슬 여러 개를 만들었다. 작은 쇠구슬의 반지름의 길이는 큰 쇠구슬의 반지름의 길이의 $\dfrac{1}{6}$이라 할 때, 작은 쇠구슬의 겉넓이들의 합은 처음 큰 쇠구슬의 겉넓이의 몇 배가 되는지 구하시오.

서술형

두 닮은 도형의 닮음비가 $m : n$이면 넓이의 비는 $m^2 : n^2$이고 부피의 비는 $m^3 : n^3$이다.

풀이

23 오른쪽 그림은 담에 나타난 전봇대의 그림자의 길이이다. 전봇대의 길이가 4 m일 때, 같은 시각에 1 m 길이의 막대의 그림자의 길이를 구하시오. (단, 담은 지면과 수직이고, 막대는 그림자가 담에 나타나지 않는 위치에 세운다.)

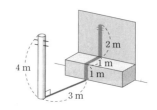
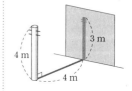

다음 그림과 같이 나타낼 수 있다.

1 오른쪽 그림과 같은 사다리꼴 ABCD에서 $\overline{AD}\,/\!/\,\overline{BC}\,/\!/\,\overline{EF}$ 이고, $\overline{AD}=8\,cm$, $\overline{BC}=17\,cm$, $\overline{AB}=12\,cm$, $\overline{CD}=15\,cm$이다. □AEFD와 □EBCF의 둘레의 길이가 같을 때, $\overline{EF}$의 길이를 구하시오.

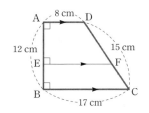

$\overline{AE}=x\,cm$, $\overline{DF}=y\,cm$라고 하면
$\overline{EB}=(12-x)\,cm$,
$\overline{FC}=(15-y)\,cm$가 된다.

2 오른쪽 그림과 같은 평행사변형 ABCD에서 점 E는 두 대각선의 교점이고, 점 F는 $\overline{BC}$의 중점이다. $\overline{AF}$, $\overline{DF}$와 대각선과의 교점을 각각 G, H라 하면 △EGH의 넓이가 $10\,cm^2$일 때, 평행사변형 ABCD의 넓이를 구하시오.

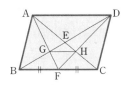

점 E는 두 대각선의 중점이므로 두 점 G, H는 각각 △ABC, △DBC의 무게중심이다.

3 오른쪽 그림에서 점 I는 △ABC의 내심이고, $\overline{AB}=6\,cm$, $\overline{AE}=3\,cm$, $\overline{EC}=5\,cm$일 때, $\overline{BD}$의 길이를 구하시오.

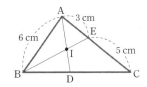

$\overline{BA}:\overline{BC}=\overline{AE}:\overline{CE}$
$\overline{AB}:\overline{AC}=\overline{BD}:\overline{CD}$

4 오른쪽 그림에서 $\overline{AB}:\overline{AC}=2:1$, $\angle BAD=\angle CAD$이고, 두 점 M, N은 각각 $\overline{AB}$, $\overline{BC}$의 중점일 때, △DNE : △ABD를 가장 간단한 자연수의 비로 나타내시오.

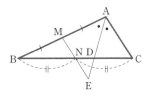

삼각형의 중점연결정리에 의해
$\overline{MN}\,/\!/\,\overline{AC}$, $\overline{MN}=\dfrac{1}{2}\overline{AC}$
또, △AME는 이등변삼각형이므로 $\overline{AM}=\overline{ME}$이다.

5 오른쪽 그림과 같은 △ABC의 점 A에서 ∠B의 이등분선에 내린 수선의 발을 D라 하자. $\overline{BC}\,/\!/\,\overline{DE}$, $\overline{AB}=5\,cm$, $\overline{BC}=7\,cm$일 때, △ABC : △ADE를 가장 간단한 자연수의 비로 나타내시오.

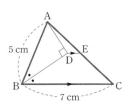

$\overline{AD}$의 연장선과 $\overline{BC}$와의 교점을 F라고 하면
△BDA≡△BDF

6 오른쪽 그림과 같은 △ABC에서 ∠BAD=∠CAD 이고, $\overline{AB}$=6 cm, $\overline{AC}$=8 cm, $\overline{AE}\perp\overline{CE}$, $\overline{AF}\perp\overline{BF}$, $\overline{BM}=\overline{CM}$일 때, $\overline{ME}+\overline{MF}$의 길이를 구하시오.

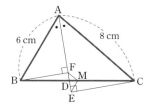

다음 그림과 같은 모양이 되도 록 보조선을 긋는다.

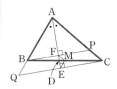

Challenge

7 오른쪽 그림과 같이 △ABC의 내부의 임의의 점 P를 지나고 세 변에 각각 평행한 선분을 그을 때, $\dfrac{\overline{DE}}{\overline{AB}}+\dfrac{\overline{FG}}{\overline{BC}}+\dfrac{\overline{HI}}{\overline{CA}}$의 값을 구하시오.

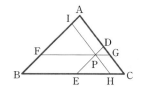

$\dfrac{\overline{DE}}{\overline{AB}}=\dfrac{\overline{CD}}{\overline{CA}}$, $\dfrac{\overline{FG}}{\overline{BC}}=\dfrac{\overline{AG}}{\overline{AC}}$, $\dfrac{\overline{HI}}{\overline{CA}}=\dfrac{\overline{AD}+\overline{GC}}{\overline{CA}}$ 임을 이용한다.

Challenge

8 오른쪽 그림과 같은 △ABC에서 점 I는 △ABC의 내심 이고, $\overline{DE}\perp\overline{AI}$이다. $\overline{BD}$=4 cm, $\overline{CE}$=1 cm일 때, $\overline{DE}$ 의 길이를 구하시오.

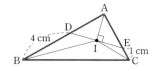

∠BDI=∠BIC=∠IEC $=90^\circ+\dfrac{1}{2}\angle A$ 이므로 △DBI∽△EIC이다.

Challenge

9 오른쪽 그림과 같이 평행사변형 ABCD에서 변 CD의 중점을 E 라 하고, 점 A에서 $\overline{BE}$에 내린 수선의 발을 F라고 하자. ∠DAF=60°일 때, ∠DFE의 크기를 구하시오.

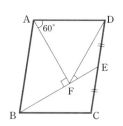

$\overline{BE}$의 연장선과 $\overline{AD}$의 연장선 의 교점을 G로 놓는다.

3 피타고라스 정리

1 피타고라스 정리

직각삼각형 ABC에서 직각을 끼고 있는 두 변의 길이를 각각 a, b라 하고 빗변의 길이를 c라 할 때,

$$a^2+b^2=c^2$$

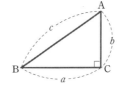

■빗변의 길이의 제곱은 나머지 두 변의 길이의 제곱의 합과 같다.

2 피타고라스 정리의 역

세 변의 길이가 각각 a, b, c인 삼각형 ABC에서 $a^2+b^2=c^2$ 이 성립하면 이 삼각형은 빗변의 길이가 c인 직각삼각형이다.

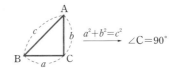

3 피타고라스의 수

(1) 피타고라스 정리 $a^2+b^2=c^2$을 만족하는 세 자연수 a, b, c를 피타고라스의 수라 한다.
(2) 세 변의 길이의 비가 피타고라스의 수인 삼각형은 직각삼각형이다.

    ① 3 : 4 : 5   ② 5 : 12 : 13   ③ 8 : 15 : 17   ④ 7 : 24 : 25

■피타고라스의 수는 많이 있지만 왼쪽의 네 개는 알아두면 편리하다.

4 직각삼각형의 성질

$\angle A=90°$인 △ABC의 한 꼭짓점 A에서 빗변에 내린 수선의 발을 H라 할 때, 다음이 성립한다.

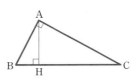

(1) **직각삼각형의 닮음**

    △ABC∽△HAC∽△HBA

(2) **변의 길이의 관계**

    ① $\overline{AB}^2=\overline{BH}\times\overline{BC}$
    ② $\overline{AC}^2=\overline{CH}\times\overline{CB}$
    ③ $\overline{AH}^2=\overline{BH}\times\overline{CH}$
    ④ $\overline{AB}\times\overline{AC}=\overline{AH}\times\overline{BC}$

5 삼각형의 변의 길이와 각의 크기 사이의 관계

△ABC에서 $\overline{BC}=a$, $\overline{CA}=b$, $\overline{AB}=c$라 하고, 세 변 중에서 가장 긴 변의 길이를 c라고 할 때,

(1) $\angle C<90° \Longleftrightarrow c^2<a^2+b^2$ (예각삼각형)
(2) $\angle C=90° \Longleftrightarrow c^2=a^2+b^2$ (직각삼각형)
(3) $\angle C>90° \Longleftrightarrow c^2>a^2+b^2$ (둔각삼각형)

■삼각형의 세 변의 길이가 a, b, c(단, $a<b<c$)로 주어진 경우에는 삼각형이 되기 위한 조건 $b-a<c<b+a$를 만족하는지 확인한다.

주제별 실력다지기

피타고라스 정리

직각삼각형에서 직각을 끼고 있는 두 변의 길이의 제곱의 합은 빗변의
길이의 제곱과 같다.
즉, $\angle C = 90°$일 때,
$$a^2 + b^2 = c^2$$

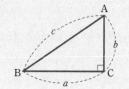

피타고라스 정리의 역
세 변의 길이가 각각 a, b, c인
삼각형에서 $a^2 + b^2 = c^2$이 성립
하면 이 삼각형은 빗변의 길이
가 c인 직각삼각형이다.

1 오른쪽 그림과 같이 직각삼각형 ABC의 세 변의 길이 a, b,
c를 각각 한 변으로 하는 정사각형을 만들었을 때, 다음과 같
은 순서에 따라 $b^2 + c^2 = a^2$임을 증명하시오.

(1) $\triangle ABF \equiv \triangle EBC$임을 밝힌 후,
   $\square EBAD = \square BFML$임을 증명하시오.

(2) $\triangle AGC \equiv \triangle HBC$임을 밝힌 후,
   $\square ACHI = \square LMGC$임을 증명하시오.

(3) (1), (2)를 이용하여 $b^2 + c^2 = a^2$임을 증명하시오.

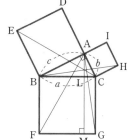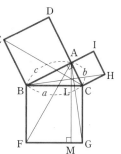

평행선과 넓이

$\triangle A_1 BC = \triangle A_2 BC$
$= \triangle A_3 BC$

2 오른쪽 그림과 같이 직각삼각형 ABC와 합동인 3개의 삼각형을
맞추어 정사각형 HBDF를 만들었을 때, 다음 물음에 답하시오.

(1) $\square ACEG$가 정사각형임을 밝히시오.

(2) $\square ACEG$의 넓이가 25이고 $\overline{BC} = 4$일 때, $\square HBDF$의 넓이
   를 구하시오.

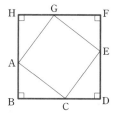

3 오른쪽 그림과 같이 직각삼각형 ABC와 합동인 3개의 삼각형을
맞추어 변 AB를 한 변으로 하는 정사각형 ABDE를 만들었을
때, 다음 물음에 답하시오.

(1) $\square FCGH$가 정사각형임을 밝히시오.

(2) $\overline{AB} = 10$, $\overline{AC} = 8$일 때, $\square FCGH$의 넓이를 구하시오.

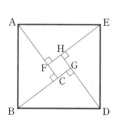

직각삼각형의 변의 길이

(1) 직각삼각형에서 한 변의 길이 구하기

①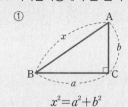

$$x^2=a^2+b^2$$

②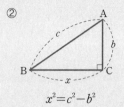

$$x^2=c^2-b^2$$

③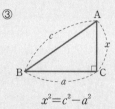

$$x^2=c^2-a^2$$

(2) 피타고라스의 수 : 피타고라스 정리 $a^2+b^2=c^2$을 만족하는 세 자연수 a, b, c를 피타고라스
의 수라 한다.

① $3:4:5$ ② $5:12:13$ ③ $8:15:17$ ④ $7:24:25$

4 다음 그림의 직각삼각형에서 x의 값을 구하시오.

(1)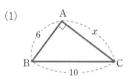

(2)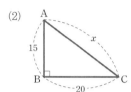

(3)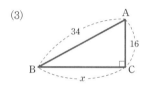

(4)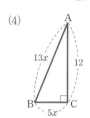

(5)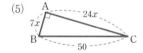

(2)

(3)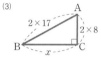

(5)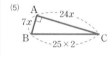

5 오른쪽 그림과 같은 평행사변형 ABCD에서 $\angle$BAC$=90°$이고
$\overline{AB}=3$, $\overline{BC}=5$일 때, $\overline{BD}^2$의 값을 구하시오.

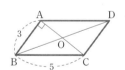

$\overline{AC}$의 길이를 구하고, $\triangle$OAB
에서 $\overline{OB}$의 길이를 구한다.

중2 피타고라스 정리

직각삼각형에서 직각을 낀 두 변의 길이를 알 때, 빗
변의 길이를 구할 수 있다.

예

$3^2+x^2=5^2$, $x^2=16$
∴ $x=4$ ($\because x>0$)

고2 삼각함수

고 등 까 지 연 결 되 는 중등개념 **'주어진 조건에 따라 이용할 수 있는 법칙이 바뀐다.'**

삼각형은 두 변의 길이와 그 끼인각의 크기만 주어지면 나머지 한 변의 길이는 저절로 결정된다. 이때 끼인각의
크기가 직각인 경우에는 피타고라스 정리를 이용하여 빗변의 길이를 구할 수 있게 된다. 더 나아가 고등에서는
직각삼각형이 아닌 일반적인 삼각형의 경우에도 두 변의 길이와 그 끼인각의 크기만 주어지면 삼각함수를 이용
하여 나머지 한 변의 길이를 구할 수 있다.

두 변의 길이와 그 끼인각의 크기를 알 때
두 변의 길이 b, c와 그 끼인각의 크기 $\angle$A가 주어지면 코사인법칙
$$a^2=b^2+c^2-2bc\cos A$$
를 이용하여 나머지 한 변의 길이 a를 구할 수 있다.

※ 직각삼각형에서 각의 크기에 따라 정해지는 변의 길이의 비의 값을 삼각비라 한다.
$\angle$B$=90°$인 직각삼각형 ABC에서 $\angle$A의 삼각비는 $\sin A=\dfrac{a}{b}$, $\cos A=\dfrac{c}{b}$, $\tan A=\dfrac{a}{c}$로 정의한다.

(1) 사각형의 두 대각선이 서로 수직일 때

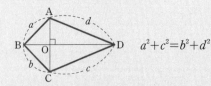

$a^2+c^2=b^2+d^2$

(2) 직사각형의 내부에 임의의 점을 정할 때

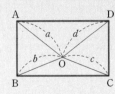

$a^2+c^2=b^2+d^2$

(3) 직각삼각형의 빗변이 아닌 두 변에 각각 임의의 점을 정할 때

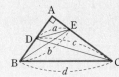

$a^2+d^2=b^2+c^2$

(1) a^2+c^2
$=(\overline{OA}^2+\overline{OB}^2)$
$\quad+(\overline{OC}^2+\overline{OD}^2)$
$=(\overline{OB}^2+\overline{OC}^2)$
$\quad+(\overline{OA}^2+\overline{OD}^2)$
$=b^2+d^2$

(2)

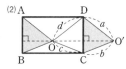

△ABO를 △DCO′으로 평행이동하면 □DOCO′의 두 대각선은 서로 수직이 된다.

(3) △ADE와 △ABC에서
a^2+d^2
$=(\overline{AD}^2+\overline{AE}^2)$
$\quad+(\overline{AB}^2+\overline{AC}^2)$
$=(\overline{AE}^2+\overline{AB}^2)$
$\quad+(\overline{AC}^2+\overline{AD}^2)$
$=b^2+c^2$

---

6 오른쪽 그림에서 $\overline{AB}=12$, $\overline{CD}=10$일 때, $\overline{AD}^2+\overline{BC}^2$의 값을 구하시오.

$\overline{AD}$, $\overline{BC}$를 각각 긋는다.

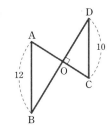

7 오른쪽 그림과 같은 직사각형 ABCD에서 $\overline{OA}=6\,\mathrm{cm}$, $\overline{OB}=5\,\mathrm{cm}$, $\overline{OD}=4\,\mathrm{cm}$일 때, $\overline{OC}$를 한 변으로 하는 정사각형의 넓이를 구하시오.

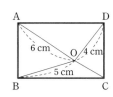

8 오른쪽 그림과 같은 직사각형 ABCD에서 $\overline{AD}\,/\!/\,\overline{PQ}\,/\!/\,\overline{BC}$이고 $\overline{AP}=6$, $\overline{BP}=5$일 때, $\overline{DQ}^2-\overline{CQ}^2$의 값을 구하시오.

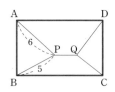

9 오른쪽 그림과 같은 직각삼각형 ABC에서 $\overline{BE}=8$, $\overline{CD}=9$, $\overline{DE}=4$일 때, $\overline{BC}^2$의 값을 구하시오.

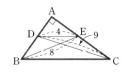

피타고라스 정리와 평면도형(2)

(1)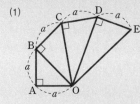

$$\overline{OB}^2=2a^2,\ \overline{OC}^2=3a^2,\ \overline{OD}^2=4a^2,\ \cdots$$

△OAB에서
$\overline{OB}^2=a^2+a^2=2a^2$
△OBC에서
$\overline{OC}^2=2a^2+a^2=3a^2$
△OCD에서
$\overline{OD}^2=3a^2+a^2=4a^2$
⋮

(2)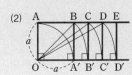

$\overline{OB}=\overline{OB'},\ \overline{OC}=\overline{OC'},\ \overline{OD}=\overline{OD'},\ \cdots$일 때,
$$\overline{OB}^2=2a^2,\ \overline{OC}^2=3a^2,\ \overline{OD}^2=4a^2,\ \cdots$$

10 오른쪽 그림과 같이 직각이등변삼각형 OAB에 직각 삼각형들이 연결되어 있고, $\overline{OA}=\overline{AB}=\overline{BC}=1$ cm, $\overline{CD}=2$ cm, $\overline{DE}=3$ cm일 때, $\overline{OE}$의 길이를 구하시오.

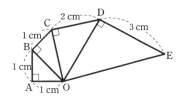

$\overline{OB}^2,\ \overline{OC}^2,\ \overline{OD}^2,\ \overline{OE}^2$의 값을 차례대로 구한다.

11 오른쪽 그림에서 $\overline{OA}=\overline{AB}=\overline{BC}=\overline{CD}=\overline{DE}$이고, $\overline{OC}=2$일 때, $\overline{OE}^2$의 값을 구하시오.

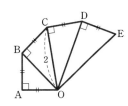

12 오른쪽 그림에서 $\overline{AB}/\!/\overline{OA'}$, $\overline{OA}=\overline{OA'}$, $\overline{OB}=\overline{OB'}$, $\cdots$이고 $\overline{OE}^2=20$일 때, $\overline{OA}$의 길이를 구하시오.

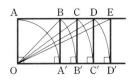

13 오른쪽 그림과 같이 좌표평면 위에 $\overline{OA}=\overline{OA'}$, $\overline{OB}=\overline{OB'}$, $\overline{OC}=\overline{OC'}$이 되도록 작도를 하면 $\angle OCD=60°$가 된다. 이때 부채꼴 OCD의 넓이를 구하시오.
(단, 두 점 C와 D는 x축에 대하여 대칭이다.)

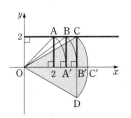

피타고라스 정리와 평면도형 (3)

(1) 일반삼각형에서의 피타고라스 정리

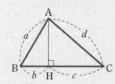

$$a^2 - b^2 = d^2 - c^2$$

$\triangle$ABH에서
$\overline{AH}^2 = a^2 - b^2$이고,
$\triangle$ACH에서
$\overline{AH}^2 = d^2 - c^2$이므로
$a^2 - b^2 = d^2 - c^2$

$Deep$ (2) 중선 정리 (또는 Pappus의 정리)

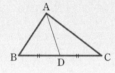

$\overline{BD} = \overline{CD}$일 때,
$\overline{AB}^2 + \overline{AC}^2 = 2(\overline{AD}^2 + \overline{BD}^2)$

---

14 오른쪽 그림과 같이 $\overline{AB} = 10$ cm, $\overline{BC} = 21$ cm, $\overline{CA} = 17$ cm인 삼각형 ABC의 넓이를 구하시오.
(단, $(x-y)^2 = x^2 - 2xy + y^2$으로 계산한다.)

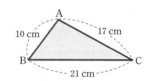

점 A에서 $\overline{BC}$에 내린 수선의 발을 H라 하면
$\overline{AB}^2 - \overline{BH}^2 = \overline{AC}^2 - \overline{CH}^2$

15 오른쪽 그림과 같은 삼각형 ABC에서 $\overline{BD} = \overline{CD}$이면 $\overline{AB}^2 + \overline{AC}^2 = 2(\overline{AD}^2 + \overline{BD}^2)$임을 증명하시오.
(단, $(x+y)^2 = x^2 + 2xy + y^2$, $(x-y)^2 = x^2 - 2xy + y^2$으로 계산한다.)

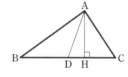

중선 정리의 증명
$\overline{AB}^2 = \overline{AH}^2 + \overline{BH}^2$
$\quad = \overline{AH}^2 + (\overline{BD} + \overline{DH})^2$
$\overline{AC}^2 = \overline{AH}^2 + \overline{CH}^2$
$\quad = \overline{AH}^2 + (\overline{CD} - \overline{DH})^2$
임을 이용한다.

16 오른쪽 그림과 같은 $\triangle$ABC에서 $\overline{AB} = 5$, $\overline{AC} = 4$, $\overline{BC} = 6$이고 $\overline{BD} = \overline{CD}$일 때, $\overline{AD}^2$의 값을 구하시오.

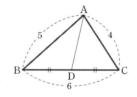

17 오른쪽 그림과 같은 삼각형 ABC에서 $\overline{AB} = 12$, $\overline{AC} = 9$이고, $\overline{BD} = \overline{DE} = \overline{EC} = 6$일 때, $\overline{AD}^2 + \overline{AE}^2$의 값을 구하시오.

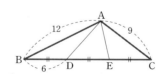

$\triangle$ABE와 $\triangle$ADC에서 각각 중선 정리를 이용한다.

피타고라스 정리와 평면도형(4)

직각삼각형 ABC에서 $\overline{AB}$, $\overline{AC}$, $\overline{BC}$를 각각 지름으로 하는 세 반원의 넓이를 각각 S_1, S_2, S_3이라 할 때,
$$S_1 + S_2 = S_3$$

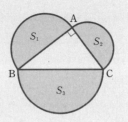

$S_1 = \dfrac{\pi}{2}\left(\dfrac{1}{2}\overline{AB}\right)^2$,

$S_2 = \dfrac{\pi}{2}\left(\dfrac{1}{2}\overline{AC}\right)^2$,

$S_3 = \dfrac{\pi}{2}\left(\dfrac{1}{2}\overline{BC}\right)^2$이므로

$S_1 + S_2 = \dfrac{\pi}{8}(\overline{AB}^2 + \overline{AC}^2)$

$\qquad = \dfrac{\pi}{8}\overline{BC}^2$

$\qquad = \dfrac{\pi}{2}\left(\dfrac{1}{2}\overline{BC}\right)^2$

$\qquad = S_3$

18 오른쪽 그림과 같이 직각삼각형 ABC의 세 변을 각각 한 변으로 하는 정사각형의 넓이를 x, y, z라 할 때, x, y, z 사이의 관계식을 구하시오.

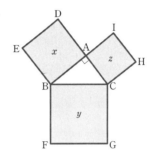

19 오른쪽 그림과 같이 $\overline{BC}=5\,\text{cm}$일 때, 직각삼각형 ABC의 두 변 AB, AC를 각각 지름으로 하는 두 반원의 넓이의 합 $S_1 + S_2$의 값을 구하시오.

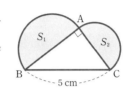

20 오른쪽 그림과 같이 직각삼각형 ABC의 세 변 AB, AC, BC를 각각 지름으로 하는 반원이 있다. 이 반원들로 이루어진 도형의 넓이를 S_1, S_2, $\triangle$ABC의 넓이를 S라 할 때, $S_1 + S_2 = S$임을 증명하시오.

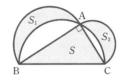

'히포크라테스의 달꼴'이라는 정리이다.

21 오른쪽 그림에서 $\triangle$ABC는 $\angle A = 90°$인 직각삼각형이고 $\overline{AB}=12\,\text{cm}$, $\overline{BC}=13\,\text{cm}$일 때, $\triangle$ABC의 세 변을 각각 지름으로 하는 반원들로 이루어진 도형의 넓이의 합 $S_1 + S_2$의 값을 구하시오.

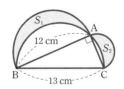

직각삼각형 ABC의 한 꼭짓점 A에서 $\overline{BC}$에 내린 수선의 발을 D라
할 때,

$$\triangle ABC \backsim \triangle DBA \backsim \triangle DAC$$

이므로 다음이 성립한다.

(1) $\overline{AB}^2 = \overline{BD} \times \overline{BC}$

(2) $\overline{AC}^2 = \overline{CD} \times \overline{CB}$

(3) $\overline{AD}^2 = \overline{BD} \times \overline{CD}$

(4) $\overline{AB} \times \overline{AC} = \overline{AD} \times \overline{BC}$

(5) $\overline{AB}^2 : \overline{AC}^2 = \overline{BD} : \overline{CD}$

Deep (6) (△ABC의 둘레의 길이)^2 = (△ABD의 둘레의 길이)^2 + (△ADC의 둘레의 길이)^2

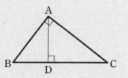

(1)과 (2)에서
$\overline{AB}^2 : \overline{AC}^2$
$= \overline{BD} \times \overline{BC} : \overline{CD} \times \overline{BC}$
$= \overline{BD} : \overline{CD}$

22 오른쪽 그림과 같이 직각삼각형 ABC의 한 꼭짓점 A에서
$\overline{BC}$에 내린 수선의 발을 D라 하고, $\overline{AB} = 5$ cm, $\overline{BD} = 3$ cm
일 때, △ABC의 넓이를 구하시오.

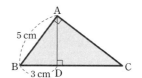

23 오른쪽 그림과 같이 $\angle C = 90°$, $\overline{AC} = 6$ cm, $\overline{BC} = 8$ cm인 직
각삼각형 ABC에서 $\overline{AB} \perp \overline{CH}$이고 점 M은 △ABC의 외심이
다. 다음 물음에 답하시오.

(1) $\overline{MH}$의 길이를 구하시오.

(2) △CHM의 넓이를 구하시오.

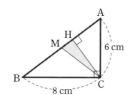

직각삼각형의 외심은 빗변의 중
점이다.

24 오른쪽 그림과 같은 직각삼각형 ABC에서 점 M은 $\overline{BC}$의
중점이고 $\overline{AD} \perp \overline{BC}$, $\overline{DE} \perp \overline{AM}$이다. $\overline{AB} = 3$ cm,
$\overline{AC} = 4$ cm일 때, $\overline{DE}$의 길이를 구하시오.

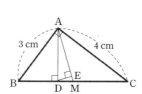

삼각형의 변의 길이와 각의 크기 사이의 관계

세 변의 길이가 a, b, c인 $\triangle ABC$에서 $\angle A$가 가장 큰 각일 때,

(1) $\angle A < 90° \Longleftrightarrow a^2 < b^2 + c^2$ (예각삼각형)

(2) $\angle A = 90° \Longleftrightarrow a^2 = b^2 + c^2$ (직각삼각형)

(3) $\angle A > 90° \Longleftrightarrow a^2 > b^2 + c^2$ (둔각삼각형)

삼각형에서 내각의 크기가 클수록 그 대변의 길이는 길다.

25 오른쪽 그림과 같은 $\triangle ABC$에서 $\angle A > 90°$이면 $a^2 > b^2 + c^2$임을 증명하시오. (단, $(x+y)^2 = x^2 + 2xy + y^2$으로 계산한다.)

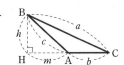

$h^2 = c^2 - m^2$
$\quad = a^2 - (b+m)^2$
$\therefore c^2 = a^2 - b^2 - 2bm$

26 오른쪽 그림과 같은 $\triangle ABC$에서 $\angle A < 90°$이면 $a^2 < b^2 + c^2$임을 증명하시오. (단, $(x-y)^2 = x^2 - 2xy + y^2$으로 계산한다.)

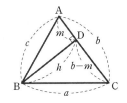

$\triangle BCD$는 직각삼각형이므로
$a^2 = h^2 + (b-m)^2$

27 다음 그림의 삼각형에서 $\angle x$는 예각, 직각, 둔각 중 어떤 각인지 말하시오.

(1)

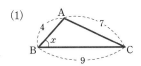

(2)

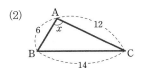

28 다음 그림의 삼각형은 예각삼각형, 직각삼각형, 둔각삼각형 중 어떤 삼각형인지 말하시오.

(1)

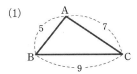

(2)

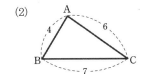

가장 긴 변의 대각이 가장 큰 각이다.

도형에서의 최단 거리

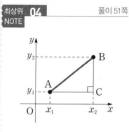

(1) 평면도형에서의 최단 거리

점 A에서 직선 l 위에 있는 점 O를 거쳐 점 B까지의 최단 거리를 구할 때,

점 A를 직선 l에 대하여 대칭이동한 점 A′과 점 B 사이의 거리를 구한다.

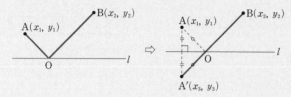

즉, 세 점 A′, O, B가 일직선 위에 있을 때, $\overline{AO}+\overline{OB}$는 최소가 되고, 그 길이 $\overline{A'B}$에 대하여

$$\overline{A'B}^2=(x_2-x_3)^2+(y_2-y_3)^2$$

(2) 입체도형에서의 최단 거리

전개도를 이용하여 꺾인 선을 편 후 길이를 구한다.

최상위 **04** 풀이 51쪽
NOTE

좌표평면 위의 두 점 $A(x_1, y_1)$,

$B(x_2, y_2)$에 대하여

$\overline{AB}^2=\overline{AC}^2+\overline{BC}^2$

$=(x_2-x_1)^2+(y_2-y_1)^2$

$\overline{AO}+\overline{OB}=\overline{A'O}+\overline{OB}$

$\geq\overline{A'B}$

---

29 오른쪽 그림과 같이 $\overline{AC}=4$ cm, $\overline{CD}=12$ cm,

$\overline{BD}=5$ cm이고, 선분 CD 위에 임의의 점 P를 잡아

$\overline{AP}+\overline{BP}$를 최소가 되도록 할 때, 그 길이를 구하시오.

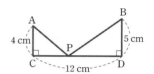

점 A를 $\overline{CD}$에 대하여 대칭이동
한다.

---

30 오른쪽 그림과 같이 점 P가 $\overline{BD}$ 위를 움직일 때, $\overline{AP}+\overline{PC}$

의 값이 최소가 되는 $\angle APB$의 크기를 구하시오.

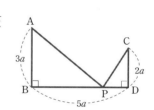

점 A를 $\overline{BD}$에 대하여 대칭이동
한다.

---

31 오른쪽 그림과 같이 가로와 세로의 길이가 각각 16 cm,

7 cm인 직사각형 ABCD의 각 변에 네 점 P, Q, R, S

를 잡아 $\overline{AP}=2$ cm, $\overline{CS}=3$ cm가 되도록 하였다. 이때

$\overline{PQ}+\overline{QR}+\overline{RS}$의 최솟값을 구하시오.

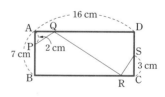

점 P와 점 S를 각각 $\overline{AD}$, $\overline{BC}$
에 대하여 대칭이동한다.

---

32 오른쪽 그림과 같은 직육면체의 꼭짓점 E에서 출발하여 겉

면을 따라 $\overline{AD}$, $\overline{BC}$를 지나 점 G에 이르는 최단 거리를 구

하시오.

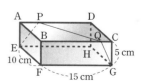

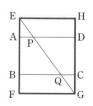

---

1 오른쪽 그림과 같이 직각삼각형 ABC의 세 변을 각각 한 변으로 하는 정사각형을 만들었을 때, △EBC에 대한 설명 중 옳지 않은 것은? (단, $\overline{AC}=3$ cm, $\overline{BC}=5$ cm)

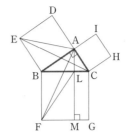

$\triangle EBA = \triangle EBC$
$= \triangle ABF$
$= \triangle LBF$

① $\triangle EBC = 8$ cm²

② $\triangle EBC \equiv \triangle ABF$

③ $\triangle EBC = \triangle ABC$

④ $\triangle EBC = \triangle LBF$

⑤ $\triangle EBC = \frac{1}{2}\square BFML$

2 오른쪽 그림과 같이 직각삼각형 ABC의 세 변을 각각 한 변으로 하는 정사각형을 만들었다. $\overline{AB} : \overline{AC} = 3 : 2$일 때, $\square BFGC$와 $\square BADE$의 넓이의 비를 가장 간단한 자연수의 비로 나타내시오.

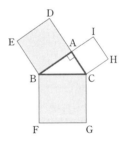

한 변의 길이의 비가 $m : n$인 두 정사각형의 넓이의 비는 $m^2 : n^2$이다.

3
서술형

오른쪽 그림에서 $\square ABCD$는 한 변의 길이가 17 cm인 정사각형이고, $\overline{AP}=8$ cm일 때, $\square PQRS$의 넓이를 구하시오.

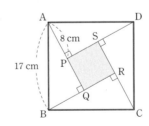

$\square ABCD$는 정사각형이므로
$\triangle ABQ \equiv \triangle BCR$
$\equiv \triangle CDS$
$\equiv \triangle DAP$

풀이

4 오른쪽 그림과 같이 $\overline{AD} /\!/ \overline{BC}$인 등변사다리꼴 ABCD에서 $\overline{AD}=3$ cm, $\overline{AB}=\overline{DC}=5$ cm, $\overline{BC}=9$ cm일 때, □ABCD 의 넓이를 구하시오.

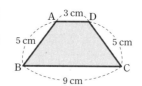

두 점 A와 D에서 $\overline{BC}$에 내린 수선의 발을 각각 P, Q로 놓고 푼다.

5 오른쪽 그림의 △ABC에서 x^2-y^2의 값을 구하시오.

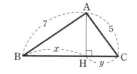

6 오른쪽 그림의 $\angle A=90°$인 직각삼각형 ABC에서 $\overline{BC}$의 중점 을 M이라 하고, $\overline{AD}\perp\overline{BC}$, $\overline{DE}\perp\overline{AM}$, $\overline{BD}=16$ cm, $\overline{CD}=4$ cm일 때, $\overline{AE}$의 길이를 구하시오.

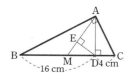

직각삼각형 ABC에서 빗변의 중점 M은 그 삼각형의 외심이 된다. 즉, $\overline{AM}=\overline{BM}=\overline{CM}$

7 세 변의 길이가 각각 6, 7, 11인 삼각형은 어떤 삼각형인지 말하시오.

서술형

풀이

가장 긴 변의 길이의 제곱과 나 머지 두 변의 길이의 제곱의 합 의 대소를 비교한다.

8
서술형

오른쪽 그림과 같이 $\overline{AB}=9$, $\overline{BC}=15$, $\overline{CA}=12$인
△ABC의 내접원의 반지름의 길이를 구하시오.

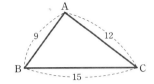

세 변의 길이가 각각 a, b, c인
삼각형에서 $a^2+b^2=c^2$이면 이
삼각형은 빗변의 길이가 c인 직
각삼각형이다.

풀이

9

오른쪽 그림과 같이 $\overline{AB}=\overline{AC}=12$ cm인 직각이등변삼각형
ABC에서 $\overline{AB}/\!/\overline{CD}$이고 $\overline{BE}=15$ cm일 때, △AED의 넓이
를 구하시오.

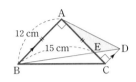

$\overline{AB}/\!/\overline{CD}$에서
△ABE∽△CDE임을 이용한
다.

10

오른쪽 그림의 △OAB에서 $\overline{OA}=5$, $\overline{OB}=4$, $\overline{AB}=3$일 때,
점 B의 좌표는?

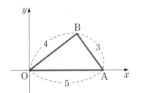

① $\left(\dfrac{14}{5}, \dfrac{12}{5}\right)$ ② $\left(3, \dfrac{5}{2}\right)$

③ $\left(3, \dfrac{14}{5}\right)$ ④ $\left(\dfrac{16}{5}, \dfrac{12}{5}\right)$

⑤ $\left(\dfrac{7}{2}, \dfrac{13}{4}\right)$

11

오른쪽 그림과 같은 직사각형 ABCD에서 $\overline{AD}=8$ cm,
$\overline{AB}=12$ cm이고 $\overline{AM}=\overline{MB}$, $\angle MDN=\angle CDN$일 때,
△BNE의 넓이를 구하시오.

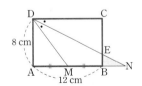

두 내각의 크기가 같은 삼각형
은 이등변삼각형이고,
△AND∽△BNE임을 이용
한다.

1 오른쪽 그림은 반지름의 길이가 8 cm인 사분원이고, 직사각형 BCDF의 넓이는 18 cm²이다. 어두운 부분의 둘레의 길이는?

(단, $(x+y)^2=x^2+y^2+2xy$로 계산한다.)

① $(10+4\pi)$ cm 　　② $(12+4\pi)$ cm

③ $(13+4\pi)$ cm 　　④ $(14+4\pi)$ cm

⑤ $(15+4\pi)$ cm

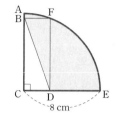

반지름의 길이가 r이고, 중심각의 크기가 $x°$인 부채꼴의 호의 길이는 $2\pi r \times \dfrac{x}{360}$

2 오른쪽 그림에서 직사각형 ABCD의 변 BC를 2 : 3으로 내분하는 점을 E, $\overline{DE}$와 $\overline{AC}$의 교점을 F라 하자. 또, 꼭짓점 D에서 대각선 AC에 내린 수선의 발을 G라 하면 △DGF∽△ABC일 때, △DGF : △ABC를 가장 간단한 자연수의 비로 나타내시오.

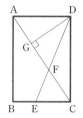

닮음인 두 평면도형의 닮음비가 $m : n$이면 넓이의 비는 $m^2 : n^2$이다.

Challenge

3 오른쪽 그림과 같이 ∠A=90°인 직각삼각형 ABC의 세 변을 각각 한 변으로 하는 정사각형을 만들었다. $\overline{BC}$=13 cm, $\overline{AB}$=5 cm일 때, △CGI의 넓이를 구하시오.

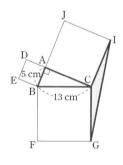

△CGI의 높이를 알 수 있도록 점 I에서 $\overline{CG}$의 연장선에 내린 수선의 발 H를 잡고, △ABC와 △HIC를 비교한다.

4 오른쪽 그림과 같은 사다리꼴 ABCD에서 $\overline{AD}$=2 cm, $\overline{BC}$=5 cm, $\overline{CD}$=5 cm일 때, 어두운 부분의 넓이를 구하시오.

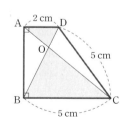

△OAD∽△OCB임을 이용한다.

1

다음 그림의 두 원뿔은 닮은 도형이다. 큰 원뿔의 겉넓이를 S, 작은 원뿔의 겉넓이를 S'이라고 할 때, $S-S'$의 값을 구하시오.

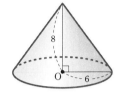

2

두 정육면체의 부피가 각각 343 cm^3, 512 cm^3일 때, 두 정육면체의 겉넓이의 비를 가장 간단한 자연수의 비로 나타내시오.

3

오른쪽 그림에서 $\overline{AB} /\!/ \overline{DC} /\!/ \overline{EF}$이고, $\overline{AB}=6 \text{ cm}$, $\overline{BF}=6 \text{ cm}$, $\overline{EF}=2 \text{ cm}$일 때, $\overline{CF}+\overline{CD}$의 길이를 구하시오.

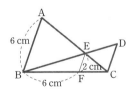

4

오른쪽 그림과 같은 $\triangle ABC$에서 $\overline{DE} /\!/ \overline{BC}$이고 $\overline{AP}=5 \text{ cm}$, $\overline{PQ}=3 \text{ cm}$, $\overline{BC}=8 \text{ cm}$일 때, $\overline{DE}$의 길이를 구하시오.

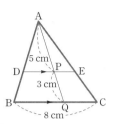

5

오른쪽 그림과 같이 서로 평행한 네 직선이 있다. 이때 x의 값을 구하시오.

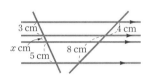

6

오른쪽 그림에서 $\overline{AB}=9 \text{ cm}$, $\overline{AC}=6 \text{ cm}$, $\angle ACD = \angle B$일 때, $\overline{AD}$의 길이를 구하시오.

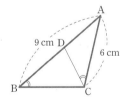

7

오른쪽 그림과 같이
∠ACB=2∠CAD이고 ∠ACB의 이
등분선과 $\overline{AB}$의 교점을 D라고 할 때,
$\overline{AC}$의 길이를 구하시오.

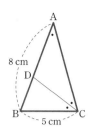

8

오른쪽 그림과 같은 직각삼각형
ABC에서 $\overline{AD} \perp \overline{BC}$이고
$\overline{AD}=6$ cm, $\overline{CD}=\dfrac{9}{2}$ cm일 때,
$\overline{AB}$의 길이를 구하시오.

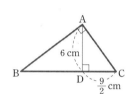

9

오른쪽 그림과 같은 사다리꼴
ABCD의 넓이가 42 cm²이고,
$\overline{AD}=5$ cm, $\overline{BC}=9$ cm일 때, 점
E에서 $\overline{BC}$에 내린 수선 EH의 길
이를 구하시오.

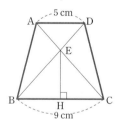

10

오른쪽 그림에서 점 H는 △ABC
의 수심이고, $\overline{AH}=\overline{DH}=3$ cm,
$\overline{BD}=4$ cm일 때, $\overline{CD}$의 길이를
구하시오.

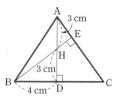

11

오른쪽 그림과 같이 $\overline{AD} /\!/ \overline{BC}$인
사다리꼴 ABCD에서
$\overline{AM}=\overline{MB}$, $\overline{DN}=\overline{NC}$이고,
$\overline{AD}=6$ cm, $\overline{BC}=18$ cm일 때,
$\overline{EF}$의 길이를 구하시오.

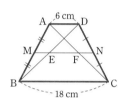

12

오른쪽 그림에서 네 점 M, N, E,
F는 각각 $\overline{AB}$, $\overline{AC}$, $\overline{DB}$, $\overline{DC}$의
중점이다. $\overline{MN}=5$ cm일 때,
$\overline{EF}+\overline{BC}$의 길이를 구하시오.

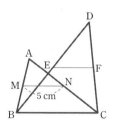

13

오른쪽 그림과 같은 직각삼각형
ABC에서 $\overline{AH} \perp \overline{BC}$이고,
$\overline{BH}=9$ cm, $\overline{CH}=4$ cm일 때,
△ABC의 넓이를 구하시오.

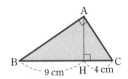

14

오른쪽 그림과 같은 △ABC에서
$\overline{AD}$는 ∠A의 이등분선이고,
$\overline{EF}$∥$\overline{BC}$, $\overline{ED}$∥$\overline{AC}$이다.
$\overline{FC}=5$ cm일 때, $\overline{AE}$의 길이를
구하시오.

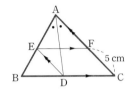

15

오른쪽 그림과 같이 한 변의 길
이가 10인 정삼각형 ABC를
$\overline{EF}$를 접는 선으로 하여 꼭짓점
A를 $\overline{BC}$ 위의 점 D에 오도록 접
었다. 이때 $\overline{BE} \times \overline{CF}$의 값을 구
하시오.

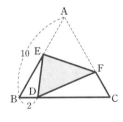

16

오른쪽 그림의 △ABC에서
∠BAE=∠CBF=∠ACD
이고, $\overline{AB}=5$ cm, $\overline{BC}=6$ cm,
$\overline{CA}=4$ cm일 때,
$\overline{DE} : \overline{EF} : \overline{FD}$를 가장 간단한 자연수의 비로 나타내시오.

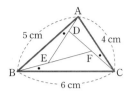

17

오른쪽 그림과 같은 직사각형
ABCD에서 점 E는 $\overline{AD}$의 중점
이고, $\overline{AC}$, $\overline{BE}$의 교점을 F라 할
때, △BEA : △BCF를 가장 간
단한 자연수의 비로 나타내시오.

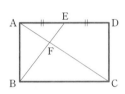

18

오른쪽 그림과 같은 평행사변형
ABCD에서 $\overline{AB}=8$ cm,
$\overline{AD}=10$ cm일 때,
△ABP : △ADQ를 가장 간단
한 자연수의 비로 나타내시오.

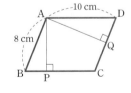

19

오른쪽 그림은 원뿔을 밑면에 평행한 면으로 자른 것이다. 작은 원뿔의 옆넓이가 20π cm²일 때, 원뿔대의 옆넓이를 구하시오.

20

오른쪽 그림과 같은 원뿔 모양의 그릇에 깊이의 $\dfrac{3}{4}$까지 물을 넣었더니 물의 부피가 54π cm³가 되었다. 그릇에 물이 담기지 않은 곳의 부피를 구하시오.

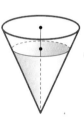

21

오른쪽 그림에서 $\overline{AE}=3$ cm, $\overline{ED}=2$ cm, $\overline{BD}=2$ cm, $\overline{DC}=5$ cm일 때, △ABE : □CDEF를 가장 간단한 자연수의 비로 나타내시오.

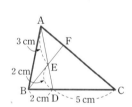

22

오른쪽 그림과 같은 등변사다리꼴 ABCD에서 $\overline{AD}/\!/\overline{BC}$, $\overline{AD}\perp\overline{EG}$이고, 네 점 E, F, G, H는 각 변의 중점이다. $\overline{AD}=2$ cm, $\overline{BC}=6$ cm, $\overline{EG}=4$ cm일 때, □EFGH의 넓이를 구하시오.

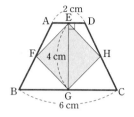

23

축척이 $\dfrac{1}{20000}$인 지도에서 실제 거리가 10 km인 두 지점 사이의 거리는 지도에서 몇 cm로 그려지는지 구하시오.

24

강의 폭을 구하기 위해서 오른쪽 그림과 같이 측량하였다. $\overline{AB}$의 길이를 구하시오.

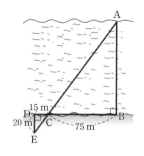

25

오른쪽 그림과 같이
$\overline{AB}=\overline{AC}=12$ cm인 이등변삼각
형 ABC에서 꼭지각의 이등분선이
$\overline{BC}$와 만나는 점을 D라 하고, $\overline{AD}$
의 중점을 M이라 하자. $\overline{BM}$의 연
장선이 $\overline{AC}$와 만나는 점을 E라고 할 때, $\overline{AE}$의 길이를
구하시오.

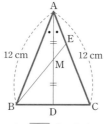

26

오른쪽 그림과 같이 $\angle C=90°$인
△ABC에서 $\overline{AC}$, $\overline{BC}$를 각각 한
변으로 하는 정사각형의 넓이가 각
각 64 cm², 225 cm²일 때, $\overline{AB}$의
길이를 구하시오.

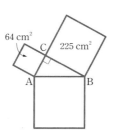

27

오른쪽 그림과 같이 반지름의 길이
가 10 cm인 반원 O에 내접하는 정
사각형 ABCD의 넓이를 구하시오.

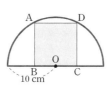

28

오른쪽 그림과 같은
□ABCD에서 $\overline{AB}=3$ cm,
$\overline{BC}=4$ cm, $\overline{CD}=12$ cm,
$\overline{DA}=13$ cm, $\angle B=90°$일 때, □ABCD의 넓이를 구하
시오.

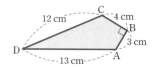

29

오른쪽 그림과 같이
$\overline{DE}/\!/\overline{BC}$이고, $\angle A=90°$,
$\overline{AD}:\overline{DB}=1:2$인 △ABC
에서 $\overline{DE}=3$일 때, $\overline{CD}^2+\overline{BE}^2$의 값을 구하시오.

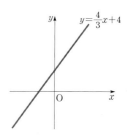

30

오른쪽 그림의 좌표평면 위의 원
점 O에서 직선 $y=\dfrac{4}{3}x+4$에 이
르는 거리를 구하시오.

31

세 변의 길이가 다음과 같은 삼각형 중에서 둔각삼각형인
것은?

① 3, 4, 5   ② 8, 15, 16

③ 2, 3, 5   ④ 5, 11, 13

⑤ 3, 3, 4

32

오른쪽 그림과 같이 $\overline{AB}=13$,
$\overline{AC}=5$, $\overline{CD}=15$일 때, $\overline{AD}^2$의 값
을 구하시오.

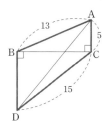

33

오른쪽 그림과 같이
$\overline{AB}=\overline{BC}=6$ cm인 직각삼각형
모양의 종이를 점 A가 변 BC의
중점 D에 오도록 접었을 때,
$\overline{BE}$의 길이는?

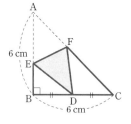

(단, $(x-y)^2=x^2-2xy+y^2$으로 계산한다.)

① $\dfrac{2}{5}$ cm   ② $\dfrac{2}{3}$ cm   ③ $\dfrac{3}{4}$ cm

④ $\dfrac{9}{4}$ cm   ⑤ 4 cm

34

오른쪽 그림과 같이 모선의 길이가
26 cm, 밑면의 반지름의 길이가
10 cm인 원뿔의 높이와 부피를 각각
구하시오.

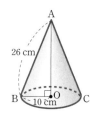

35

오른쪽 그림과 같이 모선의 길이가
5 cm, 밑면의 반지름의 길이가
3 cm인 원뿔에 구가 내접해 있을
때, 구의 반지름의 길이를 구하시
오.

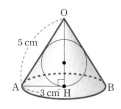

36

오른쪽 그림과 같이 밑면인 원의 반지름
의 길이가 3 cm이고, 높이 12π cm인 원
기둥이 있다. 밑면의 둘레 위에
$\angle POQ=60°$가 되도록 점 Q를 잡고 점
Q에서 출발하여 점 R까지 먼 쪽의 옆면
을 따라 실을 감았을 때, 실의 최단 길이를 구하시오.

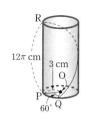

III 확률

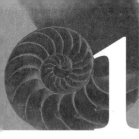

1 경우의 수

1 사건과 경우의 수

(1) **시행** : 실험이나 관찰을 하는 행위

(2) **사건** : 시행에 의해 나타나는 결과

(3) **경우의 수** : 어떤 사건이 일어날 수 있는 모든 경우의 가짓수

■ 시행 : 주사위를 던지거나 동전
을 던지는 것과 같이 어떤 행위
를 하는 것
시건 : 한 개의 주사위를 던질
때, '홀수의 눈이 나온다.', '1의
눈이 나온다.' 등과 같이 어떤
시행에 의해 나타나는 결과

2 합의 법칙

두 사건 A, B가 동시에 일어나지 않을 때, 사건 A가 일어나는 경우의 수가 m, 사건 B가 일어나는 경우의 수가 n이면

사건 A 또는 사건 B가 일어나는 경우의 수 $\Rightarrow m+n$

■ 두 사건 A, B가 동시에 일어
나지 않는다는 것은 사건 A가
일어나면 사건 B가 일어날 수
없고, 사건 B가 일어나면 사건
A가 일어날 수 없다는 뜻이다.

3 곱의 법칙

사건 A가 일어나는 경우의 수가 m이고, 그 각각의 경우에 대하여 사건 B가 일어나는 경우의 수가 n이면

두 사건 A, B가 동시에 일어나는 경우의 수 $\Rightarrow m \times n$

4 수형도

두 가지 이상의 사건이 동시에 일어날 때, 일어날 수 있는 모든 경우의 수를 구하기 위해 그리는 나뭇가지 모양의 그림

■ 서로 다른 동전 2개를 던질 때
의 수형도

$$H \begin{cases} H \\ T \end{cases} \qquad T \begin{cases} H \\ T \end{cases}$$

(H : 앞면, T : 뒷면)

5 순서와 경우의 수

(1) 서로 다른 n개 중에서 r개$(r \leq n)$를 택하여 일렬로 배열하는 경우의 수

$$\underbrace{n \times (n-1) \times (n-2) \times \cdots \times (n-r+1)}_{r개} = \frac{n!}{(n-r)!}$$

(2) 서로 다른 n개 중에서 순서를 생각하지 않고 r개$(r \leq n)$를 택하는 경우의 수

$$\frac{n \times (n-1) \times (n-2) \times \cdots \times (n-r+1)}{r!} = \frac{n!}{r!(n-r)!}$$

■ $n! = n \times (n-1) \times (n-2)$
$\times \cdots \times 3 \times 2 \times 1$

참고
$n!$을 n의 계승 또는 n팩토리얼(factorial)이라고 읽는다.

주제별 실력다지기

정답과 풀이 67쪽

합의 법칙

사건 A가 일어나는 경우의 수가 m, 사건 B가 일어나는 경우의 수가 n이면

(1) 두 사건 A, B가 동시에 일어나지 않을 때, 사건 A 또는 사건 B가 일어나는 경우의 수는

$m+n$

(2) 두 사건 A, B가 동시에 일어나는 경우의 수가 l일 때, 사건 A 또는 사건 B가 일어나는 경우의 수는

$m+n-l$

공식
또는 → +(합)

1 네 종류의 책상과 세 종류의 의자가 있다. 책상 또는 의자 중 한 개를 선택하는 경우의 수를 구하시오.

2 1에서 10까지의 자연수가 각각 적혀 있는 카드 10장이 있다. 이 중에서 한 장을 선택할 때, 다음을 구하시오.

(1) 3의 배수 또는 5의 배수가 적힌 카드를 선택하는 경우의 수

(2) 2의 배수 또는 3의 배수가 적힌 카드를 선택하는 경우의 수

2와 3의 공배수는 6의 배수이다.

곱의 법칙

사건 A가 일어나는 경우의 수가 m이고, 그 각각의 경우에 대하여 사건 B가 일어나는 경우의 수가 n일 때, 두 사건 A, B가 동시에 일어나는 경우의 수는

$m \times n$

공식
그리고 → ×(곱)

3 네 종류의 책상과 세 종류의 의자가 있다. 책상과 의자를 각각 한 개씩 선택하여 가구 세트를 만들려고 할 때, 만들 수 있는 가구 세트의 종류의 수를 구하시오.

4 동전 1개와 주사위 1개를 동시에 던질 때, 나올 수 있는 모든 경우의 수를 구하시오.

(1) 서로 다른 n개 중에서 r개$(r \le n)$를 택하여 일렬로 배열하는 경우의 수는

$$\underbrace{n \times (n-1) \times (n-2) \times \cdots \times (n-r+1)}_{r개} = \frac{n!}{(n-r)!}$$

(2) $n! = n \times (n-1) \times (n-2) \times \cdots \times 3 \times 2 \times 1$

(3) $0! = 1$

(1) 이러한 것을 n개에서 r개를 택하는 순열이라 한다.

!(factorial) : 계승. 즉 이어 서 곱하라는 수학적 기호

14 1, 2, 3, 4, 5의 숫자가 각각 적혀 있는 5장의 카드가 있다. 다음 물음에 답하시오.

(1) 5장의 카드를 나열하여 만들 수 있는 다섯 자리의 정수의 개수를 구하시오.

(2) 3장의 카드를 뽑아 만들 수 있는 세 자리의 정수의 개수를 구하시오.

(3) 3장의 카드를 뽑아 만들 수 있는 세 자리의 정수 중 짝수의 개수를 구하시오.

(4) 3장의 카드를 뽑아 만들 수 있는 세 자리의 정수 중 3의 배수의 개수를 구하시오.

(3) 짝수는 일의 자리의 숫자가 0, 2, 4, 6, 8이다.
(4) 3의 배수는 각 자리의 숫자 의 합이 3의 배수이다. 즉, 숫자의 합이 3의 배수가 되 는 3개의 숫자를 뽑아 배열 한다.

15 세 명의 남학생과 두 명의 여학생을 일렬로 세울 때, 다음 물음에 답하시오.

(1) 다섯 명을 일렬로 세우는 방법의 수를 구하시오.

(2) 남학생은 남학생끼리, 여학생은 여학생끼리 항상 이웃하도록 세우는 방법의 수를 구하시오.

(3) 세 명의 남학생이 항상 이웃하도록 세우는 방법의 수를 구하시오.

(4) 여학생은 항상 이웃하지 않도록 세우는 방법의 수를 구하시오.

(5) 특정한 남학생 A와 여학생 B 사이에 한 명이 있도록 세우는 방법의 수를 구하시오.

(2), (3) '항상 이웃하도록' 해야 하는 집단을 먼저 하나로 묶 어 생각한다.
(4) '항상 이웃하지 않는' 집단 이외의 사람을 먼저 세운 후 그 사이사이에 이 집단을 세 운다. 즉, 다음의 ①, ②, ③, ④ 중 두 군데에 여학생을 세운다.

① 남 ② 남 ③ 남 ④

16 서울, 대전, 광주, 대구, 부산에서 각 지역으로 가는 버스표를 만들려고 한다. 두 지역 사 이의 왕복버스표는 없다고 할 때, 모두 몇 종류의 버스표를 만들어야 하는지 구하시오.

중복을 허락하여 순서를 생각하며 배열하는 경우

서로 다른 n개에서 중복을 허락하여 r개를 택하여 일렬로 배열하는 경우의 수는

$$\underbrace{n \times n \times n \times \cdots \times n}_{r\text{개}} = n^r$$

공식을 사용하는 것보다는 요령, 즉 자리를 만들어 놓고 배열하는 방법을 쓰도록 한다. 예를들면

$$\overbrace{\bigcirc\ \bigcirc\ \bigcirc\ \cdots\ \bigcirc}^{r\text{개}}$$
$$n \times n \times n \times \cdots \times n = n^r$$
ⓐⓑⓒⓓ
(천)(백)(십)(일)
$3 \times 3 \times 3 \times 3$

17 1, 2, 3의 세 숫자로 중복을 허락하여 만들 수 있는 네 자리의 정수의 개수를 구하시오.

18 세 통의 편지를 네 개의 우체통에 넣는 방법의 수를 구하시오.

편지 : A, B, C
Ⓐ Ⓑ Ⓒ
$4 \times 4 \times 4$

원형으로 배열하는 경우

(1) 서로 다른 n개를 원형으로 배열하는 경우의 수는

$$\frac{n!}{n} = (n-1)!$$

(2) 서로 다른 n개의 구슬을 꿰어 목걸이를 만드는 방법의 수는

$$\frac{(n-1)!}{2}$$

(1) 이러한 순열을 원순열이라 한다.

(2) 이러한 순열을 염주순열이라 한다.

19 부모와 자녀 4명이 있다. 다음 물음에 답하시오.

(1) 6명을 원탁에 앉히는 방법의 수를 구하시오.

(2) 부모가 마주 보고 앉도록 원탁에 앉히는 방법의 수를 구하시오.

(3) 부모가 항상 이웃하도록 원탁에 앉히는 방법의 수를 구하시오.

(4) 부모가 항상 이웃하지 않도록 원탁에 앉히는 방법의 수를 구하시오.

(2), (4) 부모 또는 자녀 4명의 두 집단 중 한 집단을 먼저 배열하면 나머지 집단을 배열할 때에는 원순열로 배열하지 않고 일반적인 순열로 배열한다.

20 노랑, 파랑, 주황, 녹색의 4개의 구슬을 실에 꿰어 목걸이를 만들 때, 다음 물음에 답하시오.

(1) 만들 수 있는 목걸이의 가짓수를 구하시오.

(2) 매듭이 하나 있는 실에 꿰어 만들 때, 서로 다른 목걸이의 가짓수를 구하시오.

(2) 매듭은 구슬 한 개로 취급한다.

도형에서의 적용

(1) 어느 세 점도 일직선 위에 있지 않은 n개의 점 중에서 r개를 이어서 만들 수 있는 r각형의
개수는 서로 다른 n개에서 순서를 생각하지 않고 r개를 택하는 방법의 수와 같다.

(2) 가로로 평행한 직선 m개와 세로로 평행한 직선 n개를 이용하여 만
들 수 있는 평행사변형의 개수는

$$\frac{m(m-1)}{2} \times \frac{n(n-1)}{2}$$

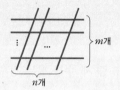

30 오른쪽 그림과 같이 한 원 위에 7개의 점 A, B, C, D, E, F, G
가 있다. 다음을 구하시오.

(1) 세 점을 이어 만들 수 있는 삼각형의 개수

(2) 네 점을 이어 만들 수 있는 사각형의 개수

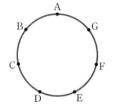

원 위에 있는 7개의 점 중 어느
세 점도 일직선 위에 있지 않다.

31 오른쪽 그림과 같이 가로와 세로의 간격이 모두 같은 직사각형이
있다. 다음 물음에 답하시오.

(1) 만들 수 있는 정사각형의 개수를 구하시오.

(2) 만들 수 있는 직사각형의 개수를 구하시오.

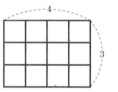

Deep

조편성

서로 다른 9개의 물체를 다음과 같은 세 조로 분류하는 방법의 수

(1) (2개, 3개, 4개) : $\dfrac{9 \times 8}{2!} \times \dfrac{7 \times 6 \times 5}{3!} \times \dfrac{4 \times 3 \times 2 \times 1}{4!} = \dfrac{9 \times 8}{2!} \times \dfrac{7 \times 6 \times 5}{3!}$

(2) (3개, 3개, 3개) : $\dfrac{9 \times 8 \times 7}{3!} \times \dfrac{6 \times 5 \times 4}{3!} \times \dfrac{3 \times 2 \times 1}{3!} \times \dfrac{1}{3!} = \dfrac{9 \times 8 \times 7}{3!} \times \dfrac{6 \times 5 \times 4}{3!} \times \dfrac{1}{3!}$

(3) (4개, 4개, 1개) : $\dfrac{9 \times 8 \times 7 \times 6}{4!} \times \dfrac{5 \times 4 \times 3 \times 2}{4!} \times \dfrac{1}{2!}$

(2), (3)에서 각각의 경우의 수를
3!과 2!로 나누는 이유는 구성
개수가 같은 조가 각각 3개, 2개
이기 때문이다.
예를 들어 네 조가 (a개, a개,
a개, a개)이면 4!로 나누고, (a개,
a개, a개, b개)이면 3!로 나눈
다.

32 서로 다른 5개의 축구공을 2개, 2개, 1개의 세 조로 분류하는 방법의 수를 구하시오.

2개가 두 조이므로 2!로 나눈다.

33 서로 다른 6개의 주사위를 2개씩 세 조로 분류할 때, 다음을 구하시오.

(1) 조의 구분이 없을 때, 분류하는 방법의 수

(2) A조, B조, C조와 같이 조의 구분이 있을 때, 분류하는 방법의 수

(1) 3!로 나눈다.
(2) 3!로 나누지 않는다.

2 STEP 실력 높이기

1 1에서 50까지의 자연수 중에서 3의 배수 또는 5의 배수의 개수를 구하시오.

2 360의 약수의 개수를 구하시오.

$360 = 2^3 \times 3^2 \times 5$

3
서술형

2034년 월드컵 지역 예선에 참가할 팀이 60개 팀이다. 토너먼트로 경기를 하여 우승팀 한 팀을 결정하려고 할 때, 이루어지는 총 경기의 수를 구하시오.

풀이

토너먼트는 두 팀씩 짝을 지어 경기를 하고 한 번 지면 탈락되어 마지막에 남은 두 팀이 승부를 겨루게 하는 방식이다.

4 서로 다른 주사위 2개를 동시에 던질 때, 적어도 하나는 짝수의 눈이 나오는 경우의 수를 구하시오.

적어도 ~ : 여사건을 이용하는 것이 좋다.

5
서술형

0, 1, 2, 3, 4 다섯 개의 숫자를 한 번씩 사용하여 만들 수 있는 세 자리의 정수 중 350보다 작은 정수의 개수를 구하시오.

풀이

0은 백의 자리의 숫자가 될 수 없다.

6 서로 다른 동전 2개와 주사위 1개를 동시에 던질 때, 적어도 하나의 동전은 앞면이 나오고 주사위는 소수의 눈이 나오는 경우의 수를 구하시오.

소수 : 약수가 1과 자기 자신뿐인 1 이외의 자연수
즉, 2, 3, 5, 7, …

7 주희, 동원, 동진 세 사람이 가위바위보를 할 때, 두 사람이 이기고 한 사람만 져서 승부가 나는 경우의 수를 구하시오.

8 서로 다른 주사위 2개를 동시에 던질 때, 두 눈의 수의 차가 3 이하가 되는 경우의 수를 구하시오.

9 오른쪽 그림과 같은 도로에서 A 지점을 출발하여 D 지점까지 갔다가 다시 A 지점으로 돌아오는 경우의 수를 구하시오. (단, A 지점에서 D 지점까지 한 방향으로 이동하고, D 지점에서 A 지점까지도 한 방향으로 이동한다.)

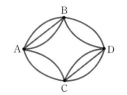

A→B→D→B→A
A→B→D→C→A
A→C→D→B→A
A→C→D→C→A
의 네 가지로 나누어 각각의 경우의 수를 구한다.

10 0, 1, 2, 3의 숫자가 각각 적혀 있는 4장의 카드 중 3장을 뽑아 만들 수 있는 세 자리의 정수 중 다음을 만족하는 정수의 개수를 구하시오.

(1) 짝수

(2) 홀수

(3) 3의 배수

0은 백의 자리의 숫자가 될 수 없다.

11 남자 3명과 여자 4명을 일렬로 세울 때, 남자 3명이 항상 이웃하지 않도록 세우는 경우의 수를 구하시오. (단, 남자 2명은 이웃해도 된다.)

12 3명의 남학생과 3명의 여학생을 일렬로 세울 때, 어느 남학생끼리도 이웃하지 않고, 어느 여학생끼리도 이웃하지 않도록 세우는 경우의 수를 구하시오.

남녀를 번갈아 세우는 경우의 수를 구한다.

13
서술형

주사위를 두 번 던져서 첫 번째에 나오는 눈의 수를 a, 두 번째에 나오는 눈의 수를 b라 할 때, 서로 다른 직선 $bx-ay=a$의 개수를 구하시오.

$bx-ay=a$에서 a, b의 값에 따라 직선에서 달라지는 것이 무엇인지 알아본다.

풀이

14

네 군데의 학원을 3명의 학생이 선택하는 경우의 수를 구하시오.

(단, 한 학생은 한 군데의 학원만 다닐 수 있다.)

3명의 학생이 선택할 수 있는 학원은 각각 4군데이다.

15

0, 1, 2의 세 숫자로 중복을 허락하여 만들 수 있는 세 자리의 정수의 개수를 구하시오.

16
서술형

4명의 학생이 가방을 운동장에 모아 놓고 농구를 했다. 농구가 끝난 후 임의로 가방을 들었을 때, 자기 가방을 든 학생이 한 명도 없는 경우의 수를 구하시오.

직접 수형도를 그려서 경우의 수를 구해 본다.

풀이

17

10원짜리 동전 3개, 100원짜리 동전 4개, 500원짜리 동전 1개를 사용하여 지불할 수 있는 금액의 가짓수를 구하시오. (단, 0원을 지불하는 것은 제외한다.)

500원짜리 동전 1개를 100원짜리 동전 5개로 생각한다.

18 남자 2명, 여자 3명을 원탁에 앉힐 때, 여자 3명은 항상 이웃하도록 하는 경우의 수를 구하시오.

항상 이웃한다.
⇨ 묶어서 하나로 생각한다.

19 서로 다른 다섯 개의 구슬을 실에 꿰어 목걸이를 만들 때, 만들 수 있는 목걸이의 가짓수를 구하시오.

염주순열이다.

20 passport에서 사용된 문자를 일렬로 배열하는 경우의 수를 구하시오.

같은 것이 있는 순열이다.

21 1, 1, 1, 2, 2, 3의 숫자가 각각 적혀 있는 6장의 카드 중에서 3장을 뽑아 만들 수 있는 세 자리의 정수의 개수를 구하시오.

세 수를 먼저 뽑은 다음, 이를 나열한다.

22 오른쪽 그림과 같은 길에서 A 지점에서 B 지점까지 최단 거리로 갈 때, 다음을 구하시오.

　(1) l을 거쳐서 가는 방법의 수
　(2) l을 거치지 않고 가는 방법의 수

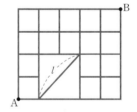

23 노란 깃발 3개와 파란 깃발 2개, 붉은 깃발 2개를 일렬로 세워서 그 색깔의 배열로 신호를 만들 때, 만들 수 있는 신호의 가짓수를 구하시오.

같은 것이 있는 순열이다.

24 1, 2, 3, 4, 5가 각각 적혀 있는 카드 5장이 있다. 이 중에서 3장의 카드를 뽑아 일렬로 배열할 때, 숫자가 큰 것부터 차례대로 배열하는 경우의 수를 구하시오.

3장의 카드를 뽑을 때 숫자의 크기 순서는 자동적으로 정해지므로 크기 순서로 배열하는 것은 순열이 아니고 조합이다.

25 1에서 9까지의 자연수가 각각 적혀 있는 9장의 카드 중에서 짝수가 적혀 있는 카드를 2장 뽑고, 홀수가 적혀 있는 카드를 1장 뽑아서 만들 수 있는 세 자리의 자연수의 개수를 구하시오.

순열과 조합이 섞인 문제이다.

26
서술형
정십각형의 10개의 꼭짓점에서 세 점을 이어 만들 수 있는 삼각형의 개수를 구하시오.

뽑는 순서에 관계없이 3개의 점을 뽑는 경우의 수와 같다.

풀이

27 오른쪽 그림과 같이 $\overline{AB}$를 지름으로 하는 반원 위에 7개의 점이 있다. 다음 물음에 답하시오.
(1) 세 점을 이어서 만들 수 있는 삼각형의 개수를 구하시오.
(2) 네 점을 이어서 만들 수 있는 사각형의 개수를 구하시오.

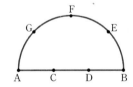

삼각형과 사각형이 만들어지려면 어느 세 점도 일직선 위에 있지 않아야 한다.

28 5권의 책을 세 조로 분류하려고 한다. 조의 구분이 없다고 할 때, 모든 방법의 수를 구하시오.

(ⅰ) 1권, 1권, 3권
(ⅱ) 2권, 2권, 1권
의 두 가지 경우로 나누어 구한다.

5 은정, 현정 두 사람이 은정이부터 번갈아 주사위를 던지는 놀이를 한다. 홀수의 눈이 먼저 나오는 사람이 이긴다면 4회 이내에 현정이가 이길 확률을 구하시오.

6 서로 다른 주사위 3개를 동시에 던질 때, 나오는 눈의 수의 합이 7의 배수가 될 확률을 구하시오.

눈의 수의 합이 7인 경우와 14인 경우로 나누어 경우의 수를 구한다.

7 상자에 흰 공 4개와 검은 공 2개가 들어 있다. 처음에 2개의 공을 연속하여 꺼낸 후 다시 2개의 공을 연속하여 꺼낼 때, 나중에 꺼낸 2개의 공이 모두 흰 공일 확률을 구하시오. (단, 꺼낸 공은 다시 넣지 않는다.)

처음에 꺼낸 두 공 중 검은 공이 0개, 1개, 2개인 경우로 나누어 생각한다.

Challenge
8 A, B, C, D의 네 학교에서 각각 2명의 학생을 출전시켜서 오른쪽 그림과 같이 토너먼트로 시합을 하려고 한다. 같은 학교의 학생이 결승에서만 만나도록 대진표가 짜여질 확률을 구하시오.

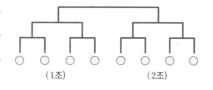
(1조)   (2조)

같은 학교의 학생이 서로 다른 조에 있을 확률을 구한다.

[9~10]

'2교시 수학 시험!! 어차피 공부는 안했으니 주관식은 포기하고… 흠 ~ 객관식은 20문제네. 이거라도 풀자!' (40분 후) '객관식 12문제는 확실히 풀었는데 나머지 8문제는 도저히 모르겠다!! 찍자!! 근데 몇 번으로 찍지?' (갈등, 갈등… 땡! 걷어! 허겁지겁 아무거나 막 찍는다.)

본인 얘기 같다구요? 실제로 여러분은 이 상황에서 어떻게 찍나요? 아마 본인이 알고 푼 문제의 답 번호의 개수를 확인해서 개수가 적은 답 번호 한 가지로만 나머지를 쭉 찍거나 찍신의 기를 받아 아무 번호나 막 찍을 수도 있습니다. 그렇다면 과연 둘 중에 어느 것이 더 좋은 방법일까요? 대부분의 객관식 시험은 5지 선다형으로 답 번호의 개수를 공평하게 분배한다고 가정합시다. 즉, 위와 같이 객관식이 20문제인 경우는 답 번호가 각각 4개씩인거죠. 따라서 확실히 알고 푼 문제 12개의 답 번호의 개수가 ①, ⑤번이 3개씩, ②, ③, ④번이 2개씩이었다고 하면 ②, ③, ④번 중 한 번호로 남은 문제 8개를 다 찍으면 2문제는 맞힐 수 있습니다. 반면에 찍신이 내려 아무 번호나 막 찍었을 때 맞힐 수 있는 문제의 개수는 다음 확률과 같습니다. (이때 아무 번호나 찍는 문제의 개수가 n개일 때, r개의 문제를 맞힐 확률은 $_nC_r \times \left(\frac{1}{5}\right)^r \times \left(\frac{4}{5}\right)^{n-r}$ 으로 계산합니다.)

맞히는 문제	0개	1개	2개	3개	4개	5개	6개	⋯
확률	16.78 %	33.55 %	29.36 %	14.68 %	4.59 %	0.92 %	0.11 %	⋯

(단, 확률은 소수점 아래 셋째 자리에서 반올림하여 나타낸 값이다.)

9 위의 표를 이용하여 8문제 중 2문제 이상을 맞힐 확률을 구하시오.

10 주어진 지문과 같은 상황에서는 ②, ③, ④번 중 한 번호로 남은 문제를 다 찍는 것이 유리한 지, 아니면 아무 번호나 막 찍는 것이 유리한 지 말하고 그 이유를 설명하시오.

1

한 개의 주사위를 두 번 던질 때, 나오는 눈의 수의 합이 소수가 되는 경우의 수를 구하시오.

2

A, B, C, D 네 문자를 일렬로 배열할 때, B, C가 이웃하는 경우의 수를 구하시오.

3

4개의 문자 p, a, s, s를 일렬로 배열하는 방법의 수를 구하시오.

4

오른쪽 그림과 같이 모든 변의 길이가 같은 4개의 정삼각형에 빨강, 파랑, 초록, 노랑을 한 번씩만 사용하여 색을 칠하려고 한다. 이때 가능한 방법의 수를 구하시오.

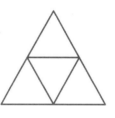

(단, 정삼각형은 돌릴 수 있다.)

5

앞면에는 +1, 뒷면에는 −1이 적혀 있는 동전을 세 번 던질 때, 나오는 수의 합이 −1이 될 확률을 구하시오.

6

다음 설명 중 옳지 <u>않은</u> 것은?

① 어떤 사건이 일어날 확률 p의 범위는 $0 \le p \le 1$이다.

② 확률 p에 대하여 $p=0$인 것은 그 사건이 절대 일어날 수 없음을 뜻한다.

③ 확률 p에 대하여 $p=1$인 사건의 여사건은 절대 일어날 수 없다.

④ 확률이 1인 것은 그 사건이 적어도 한 번은 일어난다는 뜻이다.

⑤ 어떤 사건이 일어날 확률이 p일 때, 그 사건이 일어나지 않을 확률은 $1-p$이다.

7

각 면에 1, 1, 2, 2, 3, 4가 적혀 있는 서로 다른 주사위 2개를 동시에 던질 때, 나오는 눈의 수의 곱이 4가 될 확률을 구하시오.

8

축구 경기에서 기회가 주어지면 골을 넣을 확률이 $\frac{2}{3}$인 선수에게 4번의 기회가 주어질 때, 2골 이상 넣을 확률을 구하시오.

9

오른쪽 그림과 같이 반지름의 길이
가 10 cm인 원판에 반지름의 길이
가 1 cm인 원 모양의 구멍이 뚫려
있다. 10 m 떨어진 곳에서 화살을
쏠 때, 화살이 구멍을 통과하여 나
갈 확률을 구하시오. (단, 화살은 원판을 벗어나지 않고
경계선을 맞히는 경우는 없다.)

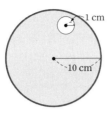

10

주머니에 파란 구슬이 3개, 붉은 구슬이 4개 들어 있다.
주머니에서 구슬을 1개씩 2번 연속하여 꺼낼 때, 2개 모
두 같은 색의 구슬일 확률을 구하시오.

(단, 꺼낸 구슬은 다시 넣지 않는다.)

11

명중률이 각각 $\frac{3}{4}$, $\frac{2}{3}$인 갑, 을 두 사람이 동시에 한 마리
의 오리를 쏘았을 때, 오리가 총에 맞을 확률을 구하시오.

12

서로 다른 두 개의 주사위를 동시에 던질 때, 나오는 눈의
수의 차가 홀수일 확률을 구하시오.

13

1에서 5까지의 자연수가 각각 적혀 있는 카드 5장이 있
다. 이 중에서 3장을 뽑아 세 자리의 정수를 만들 때, 그
수가 300 이하일 확률을 구하시오.

14

x의 값이 1, 2, 3이고 y의 값이 4, 5, 6일 때, x의 값과
y의 값이 일대일로 대응될 확률을 구하시오.

15

남자 4명과 여자 3명 중에서 3명의 대표를 뽑을 때, 적어
도 남자 1명이 포함될 확률을 구하시오.

16

한 개의 주사위를 두 번 던져서 처음에 나오는 눈의 수를
x, 두 번째에 나오는 눈의 수를 y라고 할 때, $\frac{1}{2} \leq \frac{x}{y} \leq 1$
일 확률을 구하시오.

17

A, B 두 개의 주사위를 동시에 던질 때, 다음 중 확률이 가장 큰 것은?

① 두 주사위의 눈의 수의 합이 4 이하가 될 확률

② 두 주사위의 눈의 수의 합이 4의 배수가 될 확률

③ 두 주사위의 눈의 수의 차가 5가 될 확률

④ 적어도 하나의 주사위에서 짝수의 눈이 나올 확률

⑤ A 주사위의 눈의 수를 x, B 주사위의 눈의 수를 y라고 할 때, $\dfrac{x}{y}$가 정수가 될 확률

18

눈이 내린 다음 날 눈이 내릴 확률은 $\dfrac{1}{4}$이고, 눈이 내리지 않은 다음 날 눈이 내릴 확률은 $\dfrac{1}{3}$이다. 어떤 날 눈이 내렸다면 3일 후에도 눈이 내릴 확률을 구하시오.

19

두 개의 주사위 A, B를 동시에 던져서 나오는 눈의 수를 각각 a, b라고 할 때, 두 직선 $y=2x-a$와 $y=-x+b$의 교점의 x좌표가 2일 확률을 구하시오.

20

두 사람이 주사위를 던질 때, 나오는 눈의 수가 큰 사람이 승자가 된다. 승패가 결정될 확률을 구하시오.

21

어떤 모임의 회원 수는 남녀 합하여 16명이다. 이 중에서 회장 1명과 부회장 1명을 차례로 뽑을 때, 회장과 부회장이 모두 여자일 확률이 $\dfrac{3}{8}$이다. 이때 여자 회원의 수를 구하시오.

22

오른쪽 그림과 같이 한 원 위에 같은 간격으로 8개의 점 A, B, C, D, E, F, G, H가 있다. 이 중 세 점을 골라 연결하여 만든 삼각형이 직각삼각형일 확률을 구하시오.

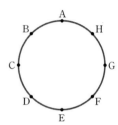

23

혜진이와 건엽이가 주사위 놀이를 하는데, 혜진이가 서로 다른 두 개의 주사위를 동시에 던져서 나오는 눈의 수의 합과 건엽이가 한 개의 주사위만을 던져서 나오는 눈의 수를 비교하여 숫자가 큰 사람이 이긴다고 한다. 이때 건엽이가 이길 확률을 구하시오.

수학은 개념이다!

디딤돌의 중학 수학 시리즈는
여러분의 수학 자신감을 높여 줍니다.

개념 이해
디딤돌수학 개념연산

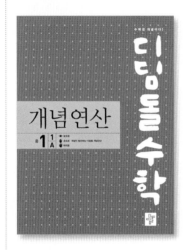

다양한 이미지와 단계별 접근을 통해
개념이 쉽게 이해되는 교재

개념 적용
디딤돌수학 개념기본

개념 이해, 개념 적용, 개념 완성으로
개념에 강해질 수 있는 교재

개념 응용
최상위수학 라이트

개념을 다양하게 응용하여
문제해결력을 키워주는 교재

개념 완성

디딤돌수학 개념연산과 개념기본은 동일한 학습 흐름으로 구성되어 있습니다.
연계 학습이 가능한 개념연산과 개념기본을 통해
중학 수학 개념을 완성할 수 있습니다.

최상위 수학

중 2/2

정답과 풀이

디딤돌

최상위 수학

 중 2/2

정답과 풀이

 디딤돌

1 삼각형의 성질

1 STEP 주제별 실력다지기

7~16쪽

1 3

2 5

3 풀이 참조

4 풀이 참조

5 (가) $\overline{AB}=\overline{AC}$ (나) $\angle B=\angle C$ (다) $\overline{AD}$ (라) $\triangle ABD \equiv \triangle ACD$

6 풀이 참조

7 풀이 참조

8 (1) 풀이 참조 (2) 풀이 참조

9 풀이 참조

10 풀이 참조

11 $65°$

12 풀이 참조

13 $90°$

14 $110°$

15 $45°$

16 풀이 참조

17 $90°$

18 3 cm

19 3

20 $10°$

21 $70°$

22 7

23 풀이 참조

24 18 cm

25 9 cm^2

26 $9:12:8$

27 7 cm

28 7

29 13

30 15 cm^2

31 $\dfrac{6}{5}$ cm

32 $\dfrac{2S}{a}$

33 8 cm

34 $\dfrac{abc}{2S}$

35 풀이 참조

36 8 cm^2

37 ①, ③

38 5 cm^2

최상위 01
NOTE 세 중선에 의하여 나누어지는 삼각형의 넓이

삼각형의 무게중심은 세 중선을 꼭짓점으로부터 $2:1$로 나눈다.
즉, $\overline{AG}:\overline{GD}=2:1$에서
$\overline{AD}:\overline{GD}=3:1$이므로
$\triangle GBD = \dfrac{1}{3}\triangle ABD$ ······ ㉠

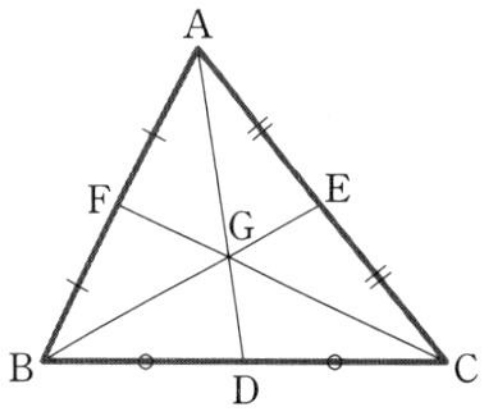

$\overline{BD}:\overline{CD}=1:1$에서 $\overline{BC}:\overline{BD}=2:1$이므로
$\triangle ABD = \dfrac{1}{2}\triangle ABC$ ······ ㉡

㉠, ㉡에 의하여
$\triangle GBD = \dfrac{1}{3}\triangle ABD = \dfrac{1}{3} \times \dfrac{1}{2}\triangle ABC = \dfrac{1}{6}\triangle ABC$

마찬가지로 생각하면
$\triangle GBF = \dfrac{1}{3}\triangle BCF = \dfrac{1}{3} \times \dfrac{1}{2}\triangle ABC = \dfrac{1}{6}\triangle ABC$

$\triangle GAF = \dfrac{1}{3}\triangle ACF = \dfrac{1}{3} \times \dfrac{1}{2}\triangle ABC = \dfrac{1}{6}\triangle ABC$

$\triangle GCD = \dfrac{1}{3}\triangle ACD = \dfrac{1}{3} \times \dfrac{1}{2}\triangle ABC = \dfrac{1}{6}\triangle ABC$

$\triangle GCE = \dfrac{1}{3}\triangle BCE = \dfrac{1}{3} \times \dfrac{1}{2}\triangle ABC = \dfrac{1}{6}\triangle ABC$

$\triangle GAE = \dfrac{1}{3}\triangle ABE = \dfrac{1}{3} \times \dfrac{1}{2}\triangle ABC = \dfrac{1}{6}\triangle ABC$

따라서 삼각형의 넓이는 세 중선에 의하여 6등분된다.

1 (i) $2x$가 가장 긴 변의 길이이면

$2x < 2+6$ ∴ $x < 4$ ····· ㉠

(ii) 6이 가장 긴 변의 길이이면

$6 < 2x+2$ ∴ $x > 2$ ····· ㉡

한편, $2x$는 변의 길이이므로

$2x > 0$ ∴ $x > 0$ ····· ㉢

㉠, ㉡, ㉢에서 $2 < x < 4$이므로 자연수 x의 값은 3이다.

2 (i) $2x$가 가장 긴 변의 길이이면

$2x < 6+2+3$ ∴ $x < \dfrac{11}{2}$ ····· ㉠

(ii) 6이 가장 긴 변의 길이이면

$6 < 2x+3+2$ ∴ $x > \dfrac{1}{2}$ ····· ㉡

한편, $2x$는 변의 길이이므로

$2x > 0$ ∴ $x > 0$ ····· ㉢

㉠, ㉡, ㉢에서 $\dfrac{1}{2} < x < \dfrac{11}{2}$이므로 자연수 x는 1, 2, 3, 4, 5이다.

따라서 자연수 x의 개수는 5이다.

3 △ABC와 △DEF에서

∠C = ∠F = 90° (가정)

∠B = ∠E (가정) ····· ㉠

∠A = 90° − ∠B = 90° − ∠E = ∠D ····· ㉡

$\overline{AB} = \overline{DE}$ (가정) ····· ㉢

㉠, ㉡, ㉢에 의해

△ABC ≡ △DEF (ASA 합동)

4 △ABC와 △DEF에서

오른쪽 그림과 같이 두 변 AC와 DF 가 겹쳐지도록 놓으면

$\overline{AC}$는 공통 ····· ㉠

∠ACB + ∠ACE = 90° + 90°

$\qquad\qquad\quad = 180°$

이므로 세 점 B, C(F), E는 한 직선 위에 있다.

이때 $\overline{AB} = \overline{AE}$ (가정) ····· ㉡

이므로 △ABE는 이등변삼각형이다.

즉, ∠B = ∠E (밑각)

∠ACB = ∠ACE = 90°이므로

∠BAC = 90° − ∠B = 90° − ∠E

$\qquad\quad = $ ∠EAC(∠EDF) ····· ㉢

㉠, ㉡, ㉢에 의해

△ABC ≡ △DEF (SAS 합동)

위의 과정에서 ∠B = ∠E이므로

△ABC ≡ △DEF (RHA 합동)

TIP 두 직각삼각형으로 이등변삼각형을 만들어 이등변삼각형의 두 밑각 의 크기는 서로 같음을 이용한다.

5 [가정] ㉮ $\overline{AB} = \overline{AC}$

[결론] ㉯ ∠B = ∠C

[증명] ∠A의 이등분선과 $\overline{BC}$와의 교점을 D라고 하면

△ABD와 △ACD에서

㉮ $\overline{AB} = \overline{AC}$ (가정) ····· ㉠

∠BAD = ∠CAD ····· ㉡

㉰ $\overline{AD}$는 공통 ····· ㉢

㉠, ㉡, ㉢에 의해

㉱ △ABD ≡ △ACD (SAS 합동)

∴ ㉯ ∠B = ∠C

6 △ABD와 △ACD에서

$\overline{AB} = \overline{AC}$ (가정) ····· ㉠

∠BAD = ∠CAD (가정) ····· ㉡

$\overline{AD}$는 공통 ····· ㉢

㉠, ㉡, ㉢에 의해

△ABD ≡ △ACD (SAS 합동)

∴ $\overline{BD} = \overline{CD}$ ····· ㉣

그런데 ∠ADB = ∠ADC이고

∠ADB + ∠ADC = 180°이므로

∠ADB = ∠ADC = 90°, 즉 $\overline{AD} \perp \overline{BC}$ ····· ㉤

㉣, ㉤에서

$\overline{BD} = \overline{CD}$, $\overline{AD} \perp \overline{BC}$

7 △ABD와 △ACE에서

$\overline{AB} = \overline{AC}$ (가정) ····· ㉠

$\overline{AD} = \overline{AE}$ (가정) ····· ㉡

∠A는 공통 ····· ㉢

㉠, ㉡, ㉢에 의해

△ABD ≡ △ACE (SAS 합동)

∴ $\overline{BD} = \overline{CE}$

8 (1) △ABD와 △ACE에서

$\overline{AB} = \overline{AC}$ (가정) ····· ㉠

∠ADB = ∠AEC = 90° (가정) ····· ㉡

∠A는 공통 ····· ㉢

㉠, ㉡, ㉢에 의해

　　△ABD≡△ACE (RHA 합동)

　　∴ $\overline{BD}=\overline{CE}$

(2) (1)에서 △ABD≡△ACE이므로

　　∠ABD=∠ACE　　　　…… ㉠

　　$\overline{AB}=\overline{AC}$이므로 ∠ABC=∠ACB　　…… ㉡

　　㉠, ㉡에서

　　∠PBC=∠ABC−∠ABD

　　　　　=∠ACB−∠ACE=∠PCB

　　따라서 △PBC는 이등변삼각형이므로

　　$\overline{PB}=\overline{PC}$

9　△ACD와 △BCE에서

△ABC가 정삼각형이므로 $\overline{AC}=\overline{BC}$　　…… ㉠

△ECD가 정삼각형이므로 $\overline{CD}=\overline{CE}$　　…… ㉡

∠ACD=∠BCE=120°　　…… ㉢

㉠, ㉡, ㉢에 의해

△ACD≡△BCE (SAS 합동)

∴ $\overline{AD}=\overline{BE}$

10　$\overline{AB}=\overline{AC}$이므로 ∠B=∠C이고,

$\overline{PE}/\!/\overline{AC}$이므로

∠EPB=∠C (동위각)

따라서 ∠B=∠EPB이므로

△EBP는 이등변삼각형이다.

∴ $\overline{EB}=\overline{EP}$　　…… ㉠

또, $\overline{AE}/\!/\overline{DP}$, $\overline{AD}/\!/\overline{EP}$이므로 □AEPD는 평행사변형이

다.

∴ $\overline{AE}=\overline{DP}$　　…… ㉡

㉠, ㉡에서 $\overline{PD}+\overline{PE}=\overline{AE}+\overline{EB}=\overline{AB}$

11　$\overline{AB}=\overline{AC}$이므로

∠B=∠C=$\frac{1}{2}×(180°−50°)$

　　　=65°　　…… ㉠

$\overline{BF}=\overline{CD}$　　…… ㉡

$\overline{BD}=\overline{CE}$　　…… ㉢

㉠, ㉡, ㉢에 의해

△FBD≡△DCE (SAS 합동)

따라서 ∠BFD=∠CDE이므로

∠FDE=180°−(∠BDF+∠CDE)

　　　　=180°−(∠BDF+∠BFD)

　　　　=∠B=65°

12　점 O에서 세 꼭짓점 A, B, C
를 잇는 선분을 각각 그으면
△OAF와 △OBF에서
$\overline{AF}=\overline{BF}$

∠OFA=∠OFB

$\overline{OF}$는 공통

∴ △OAF≡△OBF (SAS 합동)

즉, $\overline{OA}=\overline{OB}$　　…… ㉠

△OBD와 △OCD에서

$\overline{BD}=\overline{CD}$

∠ODB=∠ODC

$\overline{OD}$는 공통

∴ △OBD≡△OCD (SAS 합동)

즉, $\overline{OB}=\overline{OC}$　　…… ㉡

△OAE와 △OCE에서

$\overline{OA}=\overline{OC}$ (㉠, ㉡)　　…… ㉢

∠OEA=∠OEC=90°　　…… ㉣

$\overline{OE}$는 공통　　…… ㉤

㉢, ㉣, ㉤에 의해

△OAE≡△OCE (RHS 합동)

∴ $\overline{AE}=\overline{CE}$

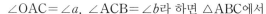

13　점 O가 △ABC의 외심이므로

∠OBA=∠OAB=∠x

∠OCB=∠OBC=∠y

∠OAC=∠OCA=∠z

따라서 ∠A+∠B+∠C=180°에서

2∠x+2∠y+2∠z=180°, 2(∠x+∠y+∠z)=180°

∴ ∠x+∠y+∠z=90°

14　점 O는 △ABC의 외심이
므로 $\overline{OA}=\overline{OB}=\overline{OC}$
△OAB는 이등변삼각형이므로
∠OAB=∠OBA=50°

∠OAC=∠a, ∠ACB=∠b라 하면 △ABC에서

∠a+∠b=180°−(30°+50°)=100°　　…… ㉠

△OBC는 이등변삼각형이므로

∠OCB=∠OBC=20°

△OCA는 이등변삼각형이므로

∠OAC=∠OCA에서 ∠a=∠b+20°　　…… ㉡

㉡을 ㉠에 대입하면 2∠b+20°=100°이므로

2∠b=80°에서 ∠b=40°이고 ∠a=40°+20°=60°

∴ ∠A=50°+60°=110°

다른 풀이

△OBC가 이등변삼각형이므로

∠BOC=180°−2×20°=140°

이때 점 O가 △ABC의 외심이므로

∠A=$\frac{1}{2}$×(360°−140°)=110°

15 점 O는 △ABC의 외심이므로
점 O에서 세 꼭짓점 A, B, C를 잇는
선분을 각각 그으면 $\overline{OA}=\overline{OB}=\overline{OC}$
이고 △OAB, △OBC, △OAC는
모두 이등변삼각형이다.

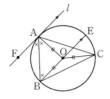

즉, ∠BAF=∠ABO (엇각)=∠BAO이고

∠OAF=90°이므로

∠BAF=∠ABO=∠BAO=45°

△ABC에서

2×45°+2∠OCA+2∠OCB=180°이므로

2(∠OCA+∠OCB)=90°

∠OCA+∠OCB=45°

∴ ∠ACB=45°

다른 풀이

△OAB에서 ∠AOB=180°−2×45°=90°이므로

∠ACB=$\frac{1}{2}$∠AOB=$\frac{1}{2}$×90°=45°

> **TIP 원의 접선의 성질**
> 오른쪽 그림과 같이 원과 오직 한 점에서만 만나
> 는 직선을 접선이라 한다. 접선이 원과 만나는
> 점, 즉 접점을 A라 할 때, $\overline{OA}$와 접선은 서로 수
> 직이다. 즉, 접선 위의 한 점 F에 대하여
> ∠OAF=90°이다.
>
>

16 점 I에서 세 변 $\overline{AB}$, $\overline{BC}$, $\overline{CA}$
에 내린 수선을 발을 각각 D, E,
F라고 하면

△AID와 △AIF에서

∠ADI=∠AFI=90°

∠IAD=∠IAF, $\overline{AI}$는 공통이므로

△AID≡△AIF (RHA 합동)

∴ $\overline{ID}=\overline{IF}$　　　‥‥‥ ㉠

△BID와 △BIE에서

∠BDI=∠BEI=90°, ∠IBD=∠IBE, $\overline{BI}$는 공통이므로

△BID≡△BIE (RHA 합동)

∴ $\overline{ID}=\overline{IE}$　　　‥‥‥ ㉡

△CIE와 △CIF에서

$\overline{IE}=\overline{IF}$ (㉠, ㉡)　　　‥‥‥ ㉢

∠CEI=∠CFI=90°　　　‥‥‥ ㉣

$\overline{CI}$는 공통　　　‥‥‥ ㉤

㉢, ㉣, ㉤에 의해

△CIE≡△CIF (RHS 합동)

따라서 ∠ICE=∠ICF이므로

∠ICA=∠ICB

17 점 I가 △ABC의 내심이므로 $\overline{AI}$, $\overline{BI}$, $\overline{CI}$ 는 각각
∠A, ∠B, ∠C의 이등분선이다.

∴ ∠x+∠y+∠z=$\frac{1}{2}$∠A+$\frac{1}{2}$∠B+$\frac{1}{2}$∠C

　　　　　　=$\frac{1}{2}$(∠A+∠B+∠C)

　　　　　　=$\frac{1}{2}$×180°

　　　　　　=90°

18 △ABC의 내접원의 반지름의 길이를 r cm라 하면

△ABC=$\frac{r}{2}$×(8+15+17)=$\frac{1}{2}$×15×8

20r=60　　　∴ r=3

따라서 내접원의 반지름의 길이는 3 cm이다.

19 x=$\frac{10+9-7}{2}$=6, y=$\frac{7+9-10}{2}$=3

∴ $x-y$=3

다른 풀이

오른쪽 그림에서

$\overline{BD}=\overline{BE}$이므로

7−y=10−x

∴ $x-y$=3

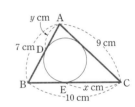

20 ∠BIC=110°=90°+$\frac{1}{2}$∠BAC에서

$\frac{1}{2}$∠BAC=20°　　　∴ ∠BAC=40°

∴ ∠BAI=$\frac{1}{2}$∠BAC=$\frac{1}{2}$×40°=20°　　　‥‥‥ ㉠

또, ∠BOC=2∠BAC=2×40°=80°이고,

$\overline{OB}=\overline{OC}$이므로

∠OBC=$\frac{1}{2}$×(180°−80°)=50°

∴ ∠OBA=∠ABC−∠OBC=60°−50°=10°

이때 $\overline{OA}=\overline{OB}$이므로

∠OAB=∠OBA=10°　　　‥‥‥ ㉡

㉠, ㉡에서

∠OAI=∠BAI−∠OAB

　　　=20°−10°=10°

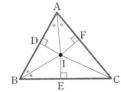

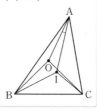
21 $\overline{BO}$, $\overline{CO}$를 그으면

점 O가 $\triangle ABC$의 외심이므로

$\angle ABO=\angle BAO=30°$이고

점 I가 $\triangle ABC$의 내심이므로

$\angle BAI=\angle CAI=40°$

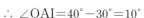

$\therefore \angle OAI=40°-30°=10°$

즉, $\angle ACO=\angle CAO=10°+40°=50°$

$\triangle ABC$에서 $2\times30°+2\times50°+2\angle OBC=180°$이므로

$\angle OBC=10°$

따라서 $\triangle ABD$에서

$\angle x=30°+(30°+10°)=70°$

22 원 밖의 한 점에서 원에 그은 두 접선의 길이는 같음을 이용한다.

$\overline{BC}=a$, $\overline{AC}=b$라 하면

$\overline{BD}=a-1$, $\overline{AE}=b-1$이므로

$\overline{AB}=\overline{BF}+\overline{AF}=\overline{BD}+\overline{AE}$

$\qquad=a-1+b-1=6$ $\quad\therefore a+b=8$

$\therefore \triangle ABC=\dfrac{1}{2}\times1\times(\triangle ABC\text{의 둘레의 길이})$

$\qquad=\dfrac{1}{2}\times1\times(8+6)=7$

23 점 I는 $\triangle ABC$의 내심이므로 $\overline{ID}=\overline{IE}=\overline{IF}$

따라서 한 점에서 삼각형의 세 꼭짓점에 이르는 거리가 같으면 외심이므로 점 I는 $\triangle DEF$의 외심이다.

24 $\overline{GG'}:\overline{G'D}=2:1$에서 $4:\overline{G'D}=2:1$

$2\overline{G'D}=4$ $\quad\therefore \overline{G'D}=2\ \text{cm}$

따라서 $\overline{GD}=4+2=6(\text{cm})$이고,

$\triangle ABC$에서 $\overline{AG}:\overline{GD}=2:1$이므로

$\overline{AG}:6=2:1$ $\quad\therefore \overline{AG}=12\ \text{cm}$

$\therefore \overline{AD}=\overline{AG}+\overline{GD}=12+6=18(\text{cm})$

25 삼각형의 세 중선에 의하여 나누어진 6개의 삼각형의 넓이는 같으므로

$\triangle GAF=\triangle BDG=\triangle CEG=18\times\dfrac{1}{6}=3(\text{cm}^2)$

$\therefore \triangle GAF+\triangle BDG+\triangle CEG=3\times3=9(\text{cm}^2)$

26 $\triangle ABC$의 넓이를 S라 하고,

$\overline{AD}=6k$, $\overline{BE}=9k$, $\overline{CF}=8k\,(k\neq0)$라고 하면

$S=\dfrac{1}{2}\times\overline{AB}\times\overline{CF}=\dfrac{1}{2}\times\overline{BC}\times\overline{AD}=\dfrac{1}{2}\times\overline{CA}\times\overline{BE}$에서

$S=4k\times\overline{AB}=3k\times\overline{BC}=\dfrac{9}{2}k\times\overline{CA}$

따라서 $\overline{AB}=\dfrac{S}{4k}$, $\overline{BC}=\dfrac{S}{3k}$, $\overline{CA}=\dfrac{2S}{9k}$이므로

$\overline{AB}:\overline{BC}:\overline{CA}=\dfrac{S}{4k}:\dfrac{S}{3k}:\dfrac{2S}{9k}$

$\qquad\qquad\qquad=9:12:8$

27 $(\triangle ABC\text{의 둘레의 길이})=6+5+3$

$\qquad\qquad\qquad\qquad\quad=14$

$\qquad\qquad\qquad\qquad\quad=2\overline{AD}$

$\therefore \overline{AD}=7\ \text{cm}$

28 $\triangle ABC=\dfrac{1}{2}\begin{vmatrix} 0 & 3 & 4 & 0 \\ -1 & 4 & 1 & -1 \end{vmatrix}$

$\qquad=\dfrac{1}{2}|(0+3-4)-(-3+16+0)|$

$\qquad=\dfrac{1}{2}|-1-13|=\dfrac{1}{2}\times14=7$

다른 풀이

$\triangle ABC=\dfrac{1}{2}\begin{vmatrix} 3 & 4 & 0 & 3 \\ 4 & 1 & -1 & 4 \end{vmatrix}$ 또는

$\triangle ABC=\dfrac{1}{2}\begin{vmatrix} 4 & 3 & 0 & 4 \\ 1 & 4 & -1 & 1 \end{vmatrix}$, $\cdots$ 등을 이용해도 된다.

29 $\square ABDE=\dfrac{1}{2}\begin{vmatrix} 3 & -1 & 3 & 5 & 3 \\ 5 & 1 & -1 & 3 & 5 \end{vmatrix}$

$\qquad=\dfrac{1}{2}|(3+1+9+25)-(-5+3-5+9)|$

$\qquad=\dfrac{1}{2}|38-2|$

$\qquad=\dfrac{1}{2}\times36=18$

$\triangle BCD=\dfrac{1}{2}\begin{vmatrix} -1 & 2 & 3 & -1 \\ 1 & 2 & -1 & 1 \end{vmatrix}$

$\qquad=\dfrac{1}{2}|(-2-2+3)-(2+6+1)|$

$\qquad=\dfrac{1}{2}|-1-9|$

$\qquad=\dfrac{1}{2}\times10=5$

따라서 구하는 넓이는

$\square ABDE-\triangle BCD=18-5=13$

다른 풀이

한 각만이 오목한 다각형에도 사선식이 적용된다.

즉, 좌표를 한 방향으로 쓰면 오목오각형의 넓이 S는

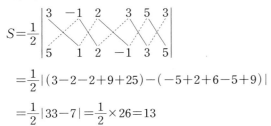

$$S=\frac{1}{2}\left|\begin{matrix}3 & -1 & 2 & 3 & 5 & 3 \\ 5 & 1 & 2 & -1 & 3 & 5\end{matrix}\right|$$

$$=\frac{1}{2}|(3-2-2+9+25)-(-5+2+6-5+9)|$$

$$=\frac{1}{2}|33-7|=\frac{1}{2}\times26=13$$

30 오른쪽 그림과 같이 점 D에서 $\overline{AB}$에 내린 수선의 발을 E라고 하면

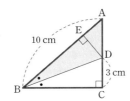

△BCD와 △BED에서

∠BCD=∠BED=90°,

∠CBD=∠EBD,

$\overline{BD}$는 공통이므로

△BCD≡△BED (RHA 합동)

따라서 $\overline{DE}=\overline{DC}=3$ cm이므로

$$\triangle ABD=\frac{1}{2}\times\overline{AB}\times\overline{DE}=\frac{1}{2}\times10\times3=15(\text{cm}^2)$$

31 한 원의 반지름의 길이를 r cm라 하고 오른쪽 그림과 같이 분할하면

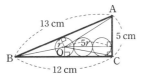

△ABC

=△OAB+△OBC+△OCA

이므로

$$\frac{1}{2}\times12\times5=\frac{13}{2}r+6r+\frac{5}{2}\times5r,\ 25r=30$$

$$\therefore r=\frac{6}{5}$$

따라서 원의 반지름의 길이는 $\frac{6}{5}$ cm이다.

32 오른쪽 그림과 같이 점 P와 각 꼭짓점 A, B, C를 잇는 선분을 그으면 정삼각형 ABC의 넓이는 △PAB, △PBC, △PCA의 넓이의 합과 같으므로

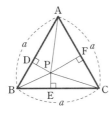

△ABC=S

$$=\triangle PAB+\triangle PBC+\triangle PCA$$

$$=\frac{1}{2}\times a\times\overline{PD}+\frac{1}{2}\times a\times\overline{PE}+\frac{1}{2}\times a\times\overline{PF}$$

$$=\frac{a}{2}(\overline{PD}+\overline{PE}+\overline{PF})$$

$$\therefore \overline{PD}+\overline{PE}+\overline{PF}=\frac{2S}{a}$$

33 오른쪽 그림과 같이 $\overline{AP}$를 그으면

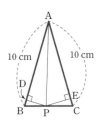

△ABC=△PAB+△PAC

이므로

$$40=\frac{1}{2}\times10\times\overline{PD}+\frac{1}{2}\times10\times\overline{PE}$$

$$40=5(\overline{PD}+\overline{PE})$$

$$\therefore \overline{PD}+\overline{PE}=8\ \text{cm}$$

34 꼭짓점 O에서 △ABC에 내린 수선의 길이를 h라 하고, 사면체 O−ABC의 부피 V를 각각 △OAB와 △ABC를 밑면으로 하여 두 가지 방법으로 구하면

$$V=\frac{1}{3}\times\left(\frac{1}{2}\times\overline{OA}\times\overline{OB}\right)\times\overline{OC}$$

$$=\frac{1}{3}\times\triangle ABC\times h$$

$$\frac{1}{6}abc=\frac{1}{3}Sh \qquad \therefore h=\frac{abc}{2S}$$

35 △PBD : △PCD=$\overline{BD}$: $\overline{CD}$에서

$$\frac{\triangle PBD}{\triangle PCD}=\frac{\overline{BD}}{\overline{CD}} \qquad \therefore \triangle PBD=\frac{\overline{BD}}{\overline{CD}}\times\triangle PCD$$

△QBD : △QCD=$\overline{BD}$: $\overline{CD}$에서

$$\frac{\triangle QBD}{\triangle QCD}=\frac{\overline{BD}}{\overline{CD}} \qquad \therefore \triangle QBD=\frac{\overline{BD}}{\overline{CD}}\times\triangle QCD$$

$$\therefore \triangle PBQ=\triangle PBD-\triangle QBD$$

$$=\frac{\overline{BD}}{\overline{CD}}\times\triangle PCD-\frac{\overline{BD}}{\overline{CD}}\times\triangle QCD$$

$$=\frac{\overline{BD}}{\overline{CD}}(\triangle PCD-\triangle QCD)$$

$$=\frac{\overline{BD}}{\overline{CD}}\times\triangle PCQ$$

따라서 $\dfrac{\triangle PBQ}{\triangle PCQ}=\dfrac{\overline{BD}}{\overline{CD}}$이므로

△PBQ : △PCQ=$\overline{BD}$: $\overline{CD}$

> **TIP** 밑변의 길이가 같은 두 삼각형의 넓이의 비
>
> 오른쪽 그림과 같이 두 삼각형 PBQ, PCQ의 밑변은 $\overline{PQ}$로 공통이므로 두 삼각형의 넓이의 비는 높이의 비와 같다. 두 점 B, C에서 직선 AD에 내린 수선의 발을 각각 R, S라 하면
>
>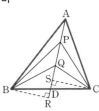
>
> △PBQ : △PCQ=$\overline{BR}$: $\overline{CS}$
>
> 한편, △BRD∽△CSD이므로
>
> $\overline{BR}$: $\overline{CS}=\overline{BD}$: $\overline{CD}$
>
> $\therefore$ △PBQ : △PCQ=$\overline{BR}$: $\overline{CS}=\overline{BD}$: $\overline{CD}$

36 오른쪽 그림과 같이 $\overline{AQ}$를 그으면 $\overline{BQ}$: $\overline{QC}=2$: 3이므로

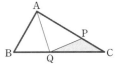

$$\triangle ACQ=\frac{3}{5}\triangle ABC$$

$$=\frac{3}{5}\times40=24(\text{cm}^2)$$

또, $\overline{AP} : \overline{PC} = 2 : 1$이므로

$$\triangle PQC = \frac{1}{3}\triangle ACQ = \frac{1}{3} \times 24 = 8(\text{cm}^2)$$

37 $\overline{AD} /\!/ \overline{BC}$이므로

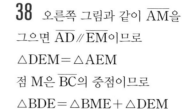

$\triangle AEC = \triangle DEC$

$\therefore \triangle AEF = \triangle AEC - \triangle FEC$

$ = \triangle DEC - \triangle FEC$

$ = \triangle DFC \quad \cdots\cdots\ \boxed{つ}$

또, $\overline{AB} /\!/ \overline{DE}$이므로

$\triangle BEF = \triangle AEF \quad \cdots\cdots\ \boxed{く}$

$\boxed{つ}$, $\boxed{く}$에서 $\triangle DFC = \triangle BEF = \triangle AEF$

38 오른쪽 그림과 같이 $\overline{AM}$을 그으면 $\overline{AD} /\!/ \overline{EM}$이므로

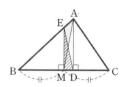

$\triangle DEM = \triangle AEM$

점 M은 $\overline{BC}$의 중점이므로

$\triangle BDE = \triangle BME + \triangle DEM$

$ = \triangle BME + \triangle AEM$

$ = \triangle ABM = \frac{1}{2}\triangle ABC$

$ = \frac{1}{2} \times 10 = 5(\text{cm}^2)$

2^{STEP} 실력 높이기

17~21쪽

1 6 cm	**2** 36°	**3** 58.5°	**4** 1 : 3	**5** 60 cm²	**6** $2\angle y - \angle x$
7 207°	**8** 15°	**9** 25 cm	**10** 14 cm	**11** ②	**12** 120°
13 6 cm	**14** 12 cm	**15** 30 cm²	**16** 5 cm	**17** 1 cm	**18** $\frac{3}{2}$ cm²
19 3 cm	**20** 13 cm				

문제 풀이

1 $\triangle ABD$와 $\triangle CAE$에서

$\overline{AB} = \overline{CA} \quad \cdots\cdots\ \boxed{つ}$

$\angle ADB = \angle CEA = 90°$

$ \cdots\cdots\ \boxed{く}$

또한, $\angle BAD + \angle ABD = 90°$,

$\angle BAD + \angle CAE = 90°$이므로

$\angle ABD = \angle CAE \quad \cdots\cdots\ \boxed{た}$

$\boxed{つ}$, $\boxed{く}$, $\boxed{た}$에 의해 $\triangle ABD \equiv \triangle CAE$ (RHA 합동)

따라서 $\overline{BD} = \overline{AE}$, $\overline{CE} = \overline{AD}$이므로

$\overline{DE} = \overline{AD} + \overline{AE} = \overline{CE} + \overline{BD} = 4 + 2 = 6(\text{cm})$

2 오른쪽 그림과 같이 $\angle A = \angle a$라고 하면 $\triangle ABD$가 이등변삼각형이므로

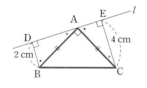

$\angle ABD = \angle A = \angle a$

$\angle BDC = \angle A + \angle ABD = 2\angle a$

$\triangle BCD$도 이등변삼각형이므로

$\angle DCB = \angle BDC = 2\angle a$

$\triangle ABC$도 이등변삼각형이므로

$\angle ABC = \angle ACB = 2\angle a$

$\therefore \angle DBC = \angle ABC - \angle ABD = \angle a$

$\triangle ABC$의 내각의 크기의 합은 $180°$이므로

$5\angle a = 180° \quad \therefore \angle a = 36° \quad \therefore \angle A = 36°$

3 서술형

표현 단계 이등변삼각형의 성질 및 삼각형의 합동을 이용한다.

변형 단계 $\triangle ABC$는 이등변삼각형이므로

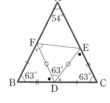

$\angle B = \angle C$

$ = \frac{1}{2} \times (180° - 54°)$

$ = 63°$

즉, $\triangle BDF \equiv \triangle CED$ (SAS 합동)이므로

$\angle BFD = \angle CDE$, $\angle BDF = \angle CED$

$\angle FDE = 180° - (\angle BDF + \angle CDE)$

$ = 180° - (\angle BDF + \angle BFD)$

$ = 63°$

또, $\overline{DF} = \overline{DE}$이므로 $\triangle DEF$는 이등변삼각형이다.

풀이 단계 $\therefore \angle\text{DFE}=\angle\text{DEF}=\dfrac{1}{2}\times(180°-63°)$

확인 단계 $\qquad\qquad\quad=58.5°$

4 오른쪽 그림과 같이 $\angle\text{DAO}=\angle a$라고 하면 $\triangle\text{DAO}$가 이등변삼각형이므로

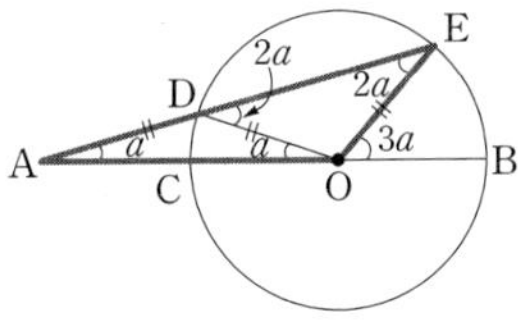

$\angle\text{DOA}=\angle\text{DAO}=\angle a$

$\therefore \angle\text{ODE}=\angle\text{DAO}+\angle\text{DOA}=2\angle a$

$\triangle\text{OED}$는 이등변삼각형이므로

$\angle\text{OED}=\angle\text{ODE}=2\angle a$

$\therefore \angle\text{BOE}=\angle\text{EAO}+\angle\text{AEO}=3\angle a$

호의 길이는 중심각의 크기에 비례하므로

$\overset{\frown}{\text{CD}} : \overset{\frown}{\text{BE}}=\angle\text{COD} : \angle\text{BOE}=\angle a : 3\angle a=1 : 3$

5 서술형

표현 단계 직각삼각형의 합동을 이용한다.

변형 단계 점 D에서 $\overline{\text{AB}}$에 내린 수선의 발을 H라 하면

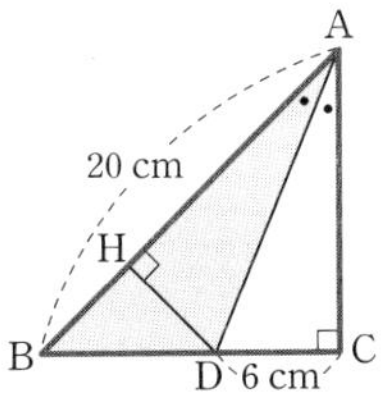

$\triangle\text{ADH}$와 $\triangle\text{ADC}$에서

$\angle\text{AHD}=\angle\text{ACD}=90°$,

$\overline{\text{AD}}$는 공통,

$\angle\text{DAH}=\angle\text{DAC}$이므로

$\triangle\text{ADH}\equiv\triangle\text{ADC}$ (RHA 합동)

$\therefore \overline{\text{DH}}=\overline{\text{DC}}=6\,\text{cm}$

풀이 단계 $\therefore \triangle\text{ABD}=\dfrac{1}{2}\times\overline{\text{AB}}\times\overline{\text{DH}}=\dfrac{1}{2}\times20\times6$

확인 단계 $\qquad\qquad\quad=60(\text{cm}^2)$

6 $\angle\text{B}=\angle\text{C}=\angle a$라고 하면 삼각형의 한 외각의 크기는 그와 이웃하지 않는 두 내각의 크기의 합과 같으므로

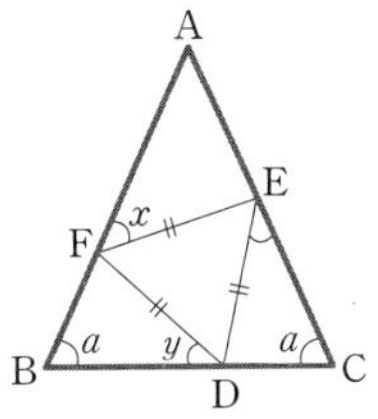

$\triangle\text{BDF}$에서

$\angle x+60°=\angle a+\angle y$ $\qquad\cdots\cdots\ㄱ$

$\triangle\text{CED}$에서

$\angle y+60°=\angle a+\angle\text{CED}$ $\qquad\cdots\cdots\ㄴ$

$ㄱ-ㄴ$을 하면

$\angle x-\angle y=\angle y-\angle\text{CED}$ $\qquad\therefore \angle\text{CED}=2\angle y-\angle x$

7 서술형

표현 단계 내심의 성질 및 삼각형의 외각의 성질을 이용한다.

변형 단계 점 I는 $\triangle\text{ABC}$의 내심이므로

$\angle\text{BAD}=\angle\text{CAD}=\angle a$,

$\angle\text{ABE}=\angle\text{CBE}=\angle b$라 하면

$2\angle a+2\angle b+78°=180°$이므로

$2\angle a+2\angle b=102°$ $\qquad\therefore \angle a+\angle b=51°$

$\triangle\text{EBC}$에서 $\angle x=\angle b+78°$이고,

$\triangle\text{ADC}$에서 $\angle y=\angle a+78°$이므로

풀이 단계 $\angle x+\angle y=\angle b+78°+\angle a+78°$

$\qquad\qquad\quad=\angle a+\angle b+156°$

$\qquad\qquad\quad=51°+156°$

확인 단계 $\qquad\qquad\quad=207°$

다른 풀이

변형 단계 점 I는 $\triangle\text{ABC}$의 내심이므로

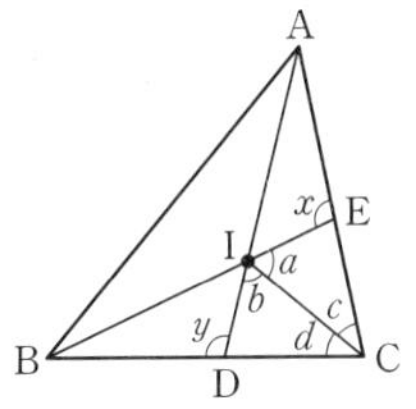

$\angle\text{DIE}=\angle\text{AIB}$ (맞꼭지각)

$\qquad\quad=90°+\dfrac{1}{2}\times78°=129°$

$\overline{\text{IC}}$를 긋고

$\angle\text{EIC}=\angle a$, $\angle\text{DIC}=\angle b$,

$\angle\text{ECI}=\angle c$, $\angle\text{DCI}=\angle d$라 하면

$\angle a+\angle c=\angle x$, $\angle b+\angle d=\angle y$이고

$\angle a+\angle b=129°$, $\angle c+\angle d=78°$

풀이 단계 $\therefore \angle x+\angle y=\angle a+\angle b+\angle c+\angle d$

$\qquad\qquad\quad=129°+78°$

확인 단계 $\qquad\qquad\quad=207°$

8 $\angle\text{BOC}=2\angle\text{A}=2\times40°=80°$이고, $\triangle\text{OBC}$는 이등변삼각형이므로

$\angle\text{OCB}=\dfrac{1}{2}\times(180°-80°)=50°$ $\qquad\cdots\cdots\ㄱ$

$\angle\text{BIC}=90°+\dfrac{1}{2}\angle\text{A}=90°+\dfrac{1}{2}\times40°=110°$이고,

$\triangle\text{IBC}$는 이등변삼각형이므로

$\angle\text{ICB}=\dfrac{1}{2}\times(180°-110°)=35°$ $\qquad\cdots\cdots\ㄴ$

$ㄱ$, $ㄴ$에서

$\angle\text{OCI}=\angle\text{OCB}-\angle\text{ICB}=50°-35°=15°$

9 $\triangle\text{ABC}=\dfrac{1}{2}\times2(\overline{\text{AB}}+\overline{\text{BC}}+\overline{\text{CA}})=25$

$\therefore \overline{\text{AB}}+\overline{\text{BC}}+\overline{\text{CA}}=25\,\text{cm}$

따라서 $\triangle\text{ABC}$의 둘레의 길이는 $25\,\text{cm}$이다.

10 $\overline{\text{BD}}=\dfrac{\overline{\text{AB}}+\overline{\text{BC}}-\overline{\text{CA}}}{2}$에서

$10=\dfrac{16+18-\overline{\text{CA}}}{2}$, $20=34-\overline{\text{CA}}$ $\qquad\therefore \overline{\text{CA}}=14\,\text{cm}$

다른 풀이

$\overline{\text{AE}}=\overline{\text{AF}}=\overline{\text{AB}}-\overline{\text{BF}}=\overline{\text{AB}}-\overline{\text{BD}}=16-10=6(\text{cm})$

$\overline{\text{CE}}=\overline{\text{CD}}=\overline{\text{BC}}-\overline{\text{BD}}=18-10=8(\text{cm})$

$\therefore \overline{\text{CA}}=\overline{\text{AE}}+\overline{\text{EC}}=6+8=14(\text{cm})$

11 삼각형은 방심을 제외한 외심, 내심, 무게중심, 수심이 일치한다.

12 $\overline{OA}$를 그으면 $\triangle OAB$는 이등변삼각형이므로

$\angle OAB = \angle OBA = 20°$

또, $\triangle OCA$는 이등변삼각형이므로

$\angle OAC = \angle OCA = 40°$

따라서 $\angle BAC = \angle OAB + \angle OAC = 20° + 40° = 60°$

이므로

$\angle BOC = 2\angle BAC = 2 \times 60° = 120°$

13 서술형

표현 단계 직각삼각형의 외심은 빗변의 중점임을 이용한다.

변형 단계 $\angle C = \angle c$라 하면

$\angle MEC = \angle B = 2\angle c$

점 M은 $\triangle ADC$의 외심

이므로

$\overline{MD} = \overline{MC}$에서

$\angle MDC = \angle MCD = \angle c$

$\triangle MDE$에서

$\angle MDE + \angle DME = \angle MEC$이므로

$\angle c + \angle DME = 2\angle c$ ∴ $\angle DME = \angle c$

풀이 단계 따라서 $\triangle MDE$는 $\overline{DE} = \overline{ME}$인 이등변삼각형이다.

확인 단계 ∴ $\overline{DE} = \overline{ME} = 6\,cm$

14 $\overline{CG} : \overline{GD} = 2 : 1$이므로

$\overline{CG} : 2 = 2 : 1$ ∴ $\overline{CG} = 4\,cm$

또, $\overline{AD} = \overline{DB}$이고, 직각삼각형의 외심은 빗변의 중점이므로 점 D는 $\triangle ABC$의 외심이다.

따라서 $\overline{AD} = \overline{DB} = \overline{CD} = \overline{CG} + \overline{GD} = 4 + 2 = 6\,(cm)$이므로

$\overline{AB} = 2\overline{AD} = 2 \times 6 = 12\,(cm)$

15 무게중심 G에 의해 나누어진 6개의 작은 삼각형은 넓이가 모두 같다.

∴ $\triangle ABC = 10 \times 3 = 30\,(cm^2)$

16 직각삼각형의 외심은 빗변의 중점이고, 수심은 직각인 꼭짓점이다.

따라서 오른쪽 그림에서 $\triangle ABC$의 외심과 수심 사이의 거리는

$\overline{OC} = \overline{OA} = \dfrac{1}{2} \times 10 = 5\,(cm)$

17 $\triangle ABC$의 내접원에서

$\overline{BQ} = \dfrac{\overline{AB} + \overline{BC} - \overline{CA}}{2} = \dfrac{7 + 5 - 6}{2} = 3\,(cm)$

또, $\triangle ABC$의 방접원에서

$(\triangle ABC$의 둘레의 길이$) = 2\overline{AF}$이므로

$2\overline{AF} = 7 + 5 + 6 = 18$ ∴ $\overline{AF} = 9\,cm$

∴ $\overline{BP} = \overline{BF} = \overline{AF} - \overline{AB} = 9 - 7 = 2\,(cm)$

∴ $\overline{PQ} = \overline{BQ} - \overline{BP} = 3 - 2 = 1\,(cm)$

18 오른쪽 그림과 같이

$\triangle OAD = S$라고 하면

$\triangle OAD : \triangle OCD$

$= \overline{AO} : \overline{OC}$

$= \triangle OAB : \triangle OBC$이므로

$S : 2 = 3 : 4$에서 $4S = 6$ ∴ $S = \dfrac{3}{2}\,cm^2$

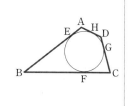

다른 풀이

$\triangle OAD : \triangle OAB = \triangle OCD : \triangle OBC$이므로

$S : 3 = 2 : 4$에서 $4S = 6$ ∴ $S = \dfrac{3}{2}\,cm^2$

19 $\overline{AD} + \overline{BC} = \overline{AB} + \overline{CD}$에서

$\overline{AD} + 12 = 10 + 5$ ∴ $\overline{AD} = 3\,cm$

> **TIP** 원의 외접사각형의 성질
>
> $\overline{AE} = \overline{AH}$, $\overline{BE} = \overline{BF}$,
> $\overline{CG} = \overline{CF}$, $\overline{DG} = \overline{DH}$이므로
> $\overline{AB} + \overline{CD} = (\overline{AE} + \overline{BE}) + (\overline{CG} + \overline{DG})$
> $= \overline{AH} + \overline{BF} + \overline{CF} + \overline{DH}$
> $= (\overline{AH} + \overline{DH}) + (\overline{BF} + \overline{CF})$
> $= \overline{AD} + \overline{BC}$

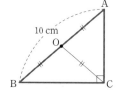

20 점 I는 $\triangle ABC$의 내심이므로

$\angle DBI = \angle CBI$,

$\angle ECI = \angle BCI$

또, $\overline{DE} /\!/ \overline{BC}$이므로

$\angle CBI = \angle DIB$ (엇각),

$\angle BCI = \angle EIC$ (엇각)

따라서 $\triangle DBI$, $\triangle ECI$는 모두 이등변삼각형이므로

$\overline{DB} = \overline{DI}$, $\overline{EC} = \overline{EI}$

∴ $(\triangle ADE$의 둘레의 길이$) = \overline{AD} + \overline{DI} + \overline{IE} + \overline{AE}$

$= \overline{AD} + \overline{DB} + \overline{EC} + \overline{AE}$

$= \overline{AB} + \overline{AC}$

$= 6 + 7 = 13\,(cm)$

3 STEP 최고 실력 완성하기

1 8 cm	**2** 15°	**3** $\frac{10}{7}$ cm	**4** 28 cm²	**5** 90°	**6** 72 cm²
7 8 cm²	**8** $y=\frac{4}{7}x-\frac{4}{7}$	**9** $r-d$	**10** 40°		

문제 풀이

1 오른쪽 그림에서
$\overline{AB} /\!\!/ \overline{B'C'}$이므로
∠BAE＝∠EB'D,
∠ABE＝∠EDB'
또, △ABC≡△AB'C'에서
∠ABC＝∠AB'C'이므로
∠ABE＝∠BAE, ∠EB'D＝∠EDB'
따라서 △EAB와 △EB'D는 모두 이등변삼각형이므로
$\overline{AE}=\overline{BE}$, $\overline{EB'}=\overline{ED}$
∴ $\overline{BD}=\overline{BE}+\overline{ED}=\overline{AE}+\overline{EB'}$
$=\overline{AB'}=\overline{AB}$
$=8\ \text{cm}$

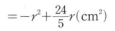

2 오른쪽 그림의
△APD와 △CQD에서
$\overline{DP}=\overline{DQ}$,
∠A＝∠DCQ＝90°
$\overline{DA}=\overline{DC}$이므로
△APD≡△CQD (RHS 합동)
즉, ∠PDC＝60°, ∠CDQ＝∠ADP＝30°이므로
∠PDQ＝60°＋30°＝90°이고, $\overline{DP}=\overline{DQ}$에서 △DPQ는
직각이등변삼각형이므로 ∠DQP＝45°이다.
따라서 △DCQ에서 ∠DQC＝60°이므로
∠BQP＝60°－45°＝15°

3 오른쪽 그림에서 원 O의 반지
름의 길이를 r cm라 하면
$\triangle OAB=\frac{1}{2}\times 6\times r$
$=3r\,(\text{cm}^2)$ ...... ㉠
$\triangle O'AC=\frac{1}{2}\times 8\times r=4r\,(\text{cm}^2)$ ...... ㉡
$\square OBCO'=\frac{1}{2}\times(2r+10)\times r$
$=r^2+5r\,(\text{cm}^2)$ ...... ㉢
$\overline{AB}\times\overline{AC}=\overline{BC}\times\overline{AH}$에서
$6\times 8=10\overline{AH}$ ∴ $\overline{AH}=\frac{24}{5}$ cm
즉, $\triangle AOO'=\frac{1}{2}\times 2r\times\left(\frac{24}{5}-r\right)$

$=-r^2+\frac{24}{5}r\,(\text{cm}^2)$ ...... ㉣
㉠, ㉡, ㉢, ㉣에서
$\triangle ABC=\triangle OAB+\triangle O'AC+\square OBCO'+\triangle AOO'$
$=3r+4r+(r^2+5r)+\left(-r^2+\frac{24}{5}r\right)=\frac{84}{5}r$
$\frac{1}{2}\times 6\times 8=\frac{84}{5}r$, $24=\frac{84}{5}r$
∴ $r=\frac{10}{7}$
따라서 반지름의 길이는 $\frac{10}{7}$ cm이다.

> **TIP** 오직 한 점에서만 만나는 두 원에
> 대하여 한 원이 다른 원의 밖에 있는 경
> 우 두 원의 중심 사이의 거리는 두 원의
> 반지름의 길이의 합과 같다. 즉, 원 O와
> 원 O'의 반지름의 길이를 각각 r, r'라 할
> 때, $\overline{OO'}=r+r'$가 성립한다.

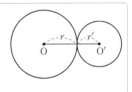

4 오른쪽 그림과 같이
$\overline{BD}=\overline{BF}=a$ cm,
$\overline{CD}=\overline{CE}=b$ cm라 하면
$\square O'EAF$는 정사각형이므로
$\overline{AE}=\overline{AF}=2$ cm
$\overline{BC}=a+b=12\,(\text{cm})$이므로
(△ABC의 둘레의 길이)＝$2(a+b)+4$
$=2\times 12+4=28\,(\text{cm})$
∴ $\triangle ABC=\frac{1}{2}\times 2\times(\overline{AB}+\overline{BC}+\overline{CA})$
$=\frac{1}{2}\times 2\times 28=28\,(\text{cm}^2)$

5 오른쪽 그림의 △BCE와
△DCF에서 □ABCD가 정사각
형이므로
$\overline{BC}=\overline{DC}$,
∠BCE＝∠DCF＝90°
또, 조건에서 $\overline{CE}=\overline{CF}$이므로
△BCE≡△DCF (SAS 합동) ...... ㉠
한편, ∠DEG＝∠BEC (맞꼭지각)이고
㉠에서 ∠EBC＝∠EDG이므로
△DEG에서

$\angle DEG + \angle EDG = \angle BEC + \angle EBC = 90°$

$\therefore \angle DGE = 180° - (\angle DEG + \angle EDG)$

$\qquad\qquad = 180° - 90° = 90°$

6 오른쪽 그림에서 점 G는
$\triangle ABC$의 무게중심이므로

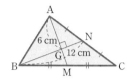

$\overline{AG} : \overline{GM} = 2 : 1$

따라서 $\overline{AG} = 9 \times \dfrac{2}{3} = 6(\text{cm})$

이므로

$\triangle ABN = \dfrac{1}{2} \times 12 \times 6 = 36(\text{cm}^2)$

$\therefore \triangle ABC = 2\triangle ABN = 2 \times 36 = 72(\text{cm}^2)$

7 오른쪽 그림과 같이 $\overline{AF}$, $\overline{EC}$
를 긋고, $\triangle DEF = S$라고 하면

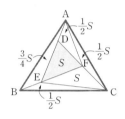

$\qquad\qquad\qquad\qquad \cdots\cdots \ \text{㉠}$

$\triangle FAE$에서

$\triangle FAD : \triangle FDE = \overline{AD} : \overline{DE}$

$\qquad\qquad\qquad\qquad = 1 : 2$

$\therefore \triangle FAD = \dfrac{1}{2}S \qquad\qquad \cdots\cdots \ \text{㉡}$

$\triangle ADC$에서

$\triangle ADF : \triangle AFC = \overline{DF} : \overline{FC} = 1 : 1$

$\therefore \triangle AFC = \dfrac{1}{2}S \qquad\qquad \cdots\cdots \ \text{㉢}$

$\triangle ECD$에서

$\triangle ECF : \triangle EFD = \overline{CF} : \overline{FD} = 1 : 1$

$\therefore \triangle ECF = S \qquad\qquad\quad \cdots\cdots \ \text{㉣}$

$\triangle ABF$에서

$\triangle ABE : \triangle AEF = \overline{BE} : \overline{EF} = 1 : 2$

$\therefore \triangle ABE = \dfrac{1}{2}\triangle AEF = \dfrac{1}{2}\left(\dfrac{1}{2}S + S\right) = \dfrac{3}{4}S \quad \cdots\cdots \ \text{㉤}$

$\triangle BCF$에서

$\triangle CFE : \triangle CEB = \overline{FE} : \overline{EB} = 2 : 1$

$\therefore \triangle CEB = \dfrac{1}{2}S \qquad\qquad \cdots\cdots \ \text{㉥}$

㉠~㉥에서

$\triangle ABC = S + \dfrac{1}{2}S + \dfrac{1}{2}S + S + \dfrac{3}{4}S + \dfrac{1}{2}S$

$\qquad\qquad = \dfrac{17}{4}S = 34$

$\therefore S = \triangle DEF = 8 \ \text{cm}^2$

8 $\triangle OAB = \dfrac{1}{2} \times 4 \times 2 = 4$이므로 $\triangle DCA = 2$

점 D의 좌표를 (a, b)라고 하면

$\triangle DCA = \dfrac{1}{2} \times 3 \times b = \dfrac{3}{2}b = 2$

$\therefore b = \dfrac{4}{3}$

직선 AB의 방정식은 $y = -2x + 8$이고 점 $D\left(a, \dfrac{4}{3}\right)$가 직선 AB 위에 있으므로

$\dfrac{4}{3} = -2a + 8$, $2a = \dfrac{20}{3}$

$\therefore a = \dfrac{10}{3}$

따라서 두 점 $C(1, 0)$, $D\left(\dfrac{10}{3}, \dfrac{4}{3}\right)$를 지나는 직선의 방정식은

$y = \dfrac{4}{7}x - \dfrac{4}{7}$

9 오른쪽 그림에서 점 I는
$\triangle ABC$의 내심이므로

$\angle BAI = \angle CAI$이고,

$\angle CAI = \angle CBD$이므로

$\angle BAI = \angle CBD \qquad \cdots\cdots \ \text{㉠}$

또, $\angle ABI = \angle IBC \qquad \cdots\cdots \ \text{㉡}$

한편, $\angle IAB + \angle IBA = \angle BID$이고,

$\angle IBD = \angle IBC + \angle CBD$이므로 ㉠, ㉡에서

$\angle IBD = \angle IBC + \angle CBD = \angle ABI + \angle BAI = \angle BID$

따라서 $\triangle DBI$는 $\angle BID = \angle IBD$인 이등변삼각형이다.

$\therefore \overline{BD} = \overline{ID} = r - d$

10 오른쪽 그림에서
$\overline{BC} \parallel \overline{EA}$이므로

$\angle DCB = \angle AEC = 90°$ (엇각)

점 C와 $\overline{DB}$의 중점 O를 잇는 선분을 그으면 $\triangle DBC$는 직각삼각형이므로 점 O는 $\triangle DBC$의 외심이다.

$\therefore \overline{OB} = \overline{OC} = \overline{OD}$

$\angle OBC = \angle a$라고 하면 $\angle OCB = \angle OBC = \angle a$이고

$\overline{DB} : \overline{CA} = 2 : 1$에서

$\overline{OC} = \overline{CA}$이므로 $\angle CAO = \angle COA = 2\angle a$

따라서 $\triangle BCA$의 내각의 크기의 합은 $180°$이므로

$\angle a + 2\angle a + 120° = 180°$, $3\angle a = 60°$ $\therefore \angle a = 20°$

$\therefore \angle BAC = 2\angle a = 2 \times 20° = 40°$

2 사각형의 성질

1 STEP 주제별 실력다지기

1 풀이 참조   **2** 풀이 참조   **3** 풀이 참조   **4** (1) 풀이 참조   (2) $\frac{36}{5}$ cm   **5** 72 cm²

6 8 cm²   **7** $(1, -1), (3, 1), (-1, 1)$ **8** 70 cm²   **9** 3 cm²   **10** 3 : 1

11 $\frac{3}{2}$배   **12** 8 cm²   **13** 16 cm²   **14** 120 cm²   **15** 4 : 5   **16** 1 : 1

17 풀이 참조   **18** 5 : 7   **19** 20 cm²   **20** 16   **21** $\frac{10}{3}$ cm²   **22** 61°

23 10 cm   **24** (1) 풀이 참조   (2) 풀이 참조   (3) 풀이 참조   **25** (1) 120°   (2) 1 : 1

26 58°   **27** 220°

최상위 02
NOTE 대각선이 서로 수직인 사각형의 넓이 구하기

오른쪽 그림과 같이 □ABCD에 대하여 점 A를 지나고 $\overline{BD}$와 평행한 직선과 점 B를 지나고 $\overline{AC}$와 평행한 직선의 교점을 E라 하자. 같은 방법으로 세 점 F, G, H를 나타낼 수 있다.

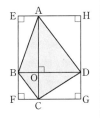

△ABO와 △BAE에서

∠ABO = ∠BAE (엇각),

∠BAO = ∠ABE (엇각), $\overline{AB}$는 공통이므로

△ABO ≡ △BAE (ASA 합동)

∴ △ABO = △BAE

마찬가지로 생각하면

△BCO = △BCF, △CDO = △CDG, △ADO = △ADH

즉, $\triangle ABO = \frac{1}{2}\square OAEB$, $\triangle BCO = \frac{1}{2}\square OBFC$,

$\triangle CDO = \frac{1}{2}\square OCGD$, $\triangle ADO = \frac{1}{2}\square ODHA$

따라서

$$\square ABCD = \triangle ABO + \triangle BCO + \triangle CDO + \triangle ADO$$

$$= \frac{1}{2}\square OAEB + \frac{1}{2}\square OBFC + \frac{1}{2}\square OCGD$$

$$+ \frac{1}{2}\square ODHA$$

$$= \frac{1}{2}(\square OAEB + \square OBFC + \square OCGD + \square ODHA)$$

$$= \frac{1}{2}\square EFGH$$

$$= \frac{1}{2} \times \overline{EF} \times \overline{FG}$$

$$= \frac{1}{2} \times \overline{AC} \times \overline{BD}$$

즉, 대각선이 서로 수직인 사각형의 넓이는

$\frac{1}{2}$ × (두 대각선의 길이의 곱)과 같다.

1 $\angle A+\angle B+\angle C+\angle D=360°$
이고
$\angle A=\angle C$, $\angle B=\angle D$이므로
$2(\angle A+\angle B)=2(\angle C+\angle D)$
$\qquad\qquad\qquad =360°$

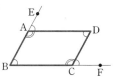

$\therefore \angle A+\angle B=\angle C+\angle D=180°$
즉, $\angle DAB+\angle B=180°$이고,
$\angle DAB+\angle DAE=180°$이므로
$\angle B=\angle DAE$
따라서 동위각의 크기가 같으므로
$\overline{AD}/\!/\overline{BC}$ $\qquad$ ······ ㉠
또, $\angle DCB+\angle B=180°$이고,
$\angle DCB+\angle DCF=180°$이므로
$\angle B=\angle DCF$
따라서 동위각의 크기가 같으므로
$\overline{AB}/\!/\overline{DC}$ $\qquad$ ······ ㉡
㉠, ㉡에서 □ABCD는 평행사변형이다.

> **TIP** 동위각의 크기가 같음을 이용하여 두 직선이 평행함을 확인할 수 있다.

2 오른쪽 그림과 같이 대각선
BD를 그으면 △ABD와 △CDB
에서 $\overline{AD}/\!/\overline{BC}$이므로

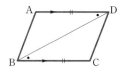

$\angle ADB=\angle CBD$ (엇각) ······ ㉠
$\overline{AD}=\overline{CB}$ (가정) $\qquad$ ······ ㉡
$\overline{BD}$는 공통 $\qquad$ ······ ㉢
㉠, ㉡, ㉢에 의해 △ABD≡△CDB (SAS 합동)
$\therefore \angle ABD=\angle CDB$
즉, 엇각의 크기가 같으므로 $\overline{AB}/\!/\overline{DC}$이다.
따라서 □ABCD는 평행사변형이다.

3 오른쪽 그림과 같이 대각선
AC를 그으면 △ABC에서 두 점
E, F가 각각 $\overline{BA}$, $\overline{BC}$의 중점이므
로 삼각형의 중점연결정리에 의해

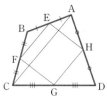

$\overline{EF}=\dfrac{1}{2}\overline{AC}$, $\overline{EF}/\!/\overline{AC}$ ······ ㉠
또, △ACD에서 두 점 G, H는 각각 $\overline{DC}$, $\overline{DA}$의 중점이므
로 삼각형의 중점연결정리에 의해
$\overline{HG}=\dfrac{1}{2}\overline{AC}$, $\overline{HG}/\!/\overline{AC}$ ······ ㉡
㉠, ㉡에서 $\overline{EF}=\overline{HG}$, $\overline{EF}/\!/\overline{HG}$이다.
따라서 □EFGH는 평행사변형이다.

4 (1) $\overline{AE}=\overline{GC}$, $\overline{AE}/\!/\overline{GC}$
이므로 □AECG는 평행사변형
이다.

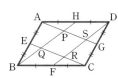

$\therefore \overline{AG}/\!/\overline{EC}$ $\qquad$ ······ ㉠
$\overline{HD}=\overline{BF}$, $\overline{HD}/\!/\overline{BF}$이므로 □HBFD는 평행사변형이다.
$\therefore \overline{HB}/\!/\overline{DF}$ $\qquad$ ······ ㉡
㉠, ㉡에 의해 $\overline{PS}/\!/\overline{QR}$, $\overline{PQ}/\!/\overline{SR}$이므로 □PQRS는
평행사변형이다.

(2) △ASD에서 점 H는 $\overline{AD}$의 중점이고 $\overline{PH}/\!/\overline{SD}$이므로
삼각형의 중점연결정리의 역에 의해
$\overline{AP}=\overline{PS}$ $\qquad$ ······ ㉠
또, □PQRS는 평행사변형이므로
$\overline{PS}=\overline{QR}$ $\qquad$ ······ ㉡
같은 방법으로 △CBQ에서 $\overline{QR}=\overline{RC}$ ······ ㉢
△BAP에서 점 E는 $\overline{AB}$의 중점이고 $\overline{EQ}/\!/\overline{AP}$이므로
삼각형의 중점연결정리의 역에 의해
$\overline{EQ}=\dfrac{1}{2}\overline{AP}$ $\qquad$ ······ ㉣
㉠~㉣에 의해
$\overline{EQ}:\overline{QR}:\overline{RC}=1:2:2$
따라서 $\overline{CE}=\overline{AG}=8\,cm$이므로
$\overline{QR}=\dfrac{2}{5}\overline{CE}=\dfrac{2}{5}\times 8=\dfrac{16}{5}\,(cm)$
같은 방법으로 $\overline{BQ}:\overline{QP}:\overline{PH}=2:2:1$이므로
$\overline{PQ}=\dfrac{2}{5}\overline{BH}=\dfrac{2}{5}\times 10=4\,(cm)$
$\therefore \overline{PQ}+\overline{QR}=4+\dfrac{16}{5}=\dfrac{36}{5}\,(cm)$

5 △FEA와 △FCD에서
$\overline{EB}/\!/\overline{DC}$이므로 $\angle EAF=\angle CDF$ (엇각)
$\angle AFE=\angle DFC$ (맞꼭지각)
$\therefore$ △FEA∽△FCD (AA 닮음)
따라서 $\overline{FE}:\overline{FC}=\overline{AE}:\overline{DC}$에서
$4:\overline{FC}=3:9$, $3\overline{FC}=36$
$\therefore \overline{FC}=12\,cm$
$\therefore$ △FBC$=\dfrac{1}{2}\times\overline{FC}\times\overline{BE}$
$\qquad\qquad =\dfrac{1}{2}\times 12\times(9+3)$
$\qquad\qquad =72\,(cm^2)$

6 평행사변형의 대각선은 평행사변형의 넓이를 이등분
하므로
△ABC=△ACD=△OAD+△OCD
$\qquad =8+3=11\,(cm^2)$

이때 △OAB의 넓이를 x cm²
라고 하면

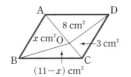

△OBC$=(11-x)$ cm²

또, 평행사변형 ABCD에서

△OAB$+$△OCD$=$△OAD$+$△OBC이므로

$x+3=8+(11-x)$, $2x=16$ ∴ $x=8$

따라서 △OAB의 넓이는 8 cm²이다.

> **다른 풀이**
> △OAB와 △OAD의 밑변은 $\overline{AO}$로 공통이고
> 두 점 B, D에서 $\overline{AC}$에 내린 수선의 길이는 같으므로
> △OAB$=$△OAD$=8$ cm²

7 오른쪽 그림과 같이 △ABC
의 각 꼭짓점 A, B, C에서 각 대
변에 평행한 직선을 그어 그 교점
을 각각 D₁, D₂, D₃이라고 하면 □D₁BCA, □D₂CAB,
□D₃ABC는 모두 평행사변형이다.

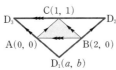

D₁(a, b)라고 하면 평행사변형에서 대각선의 중점은 일치
하므로

$a+1=0+2$, $b+1=0+0$

즉, $a=1$, $b=-1$이므로 D₁$(1, -1)$

같은 방법으로 □D₂CAB에서 D₂$(3, 1)$, □D₃ABC에서
D₃$(-1, 1)$이다.

따라서 점 D의 좌표는 $(-1, 1)$, $(1, -1)$, $(3, 1)$이다.

8 오른쪽 그림과 같이 두 점
A, B에서 $\overline{DQ}$, $\overline{CS}$에 내린 수선
의 발을 각각 E, F라 하면

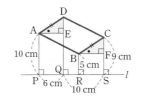

∠DAE$=$∠CBF이므로

△DAE≡△CBF (RHA 합동)

∴ $\overline{DE}=\overline{CF}=\overline{CS}-\overline{FS}=\overline{CS}-\overline{BR}$
    $=9-5=4$(cm)

∴ $\overline{DQ}=\overline{DE}+\overline{EQ}=\overline{DE}+\overline{AP}$
    $=4+10=14$(cm)

또, $\overline{AE}=\overline{BF}$이고, $\overline{AE}=\overline{PQ}=6$ cm이므로

$\overline{RS}=\overline{BF}=\overline{AE}=6$ cm

∴ $\overline{QR}=\overline{QS}-\overline{RS}=10-6=4$(cm)

∴ □ABCD
   $=$□APQD$+$□CSQD$-$□BRPA$-$□BRSC
   $=\frac{1}{2}\times(10+14)\times6+\frac{1}{2}\times(9+14)\times10$
   $\qquad\qquad -\frac{1}{2}\times(5+10)\times10-\frac{1}{2}\times(5+9)\times6$
   $=72+115-75-42$
   $=70$(cm²)

9 오른쪽 그림과 같이 대각선
AC를 그으면 $\overline{AO}=\overline{OC}$이고, 두
점 E, F는 각각 $\overline{BC}$, $\overline{CD}$의 중점이
므로 두 점 G, H는 각각 △ABC,
△ACD의 무게중심이다.

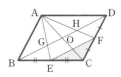

따라서 $\overline{AG}:\overline{GE}=\overline{AH}:\overline{HF}=2:1$이다.

그러므로 △AGH∽△AEF이고 닮음비는 2 : 3이므로 넓
이의 비는 $2^2:3^2=4:9$이다.

즉, △AGH와 □GEFH의 넓이의 비는 4 : 5이고

□GEFH$=5$ cm²이므로 △AGH$=4$ cm² 이다.

이때 $\overline{BG}=\overline{GH}=\overline{HD}$이므로

△ABG$=$△AGH$=$△AHD$=4$ cm²

∴ △ABD$=$△ABG$+$△AGH$+$△AHD
         $=4+4+4=12$(cm²)

또, $\overline{BE}=\overline{EC}$, $\overline{CF}=\overline{FD}$이므로 △CEF∽△CBD이고 닮
음비는 1 : 2이므로 넓이의 비는 $1^2:2^2=1:4$이다.

∴ △CEF$=\frac{1}{4}$△CBD$=\frac{1}{4}$△ABD$=\frac{1}{4}\times12=3$(cm²)

10 대각선 AC를 긋고, 평행사
변형의 넓이를 분할하면 오른쪽
그림과 같으므로

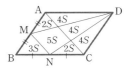

△DMN : △BMN
$=(5S+4S):3S$
$=9S:3S=3:1$

> **다른 풀이**
> △AMD$=\frac{1}{2}$△ABD
> $=\frac{1}{2}\times\frac{1}{2}$□ABCD
> $=\frac{1}{4}$□ABCD
>
> △BMN$=\frac{1}{2}$△BMC
> $=\frac{1}{2}\times\frac{1}{2}$△ABC
> $=\frac{1}{2}\times\frac{1}{2}\times\frac{1}{2}$□ABCD
> $=\frac{1}{8}$□ABCD   ······ ㉠
>
> △DNC$=\frac{1}{2}$△DBC
> $=\frac{1}{2}\times\frac{1}{2}$□ABCD
> $=\frac{1}{4}$□ABCD
>
> ∴ △DMN
> $=$□ABCD$-($△AMD$+$△BMN$+$△DNC$)$
> $=\frac{3}{8}$□ABCD   ······ ㉡

㉠, ㉡에서

$\triangle DMN : \triangle BMN = \dfrac{3}{8}\square ABCD : \dfrac{1}{8}\square ABCD$

$\qquad\qquad\qquad\quad = 3 : 1$

TIP $\overline{AC}$와 $\overline{DM}$의 교점은 $\triangle ABD$의 무게중심이고 $\overline{AC}$와 $\overline{DN}$의 교점은 $\triangle BCD$의 무게중심임을 이해한다.

11 오른쪽 그림과 같이 두 대각선 AC, BD를 그으면 점 E는 $\triangle ABC$의 무게중심이다.

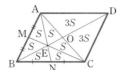

$\triangle AME = S$라 하면

$\triangle AME = \triangle BME$

$\qquad\quad = \triangle BNE$

$\qquad\quad = \triangle CNE$

$\qquad\quad = \triangle COE$

$\qquad\quad = \triangle AOE = S$

이고 $\triangle AOD = \triangle ABO = 3S$, $\triangle CDO = \triangle BCO = 3S$이다.

따라서 $\square AECD = S + 3S + S + 3S = 8S$이고,

$\square ABCD = 12S$이므로

$\square ABCD$의 넓이는 $\square AECD$의 넓이의 $\dfrac{12S}{8S} = \dfrac{3}{2}$(배)이다.

12 $\overline{AP} : \overline{PB} = 2 : 1$이고

$\overline{CR} : \overline{RD} = 2 : 1$이므로

$\overline{AP} = \overline{CR}$, $\overline{PB} = \overline{RD}$이다.

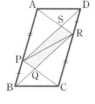

즉, $\square APCR$, $\square DPBR$는 모두 평행사변형이므로 $\square PQRS$는 평행사변형이다.

$\overline{AB} /\!/ \overline{DC}$에서 $\triangle PRD = \triangle ARD$

이므로

$\triangle PRS = \triangle PRD - \triangle SRD$

$\qquad\quad = \triangle ARD - \triangle SRD$

$\qquad\quad = \triangle SDA$

$\therefore \square PQRS = 2\triangle PRS = 2\triangle SDA$

또, $\triangle SPA \backsim \triangle SDR$ (AA 닮음)이고 닮음비는

$\overline{AP} : \overline{RD} = 2 : 1$이므로 $\overline{AS} : \overline{RS} = 2 : 1$

$\triangle SDA = \dfrac{2}{3} \triangle ARD$

$\qquad\quad = \dfrac{2}{3} \times \dfrac{1}{3} \triangle ACD$

$\qquad\quad = \dfrac{2}{3} \times \dfrac{1}{3} \times \dfrac{1}{2} \square ABCD$

$\qquad\quad = \dfrac{2}{3} \times \dfrac{1}{3} \times \dfrac{1}{2} \times 36$

$\qquad\quad = 4 (\text{cm}^2)$

$\therefore \square PQRS = 2\triangle SDA = 2 \times 4 = 8 (\text{cm}^2)$

13 $\overline{AD} /\!/ \overline{BC}$에서

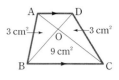

$\triangle ABC = \triangle DBC$이므로

$\triangle OCD = \triangle DBC - \triangle OBC$

$\qquad\quad = \triangle ABC - \triangle OBC$

$\qquad\quad = \triangle OAB = 3 \text{ cm}^2$

한편,

$\overline{OA} : \overline{OC} = \triangle OAB : \triangle OBC = 3 : 9$

$\therefore \overline{OA} : \overline{OC} = 1 : 3$

따라서 $\triangle OAD : \triangle OCD = \overline{OA} : \overline{OC} = 1 : 3$이므로

$\triangle OAD = 1 \text{ cm}^2$

$\therefore \square ABCD = \triangle OAB + \triangle OBC + \triangle OCD + \triangle OAD$

$\qquad\qquad = 3 + 9 + 3 + 1$

$\qquad\qquad = 16 (\text{cm}^2)$

14 오른쪽 그림에서

$\overline{AS} = \overline{AP}$, $\overline{BQ} = \overline{BP}$,

$\overline{DS} = \overline{DR}$, $\overline{CQ} = \overline{CR}$이므로

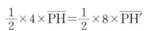

$\overline{AD} + \overline{BC}$

$= \overline{AS} + \overline{DS} + \overline{BQ} + \overline{CQ}$

$= \overline{AP} + \overline{DR} + \overline{BP} + \overline{CR}$

$= (\overline{AP} + \overline{BP}) + (\overline{DR} + \overline{CR})$

$= \overline{AB} + \overline{DC}$

$= 11 + 13 = 24 (\text{cm})$

$\therefore \square ABCD = \dfrac{1}{2} \times (\overline{AD} + \overline{BC}) \times \overline{SQ}$

$\qquad\qquad = \dfrac{1}{2} \times 24 \times 10 = 120 (\text{cm}^2)$

15 오른쪽 그림과 같이 점 P에서 $\overline{AD}$, $\overline{BC}$에 내린 수선의 발을 각각 H, H'이라 하면

$\triangle PAD = \triangle PBC$에서

$\dfrac{1}{2} \times \overline{AD} \times \overline{PH} = \dfrac{1}{2} \times \overline{BC} \times \overline{PH'}$

$\dfrac{1}{2} \times 4 \times \overline{PH} = \dfrac{1}{2} \times 8 \times \overline{PH'}$

$\therefore \overline{PH} = 2\overline{PH'}$

따라서 $\overline{PH} = 2h \text{ cm}$, $\overline{PH'} = h \text{ cm}$라고 하면

$\triangle PAD + \triangle PBC = \dfrac{1}{2} \times 4 \times 2h + \dfrac{1}{2} \times 8 \times h$

$\qquad\qquad\qquad = 4h + 4h = 8h (\text{cm}^2)$

$\triangle PAB + \triangle PCD = \square ABCD - (\triangle PAD + \triangle PBC)$

$\qquad\qquad\qquad = \dfrac{1}{2} \times (4+8) \times 3h - 8h$

$\qquad\qquad\qquad = 18h - 8h = 10h (\text{cm}^2)$

$\therefore (\triangle PAD + \triangle PBC) : (\triangle PAB + \triangle PCD)$

$\quad = 8h : 10h$

$\quad = 4 : 5$

16 오른쪽 그림과 같이 $\overline{BM}$
의 연장선과 $\overline{AD}$의 연장선의
교점을 E라고 하면

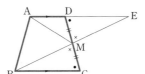

△MED와 △MBC에서
$\overline{DM}=\overline{CM}$,
∠DME=∠CMB (맞꼭지각),
∠EDM=∠BCM (엇각)
이므로 △MED≡△MBC (ASA 합동)
따라서 $\overline{BM}=\overline{EM}$이므로

△ABM : (△AMD+△MBC)
= △ABM : (△AMD+△MED)
= △ABM : △AEM
= $\overline{BM}$: $\overline{ME}$
= 1 : 1

17 △ABC와 △DCB에서
□ABCD는 등변사다리꼴이므로
$\overline{AB}=\overline{DC}$ ⋯⋯ ㉠
∠ABC=∠DCB (가정) ⋯⋯ ㉡
$\overline{BC}$는 공통 ⋯⋯ ㉢
㉠, ㉡, ㉢에 의해
△ABC≡△DCB (SAS 합동)
∴ $\overline{AC}=\overline{DB}$

18 두 점 M, N이 각각 $\overline{AB}$, $\overline{DC}$
의 중점이므로

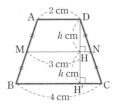

$\overline{MN}=\dfrac{1}{2}(\overline{AD}+\overline{BC})$
$=\dfrac{1}{2}\times(2+4)$
$=3(\text{cm})$

또, 점 D에서 $\overline{MN}$, $\overline{BC}$에 내린 수선의 발을 각각 H, H′이
라 하고, $\overline{DH}=\overline{HH'}=h$ cm라고 하면
□AMND$=\dfrac{1}{2}\times(2+3)\times h=\dfrac{5}{2}h(\text{cm}^2)$
□MBCN$=\dfrac{1}{2}\times(3+4)\times h=\dfrac{7}{2}h(\text{cm}^2)$
∴ □AMND : □MBCN$=\dfrac{5}{2}h : \dfrac{7}{2}h=5 : 7$

19 오른쪽 그림과 같이 $\overline{AC}$와
$\overline{EF}$의 교점을 O라고 하면

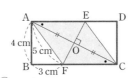

△EAO와 △FCO에서
$\overline{OA}=\overline{OC}$ ⋯⋯ ㉠
∠AOE=∠COF ⋯⋯ ㉡
$\overline{AD}/\!/\overline{BC}$이므로
∠EAO=∠FCO (엇각) ⋯⋯ ㉢

㉠, ㉡, ㉢에 의해
△EAO≡△FCO (ASA 합동)
∴ $\overline{EO}=\overline{FO}$
따라서 두 대각선이 서로 다른 것을 수직이등분하므로
□AFCE는 마름모이다.
∴ $\overline{CF}=\overline{AF}=5$ cm
∴ □AFCE$=5\times4=20(\text{cm}^2)$

20 오른쪽 그림과 같이 $\overline{BP}=a$,
$\overline{PC}=b$, $\overline{CQ}=\overline{QD}=c$라고 하면

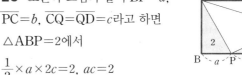

△ABP=2에서
$\dfrac{1}{2}\times a\times2c=2$, $ac=2$
△PCQ=3에서
$\dfrac{1}{2}\times b\times c=3$, $bc=6$
∴ □ABCD$=(a+b)\times2c$
$=2ac+2bc$
$=4+12$
$=16$

다른 풀이
오른쪽 그림과 같이 점 P에서
$\overline{AD}$에 내린 수선의 발을 H라 하면

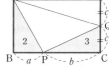

□ABPH$=2\triangle ABP$
$=2\times2=4$
□HPCD$=2\triangle PCD=2\times2\triangle PCQ$
$=2\times2\times3=12$
∴ □ABCD$=$□ABPH$+$□HPCD
$=4+12=16$

21 $\overline{BE}=\overline{EF}=\overline{FD}$이므로

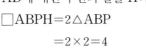

△AEF$=\dfrac{1}{3}\triangle ABD$ ⋯⋯ ㉠
△CEF$=\dfrac{1}{3}\triangle CBD$ ⋯⋯ ㉡
㉠, ㉡에서
□AECF$=\triangle AEF+\triangle CEF$
$=\dfrac{1}{3}(\triangle ABD+\triangle CBD)$
$=\dfrac{1}{3}$□ABCD
$=\dfrac{1}{3}\times(5\times2)$
$=\dfrac{10}{3}(\text{cm}^2)$

5 서술형

표현 단계 $\overline{AP}/\!/\overline{CQ}$이므로 $\overline{AQ}/\!/\overline{PC}$이려면 □APCQ는 평행사변형이어야 한다. 즉, $\overline{AP}=\overline{CQ}$이어야 한다.

풀이 단계 구하는 시간을 t초 후라 하면

$\overline{AP}=5\times6+5t=30+5t\,(\mathrm{cm})$, $\overline{CQ}=8t\ \mathrm{cm}$

즉, $30+5t=8t$에서 $3t=30$

$\therefore t=10$

확인 단계 따라서 10초 후에 $\overline{AQ}/\!/\overline{PC}$가 된다.

6 서술형

표현 단계 오른쪽 그림과 같이 평행사변형의 내부의 한 점 P를 중심으로 만들어지는 4개의 삼각형에서 마주 보는 삼각형끼리의 넓이의 합은 각각 같다.

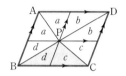

변형 단계 즉, $\triangle ABP+\triangle CDP=\triangle APD+\triangle BCP$이므로

풀이 단계 $22+26=25+\triangle BCP$

확인 단계 $\therefore \triangle BCP=23\ \mathrm{cm}^2$

7 ②

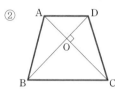

⇨ 정사각형이 아니다.

③

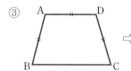

⇨ 마름모가 아니다.

④ 두 쌍의 대각의 크기가 각각 같은 등변사다리꼴은 직사각형이다.

③

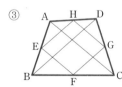

$\overline{HG}=\overline{EF}=\dfrac{1}{2}\overline{AC}$,

⇨ $\overline{EH}=\overline{FG}=\dfrac{1}{2}\overline{BD}$이므로

□EFGH는 마름모이다.

8 $\triangle PBC=\triangle DBC$이므로

$\triangle PBQ=\triangle PBC-\triangle QBC$

$\qquad\ =\triangle DBC-\triangle QBC$

$\qquad\ =\triangle DQC$

$\qquad\ =\dfrac{1}{3}\triangle DBC$

$\qquad\ =\dfrac{1}{3}\times\dfrac{1}{2}□ABCD$

$\qquad\ =\dfrac{1}{6}□ABCD$

$\qquad\ =\dfrac{1}{6}\ \mathrm{cm}^2$

9 (i) 점 P에서 $\overline{AB}$와 $\overline{CD}$에 수선을 긋고 그 수선의 길이를 각각 $h_1\ \mathrm{cm}$, $h_2\ \mathrm{cm}$라 하자.

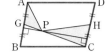

이때 $\overline{AG}=\overline{CH}$이므로

$\triangle PAG+\triangle PCH$

$=\left(\dfrac{1}{2}\times\overline{AG}\times h_1\right)+\left(\dfrac{1}{2}\times\overline{CH}\times h_2\right)$

$=\dfrac{1}{2}\times\overline{AG}\times(h_1+h_2)$

$=\dfrac{1}{2}\times\dfrac{1}{2}□ABCD$

$=\dfrac{1}{4}□ABCD=\dfrac{1}{4}\times48$

$=12\,(\mathrm{cm}^2)$

(ii) 정육각형에서도 같은 방법으로 하면

$\triangle PBG+\triangle PEH$

$=\dfrac{1}{4}□BCEF$

$=\dfrac{1}{4}\times\dfrac{2}{3}\times$ (정육각형 ABCDEF의 넓이)

$=\dfrac{1}{6}\times48=8\,(\mathrm{cm}^2)$

따라서 4개의 삼각형의 넓이의 합은 $12+8=20\,(\mathrm{cm}^2)$

10 □ABED는 두 쌍의 대변이 각각 평행하므로 평행사변형이다.

$\therefore \overline{AD}=\overline{BE}=\overline{EC}$

또, □AECD에서

$\overline{AD}/\!/\overline{EC}$, $\overline{AD}=\overline{EC}$이므로

□AECD는 평행사변형이다. $\cdots\cdots$ ㉠

$\overline{AB}/\!/\overline{DE}$에서 $\angle BAE=\angle DEA=36°$(엇각)이므로

$\triangle ABE$에서 $\angle AEB=180°-(36°+80°)=64°$

㉠에서 $\overline{AE}/\!/\overline{DC}$이므로

$\angle DCE=\angle AEB=64°$(동위각)

11 서술형

(1) △ACD와 △AGB에서

□ACFG는 정사각형이므로 $\overline{AC}=\overline{AG}$

□ABED는 정사각형이므로 $\overline{AD}=\overline{AB}$

$\angle CAD=90°+\angle BAC=\angle GAB$

$\therefore \triangle ACD\equiv\triangle AGB$ (SAS 합동)

(2) △ICJ와 △AGJ에서

$\angle ICJ=\angle AGJ$ ($\because \triangle ACD\equiv\triangle AGB$)

$\angle CJI=\angle AJG$ ($\because$ 맞꼭지각)

$\therefore \angle CIJ=\angle GAJ=90°$

$\therefore \angle DIG=180°-\angle CIJ=180°-90°=90°$

12 △ADE와 △CDG에서

□ABCD가 정사각형이므로

$\overline{AD}=\overline{CD}$ ...... ㉠

□DEFG가 정사각형이므로

$\overline{DE}=\overline{DG}$ ...... ㉡

∠CDE=30°이므로

∠ADE=∠CDG=60° ...... ㉢

㉠, ㉡, ㉢에 의해

△ADE≡△CDG (SAS 합동)

∴ ∠DCG=∠DAE=90°-50°=40° ...... ㉣

㉢, ㉣에 의해

∠CGD=180°-(60°+40°)=80°

13 서술형

변형 단계 □A₂B₂C₂D₂를 45°만큼 회전시키면 오른쪽 그림과 같다. 즉,

$\square A_2B_2C_2D_2$

$=\dfrac{1}{2}\square A_1B_1C_1D_1$

또한,

$\square A_3B_3C_3D_3=\dfrac{1}{2}\square A_2B_2C_2D_2$

$=\left(\dfrac{1}{2}\right)^2\square A_1B_1C_1D_1$

이와 같은 방법으로 계속하면

$\square A_9B_9C_9D_9=\left(\dfrac{1}{2}\right)^8\square A_1B_1C_1D_1$

풀이 단계 ∴ $\square A_1B_1C_1D_1=2^8\square A_9B_9C_9D_9=2^8\times 2^2$

$=2^{10}$

확인 단계 $=1024(cm^2)$

14 ∠A+∠B=∠C+∠D ...... ㉠

∠A+∠D=∠B+∠C ...... ㉡

㉠-㉡을 하면

∠B-∠D=∠D-∠B, 2∠B=2∠D

∴ ∠B=∠D ...... ㉢

㉢을 ㉠에 대입하면

∠A+∠D=∠C+∠D

∴ ∠A=∠C ...... ㉣

㉢, ㉣에서 두 쌍의 대각의 크기가 각각 같으므로

□ABCD는 평행사변형이다.

15 $\overline{OB}=\overline{OD}$이므로

△OAB=△OAD ...... ㉠

△OCB=△OCD ...... ㉡

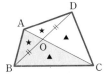

㉠+㉡을 하면

△OAB+△OCB=△OAD+△OCD

따라서 △ABC=△ADC이므로

$\triangle ABC=\dfrac{1}{2}\square ABCD=\dfrac{1}{2}\times 30=15$

16 △OAB와 △ODC에서

$\overline{AO}=\overline{DO}$, $\overline{BO}=\overline{CO}$,

∠AOB=∠DOC=90°이므로

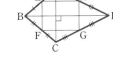

△OAB≡△ODC (SAS 합동)

∴ ∠OAB=∠ODC ...... ㉠

∠OBA=∠OCD ...... ㉡

△OCD에서

∠HOD+∠ODH=∠OCH+∠ODH=90°

이므로 ∠HOD=∠OCH ...... ㉢

∠HOC=90°-∠HOD

=∠ODH ...... ㉣

또, 맞꼭지각이므로

∠HOD=∠EOB ...... ㉤

∠HOC=∠EOA ...... ㉥

㉠, ㉣, ㉥에서 ∠EAO=∠EOA

∴ $\overline{EA}=\overline{EO}$

㉡, ㉢, ㉤에서 ∠EBO=∠EOB

∴ $\overline{EB}=\overline{EO}$

∴ $\overline{OE}=\overline{AE}=\overline{EB}=\dfrac{a}{2}$

17 (1) 삼각형의 중점연결정리에 의해

$\overline{EH}\,/\!/\,\overline{BD}\,/\!/\,\overline{FG}$,

$\overline{EF}\,/\!/\,\overline{AC}\,/\!/\,\overline{HG}$이므로

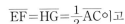

□EFGH는 평행사변형이고 ∠E=90°이므로

□EFGH는 직사각형이다.

(2) 삼각형의 중점연결정리에 의해

$\overline{EH}=\overline{FG}=\dfrac{1}{2}\overline{BD}$,

$\overline{EF}=\overline{HG}=\dfrac{1}{2}\overline{AC}$이고

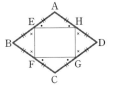

$\overline{AC}=\overline{BD}$이므로

$\overline{EF}=\overline{FG}=\overline{GH}=\overline{HE}$

따라서 □EFGH는 마름모이다.

(3) △AEH, △CFG에서

∠A=∠C,

$\overline{AE}=\overline{AH}=\overline{CF}=\overline{CG}$

∴ △AEH≡△CFG

(SAS 합동) ...... ㉠

또, △BEF, △DHG에서

$\angle B = \angle D$, $\overline{BE} = \overline{BF} = \overline{DG} = \overline{DH}$

∴ △BEF ≡ △DHG (SAS 합동) ...... ㉡

㉠, ㉡에서

$\angle AEH = \angle AHE = \angle CFG = \angle CGF$

$\angle BEF = \angle BFE = \angle DHG = \angle DGH$

□EFGH에서

$\angle E = 180° - (\angle AEH + \angle BEF)$

$= \angle F = \angle G = \angle H$

따라서 □EFGH는 네 내각의 크기가 모두 같으므로 직사각형이다.

다른 풀이

삼각형의 중점연결정리에 의해

$\overline{EH} /\!/ \overline{BD} /\!/ \overline{FG}$,

$\overline{EF} /\!/ \overline{AC} /\!/ \overline{HG}$이므로

□EFGH는 평행사변형이다.

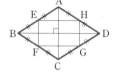

마름모의 두 대각선은 서로 다른 것을 수직이등분하므로 $\overline{AC} \perp \overline{BD}$

따라서 $\angle E = 90°$이므로 □EFGH는 직사각형이다.

(4) $\overline{AE} = \overline{BE} = \overline{DG} = \overline{CG}$,

$\overline{AH} = \overline{DH} = \overline{BF} = \overline{CF}$,

$\angle A = \angle B = \angle C = \angle D$이므로

△AEH ≡ △BEF ≡ △CGF

$\equiv$ △DGH (SAS 합동)

∴ $\overline{HE} = \overline{EF} = \overline{FG} = \overline{GH}$

즉, □EFGH는 마름모이다.

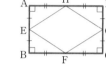

다른 풀이

삼각형의 중점연결정리에 의해

$\overline{EH} = \overline{FG} = \dfrac{1}{2}\overline{BD}$

$\overline{EF} = \overline{HG} = \dfrac{1}{2}\overline{AC}$

직사각형의 두 대각선의 길이는 같으므로

$\overline{AC} = \overline{BD}$

∴ $\overline{EF} = \overline{FG} = \overline{GH} = \overline{HE}$

따라서 □EFGH는 마름모이다.

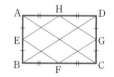

18 $\angle A = \angle C$, $\angle B = \angle D$이므로

$\angle A + \angle B = 180°$이고

$\angle BAG = \angle DAG$

$= \angle BCE = \angle DCE$,

$\angle ABE = \angle CBE = \angle CDG = \angle ADG$

따라서 △ABF에서

$\angle FAB + \angle FBA = 90$

∴ $\angle AFB = 90°$

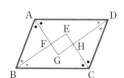

같은 방법으로 △BEC에서

$\angle EBC + \angle ECB = 90°$

∴ $\angle BEC = 90°$

마찬가지 방법으로 △CDH와 △ADG에서

$\angle CHD = \angle AGD = 90°$

따라서 □EFGH는 네 내각이 모두 직각이므로 직사각형이다.

19 $\overline{AB} /\!/ \overline{DC}$이므로

$\angle BAC = \angle DCA$ (엇각)

이때 $\angle BAC = \angle BDC$이므로

$\angle DCA = \angle BDC$

즉, △OCD는 이등변삼각형이므로

$\overline{OC} = \overline{OD}$ ...... ㉠

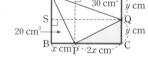

한편, □ABCD는 평행사변형이므로

$\overline{OA} = \overline{OC}$, $\overline{OB} = \overline{OD}$ ...... ㉡

㉠, ㉡에서

$\overline{OA} = \overline{OB} = \overline{OC} = \overline{OD}$

따라서 □ABCD는 두 대각선의 길이가 같은 평행사변형이므로 직사각형이다.

∴ △OAB $= \dfrac{1}{4}$□ABCD $= \dfrac{1}{4} \times 6 \times 4 = 6(\text{cm}^2)$

20 서술형

변형 단계 오른쪽 그림의 점 P에서 $\overline{AD}$에 내린 수선의 발을 R라 하면 $\overline{AB} /\!/ \overline{RP}$

점 Q에서 $\overline{AB}$에 내린 수선의 발을 S라 하면 $\overline{AD} /\!/ \overline{SQ}$

□ABPR $= 2$△ABP $= 2 \times 20 = 40(\text{cm}^2)$이므로

□PCDR $= 120 - 40 = 80(\text{cm}^2)$

즉, $\overline{BP} : \overline{PC} = 1 : 2$이므로 $\overline{PC} = 2\overline{BP}$ ...... ㉠

또, □ASQD $= 2$△AQD $= 2 \times 30 = 60(\text{cm}^2)$이므로

□BCQS $= 120 - 60 = 60(\text{cm}^2)$

∴ $\overline{DQ} = \overline{CQ}$ ...... ㉡

㉠에서 $\overline{BP} = x$ cm라 하면 $\overline{PC} = 2x$ cm

㉡에서 $\overline{DQ} = y$ cm라 하면 $\overline{CQ} = y$ cm

풀이 단계 □ABCD $= (x+2x) \times (y+y) = 6xy = 120$

에서 $xy = 20$

확인 단계 ∴ △PCQ $= \dfrac{1}{2} \times 2x \times y = xy = 20(\text{cm}^2)$

21 평행사변형의 내부의 한 점 P를 중심으로 만들어지는 4개의 삼각형에서 마주 보는 삼각형끼리의 넓이의 합은 각

각 같다.

즉, 평행사변형 ABCD에서

$\triangle PAB + \triangle PCD = \triangle PDA + \triangle PBC$이므로

$\triangle PDA + \triangle PBC = \dfrac{1}{2}\square ABCD$ ...... ㉠

이고,

$\triangle PDA + \triangle PED = \triangle AED = \dfrac{1}{2}\square ABCD$ ...... ㉡

㉠, ㉡에서 $\triangle PED = \triangle PBC = 80$이고

$\triangle PDA : \triangle PED = \overline{AP} : \overline{PE} = 3 : 4$이므로

$\triangle PDA = \dfrac{3}{4} \times 80 = 60$

22 서술형

표현 단계 높이가 같은 두 삼각형의 넓이의 비는 밑변의 길이의 비와 같음을 이용하자.

변형 단계 $\overline{BC}$ 위에 $\overline{BF} = 6$인 점 F를 잡으면 밑변의 길이는 6이고 높이는 사다리꼴의 높이와 같으므로

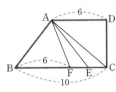

$\triangle ABF = \triangle ADC$

$\overline{AE}$가 사다리꼴 ABCD의 넓이의 이등분선이므로

$\triangle AFE = \triangle AEC$

풀이 단계 이때 $\triangle AFE$와 $\triangle AEC$의 높이는 같으므로

$\overline{FE} = \overline{EC}$

따라서 $\overline{FC} = 10 - 6 = 4$이므로

확인 단계 $\overline{EC} = \overline{FE} = \dfrac{1}{2} \times 4 = 2$

23

오른쪽 그림과 같이 점 D에서 $\overline{BC}$에 수선을 그어 $\overline{EF}$, $\overline{BC}$와의 교점을 각각 P, Q라고 하면

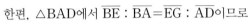

$\overline{DP} : \overline{PQ} = 2 : 1$이므로

$\overline{DP} = 2h$ cm, $\overline{PQ} = h$ cm라 하자.

한편, $\triangle BAD$에서 $\overline{BE} : \overline{BA} = \overline{EG} : \overline{AD}$이므로

$1 : 3 = \overline{EG} : 3$, $3\overline{EG} = 3$

$\therefore \overline{EG} = 1$ cm ...... ㉠

$\triangle DBC$에서 $\overline{DF} : \overline{DC} = \overline{GF} : \overline{BC}$이므로

$2 : 3 = \overline{GF} : 6$, $3\overline{GF} = 12$

$\therefore \overline{GF} = 4$ cm ...... ㉡

㉠, ㉡에서

$\overline{EF} = \overline{EG} + \overline{GF} = 1 + 4 = 5(\text{cm})$

따라서 $\square AEFD = \dfrac{1}{2} \times (3+5) \times 2h = 8h(\text{cm}^2)$,

$\square EBCF = \dfrac{1}{2} \times (5+6) \times h = \dfrac{11}{2}h(\text{cm}^2)$이므로

$\square AEFD : \square EBCF = 8h : \dfrac{11}{2}h = 16 : 11$

---

3 STEP 최고 실력 완성하기

1 5 cm	2 $\dfrac{120}{7}$ cm	3 15 cm	4 3초	5 $\dfrac{48}{5}$ cm
6 평행사변형의 경계와 내부		7 16 : 11	8 $\dfrac{160}{9}$ cm	9 3 cm²

문제 풀이

1

점 A에서 $\overline{DC}$에 평행한 직선을 그어 $\overline{BC}$와 만나는 점을 E라고 하면 $\square AECD$는 평행사변형이므로

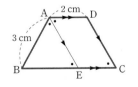

$\angle DCE = \angle AEB$ (동위각),

$\angle DAE = \angle AEB$ (엇각)

$\angle A = 2\angle C$이므로

$\angle BAE = \angle DAE$

따라서 $\angle BAE = \angle AEB$에서 $\triangle BAE$는 이등변삼각형이므로

$\overline{BE} = \overline{BA} = 3$ cm

또, $\overline{EC} = \overline{AD} = 2$ cm이므로

$\overline{BC} = \overline{BE} + \overline{EC} = 3 + 2 = 5(\text{cm})$

2

$\square ABCD = \dfrac{1}{2} \times \overline{AC} \times \overline{BD}$

$= \dfrac{1}{2} \times (\overline{AD} + \overline{BC}) \times \overline{AH}$

이므로

$$\frac{1}{2} \times 25 \times 24 = \frac{1}{2} \times (5+30) \times \overline{AH}$$

$$\therefore \overline{AH} = \frac{600}{35} = \frac{120}{7}(cm)$$

> **TIP 대각선이 서로 수직인 사각형의 넓이 구하기**
> 대각선이 서로 수직인 사각형의 넓이는 두 대각선의 길이의 곱의 절반임을 이해한다.

3 □AFED=□FBCE이고,
△FDE=△FCE이므로
△AFD=△BCF
$\overline{AF}=x$ cm라고 하면

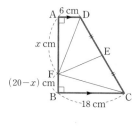

$$\frac{1}{2} \times 6 \times x = \frac{1}{2} \times 18 \times (20-x)$$

$$3x=9(20-x) \qquad \therefore x=15$$

따라서 $\overline{AF}$의 길이는 15 cm이다.

4 두 점 E, F가 각각 두 꼭짓
점 A, C를 출발한 지 t초 후의
위치는 오른쪽 그림과 같으므로
□EBFD

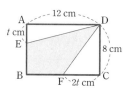

$$=□ABCD-△AED-△FCD$$

$$=12 \times 8 - \frac{1}{2} \times 12 \times t - \frac{1}{2} \times 2t \times 8$$

$$54=96-6t-8t, \quad 14t=42 \qquad \therefore t=3$$

따라서 3초 후에 사각형 EBFD의 넓이가 54 cm² 가 된다.

5 오른쪽 그림과 같이 점 P와 네 꼭
짓점 A, B, C, D를 잇는 선분을 그으
면

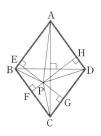

$$\begin{aligned}□ABCD&=△PAB+△PBC\\&\quad +△PCD+△PDA\\&=\frac{1}{2} \times \overline{AC} \times \overline{BD}\end{aligned}$$

이므로

$$\frac{1}{2} \times 5 \times (\overline{PE}+\overline{PF}+\overline{PG}+\overline{PH}) = \frac{1}{2} \times 8 \times 6$$

$$\therefore \overline{PE}+\overline{PF}+\overline{PG}+\overline{PH} = \frac{48}{5} \ cm$$

6 (i) $\overline{AD}$와 $\overline{BD}$의 중점을 각각
R₁, R₂이라 하고, 점 Q가 점 D
에 있을 때, 점 P를 점 A에서
점 B로 이동시키면 점 R는 점
R₁과 점 R₂를 연결한 선분 위
의 점이 된다.

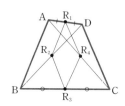

$$\therefore \overline{R_1R_2}\,/\!/\,\overline{AB}, \ \overline{R_1R_2}=\frac{1}{2}\overline{AB} \qquad \cdots\cdots ㉠$$

(ii) $\overline{BC}$와 $\overline{AC}$의 중점을 각각 R₃, R₄라 하고, 점 Q가 점 C
에 있을 때, 점 P를 점 B에서 점 A로 이동시키면 점 R
는 점 R₃와 점 R₄를 연결한 선분 위의 점이 된다.

$$\therefore \overline{R_3R_4}\,/\!/\,\overline{AB}, \ \overline{R_3R_4}=\frac{1}{2}\overline{AB} \qquad \cdots\cdots ㉡$$

㉠, ㉡에서 $\overline{R_1R_2}\,/\!/\,\overline{R_3R_4}, \ \overline{R_1R_2}=\overline{R_3R_4}$이므로
□R₁R₂R₃R₄는 평행사변형이다.
따라서 점 R가 그리는 도형은 평행사변형의 경계와 내부이다.

7 정사각형 A의 한 변의 길이
를 $2a$, 정사각형 C의 한 변의 길
이를 b라고 하면 오른쪽 그림과
같이 각 정사각형의 길이가 정해
진다.

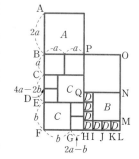

이때 $\overline{PH}=5a-b$이고,
□PQNO와 □QHLN은 한 변
의 길이가 같은 정사각형이므로

$$\overline{PQ}=\overline{QH}=\overline{HL}=\frac{5a-b}{2}$$

그런데 $\overline{HL}$은 4등분되어 있고, 정사각형 B의 한 변의 길이
는 그 중 세 변의 길이의 합이므로

$$\overline{IL}=\frac{5a-b}{2} \times \frac{3}{4} = \frac{15a-3b}{8} \qquad \cdots\cdots ㉠$$

또, $\overline{CE}=\overline{EF}$이므로

$$4a-2b=b \qquad \therefore 4a=3b \qquad \cdots\cdots ㉡$$

㉡을 ㉠에 대입하면

$$\overline{IL}=\frac{15a-4b}{8}=\frac{11}{8}a$$

따라서 구하는 길이의 비는

$$2a : \frac{11}{8}a = 16 : 11$$

8 오른쪽 그림과 같이 점 A에
서 $\overline{DC}$에 평행한 직선을 그어
$\overline{PS}, \overline{BC}$와 만나는 점을 각각 M,
E라 하자.

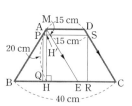

□AECD가 평행사변형이므로
$\overline{AD}=\overline{MS}=\overline{EC}=15$ cm이고
$\overline{BE}=40-15=25(cm)$
정사각형 PQRS에서 $\overline{PS}=\overline{PQ}=x$ cm라고 하면
$\overline{PM}=(x-15)$ cm
한편, $\overline{AH}$와 $\overline{PS}$의 교점을 H'이라 하면 △APM∽△ABE
이므로
$\overline{AH'} : \overline{AH}=\overline{PM} : \overline{BE}$
이때 $\overline{H'H}=\overline{PQ}=x$ cm이므로
$\overline{AH'}=(20-x)$ cm
따라서 $(20-x):20=(x-15):25$에서

$25(20-x)=20(x-15)$

$5(20-x)=4(x-15)$

$100-5x=4x-60$

$9x=160$

$\therefore x=\dfrac{160}{9}$

따라서 정사각형 PQRS의 한 변의 길이는 $\dfrac{160}{9}$ cm이다.

9 $\triangle ABD=\dfrac{1}{2}\square ABCD$

$\qquad =\triangle APD+\triangle PBC$

이므로 $\overline{AP}$와 $\overline{BD}$의 교점을 Q라

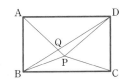

하면

$\triangle ABQ+\triangle AQD$

$=(\triangle AQD+\triangle PQD)+\triangle PBC$

$\therefore \triangle ABQ=\triangle PQD+\triangle PBC$

또, $\triangle ABQ=\triangle PAB-\triangle PBQ$이므로

$\triangle PAB-\triangle PBQ=\triangle PQD+\triangle PBC$ $\quad\cdots\cdots$ ㉠

$\therefore \triangle PBD=\triangle PBQ+\triangle PQD$

$\qquad\quad =\triangle PAB-\triangle PBC\,(\because$ ㉠$)$

$\qquad\quad =9-6$

$\qquad\quad =3(\text{cm}^2)$

---

1 10 cm	**2** 120°	**3** 13 : 12 : 11	**4** 1 cm	**5** $\dfrac{7}{2}$ cm	
6 ∠B=60°, ∠C=70°	**7** $\dfrac{20}{3}$ cm²	**8** 30 cm²	**9** 15 cm²	**10** 6 cm
11 90°	**12** 5 cm²	**13** (−1, 2)	**14** $\dfrac{17}{2}$ cm²	**15** 5 cm²	**16** 80°
17 8 cm	**18** 90°	**19** 70°	**20** ③, ⑤	**21** 6 cm	**22** 143°
23 ⑤				

문제 풀이

1 △ABC의 한 변의 길이를

a cm라 하면

$\triangle ABC=\triangle PAB+\triangle PBC$

$\qquad\qquad\quad +\triangle PCA$

이므로

$\dfrac{1}{2}\times 10\times a=\dfrac{a}{2}(\overline{PD}+\overline{PE}+\overline{PF})$

$\therefore \overline{PD}+\overline{PE}+\overline{PF}=10$ cm

2 △ACD와 △BCE에서

$\overline{AC}=\overline{BC}$, $\overline{CD}=\overline{CE}$,

$\angle ACD=\angle BCE$이므로

$\triangle ACD\equiv\triangle BCE$ (SAS 합동)

즉, $\angle CAD=\angle CBE$, $\angle ADC=\angle BEC$이고,

$\angle BCE=180°-60°=120°$이므로

$\angle CBE+\angle ADC=\angle CBE+\angle BEC$

$\qquad\qquad\qquad\qquad =180°-120°=60°$

따라서 △PBD에서

$\angle BPD=180°-(\angle PBD+\angle PDB)$

$\qquad\qquad =180°-60°=120°$

3 $\angle A:\angle B:\angle C=4:3:2$이므로

$\angle A=180°\times\dfrac{4}{9}=80°$

$\angle B=180°\times\dfrac{3}{9}=60°$

$\angle C=180°\times\dfrac{2}{9}=40°$

점 I는 △ABC의 내심이므로

$\angle BIC=90°+\dfrac{1}{2}\angle A=90°+40°=130°$

$$\angle \text{AIC} = 90^\circ + \frac{1}{2}\angle \text{B} = 90^\circ + 30^\circ = 120^\circ$$

$$\angle \text{AIB} = 90^\circ + \frac{1}{2}\angle \text{C} = 90^\circ + 20^\circ = 110^\circ$$

$$\therefore \angle \text{BIC} : \angle \text{AIC} : \angle \text{AIB} = 13 : 12 : 11$$

4 ($\triangle$ABC의 둘레의 길이) $= 2\overline{\text{AD}} = 2 \times 6 = 12\,(\text{cm})$

$\triangle$ABC의 내접원의 반지름의 길이를 r cm라고 하면

$$\triangle \text{ABC} = \frac{r}{2}(\overline{\text{AB}} + \overline{\text{BC}} + \overline{\text{CA}}) = \frac{r}{2} \times 12 = 6r = 6$$

$$\therefore r = 1$$

따라서 $\triangle$ABC의 내접원의 반지름의 길이는 1 cm이다.

> **TIP** 내접원의 반지름의 길이 구하기
>
> $\triangle$ABC에 대하여 $\triangle$ABC의 넓이를 S라 하고 내접원의 반지름의 길이를 r라 하자. $S = \frac{r}{2}(\overline{\text{AB}} + \overline{\text{BC}} + \overline{\text{CA}})$에서 $r = \dfrac{2S}{\overline{\text{AB}} + \overline{\text{BC}} + \overline{\text{CA}}}$이다.
>
> 즉, 삼각형의 넓이와 둘레의 길이를 통해 내접원의 반지름의 길이를 구할 수 있다.

5 점 O가 $\triangle$ABC의 외심이므로

$\overline{\text{AD}} = \overline{\text{BD}}$, $\overline{\text{AE}} = \overline{\text{CE}}$

따라서 삼각형의 중점연결정리에 의해

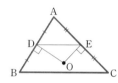

$$\overline{\text{DE}} = \frac{1}{2}\overline{\text{BC}} = \frac{7}{2}\,(\text{cm})$$

6 오른쪽 그림과 같이 $\overline{\text{OB}}$, $\overline{\text{OC}}$를 그으면 점 O가 $\triangle$ABC의 외심이므로

$\overline{\text{OA}} = \overline{\text{OB}} = \overline{\text{OC}}$

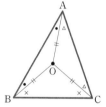

따라서 $\triangle$OAB, $\triangle$OCA는 이등변삼각형이므로

$\angle$OBA $=$ $\angle$OAB $= 20^\circ$

$\angle$OCA $=$ $\angle$OAC $= 30^\circ$

$\triangle$ABC의 내각의 크기의 합이 180°이므로

$\angle$OBC $+$ $\angle$OCB $+ 100^\circ = 180^\circ$

$\therefore \angle$OBC $+$ $\angle$OCB $= 80^\circ$

이때 $\triangle$OBC도 이등변삼각형이므로

$$\angle \text{OBC} = \angle \text{OCB} = \frac{1}{2} \times 80^\circ = 40^\circ$$

$\therefore \angle\text{B} = 20^\circ + 40^\circ = 60^\circ$, $\angle\text{C} = 30^\circ + 40^\circ = 70^\circ$

7 점 G는 $\triangle$ABC의 무게중심이므로

$$\triangle \text{ABG} = \triangle \text{ACG} = \frac{1}{3}\triangle \text{ABC}$$

따라서 $\triangle\text{AMG} = \triangle\text{ANG} = \frac{1}{6}\triangle\text{ABC}$이므로

$$\triangle \text{AMG} + \triangle \text{ANG} = \frac{1}{3}\triangle \text{ABC} = \frac{20}{3}\,(\text{cm}^2)$$

8 오른쪽 그림과 같이 도형을 분할 하면

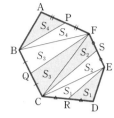

$\square$BQFP $= \triangle$BFP $+ \triangle$FBQ

$\quad\quad = \triangle$ABP $+ \triangle$FQC

$\quad\quad\quad\quad$ …… ㉠

$\square$CRES $= \triangle$CES $+ \triangle$ECR

$\quad\quad = \triangle$CFS $+ \triangle$ERD $\quad$ …… ㉡

㉠, ㉡에서

$\square$BQFP $+ \square$CRES

$= \triangle$ABP $+ (\triangle$FQC $+ \triangle$CFS$) + \triangle$ERD

$= \triangle$ABP $+ \square$FQCS $+ \triangle$ERD

$= 30\,\text{cm}^2$

9 오른쪽 그림과 같이 $\overline{\text{MC}}$를 그으면 $\overline{\text{MD}} /\!/ \overline{\text{EC}}$이므로

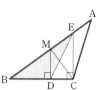

$\triangle$MDE $= \triangle$MDC

$\therefore \triangle$BDE $= \triangle$BDM $+ \triangle$MDE

$\quad\quad = \triangle$BDM $+ \triangle$MDC

$\quad\quad = \triangle$BCM

$\quad\quad = \frac{1}{2}\triangle\text{ABC}\ (\because \overline{\text{AM}} = \overline{\text{MB}})$

$\quad\quad = \frac{1}{2} \times 30$

$\quad\quad = 15\,(\text{cm}^2)$

10 접선의 성질로부터

$\overline{\text{BD}} = \overline{\text{BQ}}$, $\overline{\text{BF}} = \overline{\text{BP}}$,

$\overline{\text{CE}} = \overline{\text{CQ}}$, $\overline{\text{CG}} = \overline{\text{CP}}$

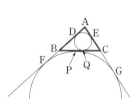

$\therefore \overline{\text{DF}} + \overline{\text{EG}}$

$= (\overline{\text{BD}} + \overline{\text{BF}}) + (\overline{\text{CE}} + \overline{\text{CG}})$

$= (\overline{\text{BQ}} + \overline{\text{BP}}) + (\overline{\text{CQ}} + \overline{\text{CP}})$

$= (\overline{\text{BQ}} + \overline{\text{QC}}) + (\overline{\text{BP}} + \overline{\text{PC}})$

$= \overline{\text{BC}} + \overline{\text{BC}}$

$= 2\overline{\text{BC}}$

또, $\overline{\text{AF}} = \overline{\text{AG}}$, $\overline{\text{AD}} = \overline{\text{AE}}$이므로

$\overline{\text{DF}} = \overline{\text{EG}}$

따라서 $\overline{\text{DF}} + \overline{\text{EG}} = 2\overline{\text{DF}} = 2\overline{\text{BC}}$이므로

$\overline{\text{DF}} = \overline{\text{BC}} = 6\,\text{cm}$

11 $\triangle$ABE와 $\triangle$CBD에서

$\angle$AEB $= \angle$CDB $= 90^\circ$,

$\angle$B는 공통이므로

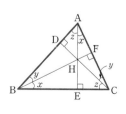

$\angle$BAE $= \angle$BCD $= \angle z$

같은 방법으로

$\angle$CBF $= \angle$CAE $= \angle x$, $\angle$ACD $= \angle$ABF $= \angle y$

삼각형의 내각의 크기의 합은 180°이므로

$\angle A + \angle B + \angle C = 180°$

$(\angle x + \angle z) + (\angle x + \angle y) + (\angle y + \angle z)$

$= 2(\angle x + \angle y + \angle z) = 180°$

$\therefore \angle x + \angle y + \angle z = 90°$

다른 풀이

$\triangle AEC$에서 $\angle x = 90° - \angle C$

$\triangle ABF$에서 $\angle y = 90° - \angle A$

$\triangle BCD$에서 $\angle z = 90° - \angle B$

$\therefore \angle x + \angle y + \angle z$

$\quad = (90° - \angle C) + (90° - \angle A) + (90° - \angle B)$

$\quad = 90° \times 3 - (\angle A + \angle B + \angle C)$

$\quad = 270° - 180°$

$\quad = 90°$

12 $\overline{CD}$를 그으면

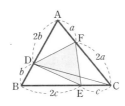

$\triangle ADF = \dfrac{1}{3} \triangle ADC$

$\qquad = \dfrac{1}{3} \times \dfrac{2}{3} \triangle ABC$

$\qquad = \dfrac{2}{9} \triangle ABC$

같은 방법으로 $\triangle BDE = \triangle CEF = \dfrac{2}{9} \triangle ABC$

$\therefore \triangle DEF = \triangle ABC - 3 \times \dfrac{2}{9} \triangle ABC$

$\qquad = \triangle ABC - \dfrac{2}{3} \triangle ABC$

$\qquad = \dfrac{1}{3} \triangle ABC$

$\qquad = \dfrac{1}{3} \times 15 = 5 (\text{cm}^2)$

13 구하는 삼각형은 오른쪽 그림에서 어두운 직각삼각형이고, 직각삼각형의 외심은 빗변의 중점이다.
따라서 $(-2, 0)$, $(0, 4)$의 중점의 좌표는

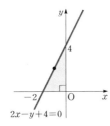

$\left(\dfrac{-2+0}{2}, \dfrac{0+4}{2} \right) = (-1, 2)$

14 $\triangle OAE$와 $\triangle ODF$에서

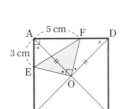

$\overline{OA} = \overline{OD}$,

$\angle OAE = \angle ODF = 45°$

$\angle AOE = 90° - \angle AOF = \angle DOF$

이므로

$\triangle OAE \equiv \triangle ODF$ (ASA 합동)

$\therefore \overline{DF} = \overline{AE} = 3 \text{ cm}$

$\therefore \triangle EOF = \square AEOF - \triangle AEF$

$\quad = \triangle OAE + \triangle AOF - \triangle AEF$

$\quad = \triangle ODF + \triangle AOF - \triangle AEF$

$\quad = \triangle AOD - \triangle AEF$

$\quad = \dfrac{1}{4} \square ABCD - \triangle AEF$

$\quad = \dfrac{1}{4} \times 8 \times 8 - \dfrac{1}{2} \times 5 \times 3$

$\quad = 16 - \dfrac{15}{2}$

$\quad = \dfrac{17}{2} (\text{cm}^2)$

15 평행사변형 ABCD에서

$\triangle OAB + \triangle OCD = \triangle OBC + \triangle ODA$

이므로 $4 + 3 = 2 + \triangle ODA$

$\therefore \triangle ODA = 7 - 2 = 5 (\text{cm}^2)$

16 $\angle C = \angle x$라고 하면 점 I는
$\triangle ABC$의 내심이므로

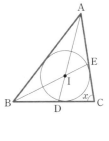

$\angle DIE = \angle AIB$

$\qquad = 90° + \dfrac{1}{2} \angle x$

또, $\angle ADB + \angle AEB = 210°$
이므로

$\angle CDI + \angle CEI = 360° - 210° = 150°$

따라서 $\square IDCE$에서

$90° + \dfrac{1}{2} \angle x + 150° + \angle x = 360°$

$\dfrac{3}{2} \angle x = 120° \qquad \therefore \angle x = 80°$

따라서 $\angle C$의 크기는 80°이다.

17 $\triangle ABC$가 $\overline{AB} = \overline{AC}$인 이등변삼
각형이므로 $\angle B = \angle C$이다.

$\overline{AB} /\!/ \overline{EP}$에서

$\angle B = \angle EPC$ (동위각)이므로

$\angle EPC = \angle ECP$

$\therefore \overline{EP} = \overline{EC} \quad \cdots\cdots \text{㉠}$

또, $\overline{AC} /\!/ \overline{DP}$에서 $\angle C = \angle DPB$ (동위각)이므로

$\angle DBP = \angle DPB$

$\therefore \overline{DB} = \overline{DP} \quad \cdots\cdots \text{㉡}$

㉠, ㉡에서 $\square ADPE$의 둘레의 길이는

$\overline{AD} + \overline{DP} + \overline{PE} + \overline{EA}$

$= (\overline{AD} + \overline{DB}) + (\overline{EC} + \overline{EA})$

$= \overline{AB} + \overline{AC}$

$= 4 + 4 = 8 (\text{cm})$

18 두 점 H, G는 각각 $\overline{\text{AD}}$, $\overline{\text{BC}}$의
중점이므로 $\overline{\text{AH}} = \overline{\text{HD}}$이고,
$\overline{\text{BG}} = \overline{\text{GC}}$이다.

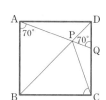

평행사변형 ABCD에서
$\overline{\text{AD}} = \overline{\text{BC}}$이므로
$\overline{\text{AH}} = \overline{\text{HD}} = \overline{\text{BG}} = \overline{\text{GC}}$
$\therefore \overline{\text{AH}} = \overline{\text{BG}}$, $\overline{\text{AH}} /\!/ \overline{\text{BG}}$
따라서 한 쌍의 대변이 평행하고 그 길이가 같으므로
$\Box$ABGH는 평행사변형이다.
또, $\overline{\text{AD}} = 2\overline{\text{AB}} = 2\overline{\text{AH}}$에서 $\overline{\text{AB}} = \overline{\text{AH}}$이므로
$\Box$ABGH는 마름모이다.
$\therefore \angle\text{EPF} = 90°$

19 $\overline{\text{AB}} /\!/ \overline{\text{DC}}$이므로

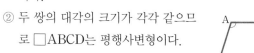

$\angle\text{BAQ} = \angle\text{AQD} = 70°$ (엇각)
$\triangle$ABP와 $\triangle$CBP에서
$\overline{\text{AB}} = \overline{\text{CB}}$
$\angle\text{ABP} = \angle\text{CBP} = 45°$
$\overline{\text{BP}}$는 공통이므로
$\triangle$ABP $\equiv$ $\triangle$CBP (SAS 합동)
$\therefore \angle\text{BCP} = \angle\text{BAP} = 70°$

20 ① 두 쌍의 대변의 길이가 각각
같으므로 $\Box$ABCD는 평행사변형이
다.

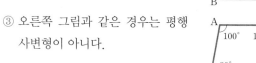

② 두 쌍의 대각의 크기가 각각 같으므
로 $\Box$ABCD는 평행사변형이다.

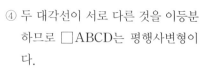

③ 오른쪽 그림과 같은 경우는 평행
사변형이 아니다.

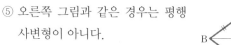

④ 두 대각선이 서로 다른 것을 이등분
하므로 $\Box$ABCD는 평행사변형이
다.

⑤ 오른쪽 그림과 같은 경우는 평행
사변형이 아니다.

따라서 평행사변형이 아닌 것은 ③, ⑤이다.

21 대각선 BD가 $\angle$B를 이등분하
므로

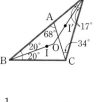

$\angle\text{ABD} = \angle\text{CBD}$
$\overline{\text{AD}} /\!/ \overline{\text{BC}}$이므로
$\angle\text{ADB} = \angle\text{CBD}$ (엇각)
즉, $\angle\text{ABD} = \angle\text{ADB}$
따라서 $\triangle$ABD는 이등변삼각형이므로 $\overline{\text{AB}} = \overline{\text{AD}}$에서
$\Box$ABCD는 마름모이다.
$\therefore \overline{\text{AB}} = 24 \times \dfrac{1}{4} = 6\,(\text{cm})$

TIP 대각선이 내각을 이등분하는 평행사변형은 마름모임을 이해한다.

22 점 I는 $\triangle$ABC의 내심이므로

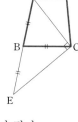

$\angle\text{ABO} = \dfrac{1}{2} \times 40° = 20°$
$\overline{\text{AC}} = \overline{\text{AD}}$이므로
$\angle\text{ACD} = \angle\text{ADC} = \dfrac{1}{2} \times 68° = 34°$
점 I'은 $\triangle$ACD의 내심이므로 $\angle\text{ADI'} = \dfrac{1}{2} \times 34° = 17°$
$\triangle$DBO의 내각의 크기의 합이 180°이므로
$\angle\text{BOD} = \angle\text{IOI'} = 180° - (20° + 17°) = 143°$

23 주어진 조건으로 그림을 그려 보면
오른쪽 그림과 같다.
$\triangle$AEC가 직각삼각형이고, 직각삼각형
의 외심은 빗변의 중점이므로 점 B는
$\triangle$AEC의 외심이다.
$\therefore \overline{\text{AB}} = \overline{\text{BE}} = \overline{\text{BC}}$

따라서 $\Box$ABCD는 두 변 AB, BC의 길이가 같다.

1 도형의 닮음

1 STEP 주제별 실력다지기

45~49쪽

1 (1) $\frac{22}{3}$ (2) 7 (3) $\frac{7}{3}$ (4) 16 **2** (1) 8 (2) $\frac{9}{2}$ **3** ③, ⑤ **4** 1 : 3 **5** 9 cm

6 (1) 12 cm (2) 2 : 1 **7** (1) $\frac{12}{5}$ cm (2) $\frac{9}{5}$ cm (3) $\frac{16}{5}$ cm **8** $\frac{20}{3}$ cm **9** $\frac{16}{5}$ cm

10 $\frac{84}{25}$ cm² **11** $\frac{36}{5}$ cm **12** 5 cm **13** 150 cm² **14** $\frac{15}{4}$ cm **15** 10 cm

16 $\frac{3}{2}$ cm **17** 8 cm **18** 3 cm

최상위 03 NOTE 3개의 직각삼각형이 한 쌍으로 된 닮음

오른쪽 그림과 같이
$\angle BAC = \angle ADC = 90°$일 때, 세 삼각
형 ABC, DBA, DAC의 닮음을 이용하
면 다음과 같이 선분의 길이에 대한 공식
을 유도할 수 있다.

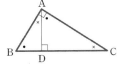

(1) $\overline{AB}^2 = \overline{BD} \times \overline{BC}$

$\triangle ABC \backsim \triangle DBA$ (AA 닮음)이므로

$\overline{BC} : \overline{BA} = \overline{AB} : \overline{DB}$ $\therefore \overline{AB}^2 = \overline{BD} \times \overline{BC}$

(2) $\overline{AC}^2 = \overline{CD} \times \overline{CB}$

$\triangle ABC \backsim \triangle DAC$ (AA 닮음)이므로

$\overline{BC} : \overline{AC} = \overline{AC} : \overline{DC}$ $\therefore \overline{AC}^2 = \overline{CD} \times \overline{CB}$

(3) $\overline{AD}^2 = \overline{BD} \times \overline{CD}$

$\triangle DBA \backsim \triangle DAC$ (AA 닮음)이므로

$\overline{AD} : \overline{CD} = \overline{BD} : \overline{AD}$ $\therefore \overline{AD}^2 = \overline{BD} \times \overline{CD}$

(4) $\overline{AB} \times \overline{AC} = \overline{AD} \times \overline{BC}$

$\triangle ABC = \frac{1}{2} \times \overline{AB} \times \overline{AC} = \frac{1}{2} \times \overline{AD} \times \overline{BC}$

즉, $\frac{1}{2} \times \overline{AB} \times \overline{AC} = \frac{1}{2} \times \overline{AD} \times \overline{BC}$이다.

$\therefore \overline{AB} \times \overline{AC} = \overline{AD} \times \overline{BC}$

(5) $\overline{AB}^2 : \overline{AC}^2 = \overline{BD} : \overline{CD}$

(1), (2)에서 $\overline{AB}^2 = \overline{BD} \times \overline{BC}$, $\overline{AC}^2 = \overline{CD} \times \overline{CB}$이므로

$\overline{AB}^2 : \overline{AC}^2 = \overline{BD} \times \overline{BC} : \overline{CD} \times \overline{CB} = \overline{BD} : \overline{CD}$

1 (1) $\overline{OA} : \overline{OC} = \overline{OB} : \overline{OD} = 2 : 3$, $\angle AOB = \angle COD$

이므로 $\triangle OAB \backsim \triangle OCD$ (SAS 닮음)

따라서 $\overline{OB} : \overline{OD} = \overline{AB} : \overline{CD}$이므로

$2 : 3 = x : 11$, $3x = 22$

$\therefore x = \dfrac{22}{3}$

(2) $\angle ABC = \angle ADE$, $\angle A$는 공통이므로

$\triangle ABC \backsim \triangle ADE$ (AA 닮음)

따라서 $\overline{AB} : \overline{AD} = \overline{AC} : \overline{AE}$이므로

$6 : 3 = (3 + x) : 5$, $3(3 + x) = 30$

$3 + x = 10$ $\therefore x = 7$

(3) $\angle ABC = \angle EDC$, $\angle C$는 공통이므로

$\triangle ABC \backsim \triangle EDC$ (AA 닮음)

따라서 $\overline{AC} : \overline{EC} = \overline{BC} : \overline{DC}$이므로

$10 : 6 = (x + 6) : 5$, $6(x + 6) = 50$

$x + 6 = \dfrac{25}{3}$ $\therefore x = \dfrac{7}{3}$

(4) $\angle BAC = \angle DEA$, $\angle ACB = \angle EAD$이므로

$\triangle ABC \backsim \triangle EDA$ (AA 닮음)

따라서 $\overline{AC} : \overline{EA} = \overline{BC} : \overline{DA}$이므로

$12 : 6 = x : 8$, $6x = 96$

$\therefore x = 16$

2 (1) $\overline{AB} : \overline{AE} = \overline{AC} : \overline{AD} = 2 : 1$, $\angle A$는 공통이므로

$\triangle ABC \backsim \triangle AED$ (SAS 닮음)

따라서 $\overline{AB} : \overline{AE} = \overline{BC} : \overline{ED}$이므로

$2 : 1 = x : 4$ $\therefore x = 8$

(2) $\overline{AB} : \overline{DB} = \overline{BC} : \overline{BA} = 3 : 2$, $\angle B$는 공통이므로

$\triangle ABC \backsim \triangle DBA$ (SAS 닮음)

따라서 $\overline{AB} : \overline{DB} = \overline{AC} : \overline{DA}$이므로

$3 : 2 = x : 3$, $2x = 9$

$\therefore x = \dfrac{9}{2}$

3 $\angle BAD = \angle ACB$이고, $\angle B$는 공통이므로

$\triangle DBA \backsim \triangle ABC$ (AA 닮음)

① 대응각이므로 $\angle ADB = \angle CAB$

② $\overline{AB} : \overline{CB} = \overline{BD} : \overline{BA}$이므로 $\overline{AB}^2 = \overline{BD} \times \overline{BC}$

③, ⑤ $\angle CAD = \angle CBA$일 때만 성립하므로 옳지 않다.

④ $\overline{AB} : \overline{CB} = \overline{AD} : \overline{CA}$이므로 $\overline{AB} \times \overline{AC} = \overline{AD} \times \overline{BC}$

4 $\triangle ABC \backsim \triangle ACD$ (AA 닮음)이므로

$\overline{AC} \times \overline{BC} = \overline{CD} \times \overline{AB}$

$5 \times 8 = 4 \times \overline{AB}$

$\therefore \overline{AB} = 10$ cm

또, $\overline{AC}^2 = \overline{AD} \times \overline{AB}$이므로

$5^2 = \overline{AD} \times 10$

$\therefore \overline{AD} = \dfrac{5}{2}$ cm

$\triangle ADC : \triangle DBC = \overline{AD} : \overline{BD}$이고,

$\overline{BD} = \overline{AB} - \overline{AD} = 10 - \dfrac{5}{2} = \dfrac{15}{2}$(cm)이므로

$\triangle ADC : \triangle DBC = \dfrac{5}{2} : \dfrac{15}{2} = 1 : 3$

5 $\triangle ABC \backsim \triangle DAC$ (AA 닮음)이므로

$\overline{AC}^2 = \overline{CD} \times \overline{CB}$

$4^2 = 2 \times \overline{BC}$ $\therefore \overline{BC} = 8$ cm

$\therefore \overline{BD} = \overline{BC} - \overline{DC} = 8 - 2 = 6$(cm)

또, $\overline{AB} \times \overline{AC} = \overline{AD} \times \overline{BC}$이므로

$6 \times 4 = \overline{AD} \times 8$ $\therefore \overline{AD} = 3$ cm

$\therefore \overline{AD} + \overline{BD} = 3 + 6 = 9$(cm)

6 $\angle BAC = \angle BDE$, $\angle B$는 공통이므로

$\triangle ABC \backsim \triangle DBE$ (AA 닮음)

(1) $\overline{AE} = x$ cm라 하면

$\overline{AB} : \overline{DB} = \overline{BC} : \overline{BE}$에서

$(x + 2) : 7 = 4 : 2$, $2(x + 2) = 28$

$x + 2 = 14$ $\therefore x = 12$

따라서 $\overline{AE}$의 길이는 12 cm이다.

(2) $\overline{AC} : \overline{DE} = \overline{BC} : \overline{BE} = 4 : 2 = 2 : 1$

7 (1) $\overline{AB} \times \overline{AC} = \overline{AD} \times \overline{BC}$에서

$3 \times 4 = \overline{AD} \times 5$ $\therefore \overline{AD} = \dfrac{12}{5}$ cm

(2) $\overline{AB}^2 = \overline{BD} \times \overline{BC}$에서

$3^2 = \overline{BD} \times 5$ $\therefore \overline{BD} = \dfrac{9}{5}$ cm

(3) $\overline{AC}^2 = \overline{CD} \times \overline{CB}$에서

$4^2 = \overline{CD} \times 5$ $\therefore \overline{CD} = \dfrac{16}{5}$ cm

8 $\overline{AD}^2 = \overline{BD} \times \overline{CD}$에서

$4^2 = \overline{BD} \times 3$ $\therefore \overline{BD} = \dfrac{16}{3}$ cm

$\overline{BC} = \overline{BD} + \overline{DC} = \dfrac{16}{3} + 3 = \dfrac{25}{3}$(cm)

또, $\overline{AB}^2 = \overline{BD} \times \overline{BC}$에서

$\overline{AB}^2 = \dfrac{16}{3} \times \dfrac{25}{3} = \dfrac{400}{9}$

$\therefore \overline{AB} = \dfrac{20}{3}$ cm ($\because \overline{AB} > 0$)

다른 풀이

$\overline{AC}^2=\overline{CD}\times\overline{CB}$에서

$5^2=3\times\overline{BC}$ $\quad\therefore\overline{BC}=\dfrac{25}{3}$ cm

또, $\overline{AB}\times\overline{AC}=\overline{AD}\times\overline{BC}$에서

$\overline{AB}\times5=4\times\dfrac{25}{3}$ $\quad\therefore\overline{AB}=\dfrac{20}{3}$ cm

9 $\overline{AD}^2=\overline{BD}\times\overline{CD}$에서

$\overline{AD}^2=2\times8=16$

$\therefore\overline{AD}=4$ cm $(\because\overline{AD}>0)$

직각삼각형의 외심은 빗변의 중점이므로 점 M은 직각삼각형 ABC의 외심이다.

$\therefore\overline{AM}=\overline{BM}=\overline{CM}=5$ cm

$\triangle$ADM에서 $\overline{AD}^2=\overline{AQ}\times\overline{AM}$이므로

$4^2=\overline{AQ}\times5$ $\quad\therefore\overline{AQ}=\dfrac{16}{5}$ cm

10 $\triangle$ABC : $\triangle$ADM$=\overline{BC}:\overline{DM}$이므로

$\triangle\text{ADM}=\dfrac{\overline{DM}}{\overline{BC}}\times\triangle\text{ABC}$

$\overline{AB}^2=\overline{BD}\times\overline{BC}$에서

$6^2=\overline{BD}\times10$ $\quad\therefore\overline{BD}=\dfrac{18}{5}$ cm

따라서 $\overline{DM}=\overline{BM}-\overline{BD}=5-\dfrac{18}{5}=\dfrac{7}{5}$ (cm)이므로

$\triangle\text{ADM}=\dfrac{\frac{7}{5}}{10}\times\left(\dfrac{1}{2}\times8\times6\right)=\dfrac{84}{25}$ (cm²)

다른 풀이

$\overline{AB}^2=\overline{BD}\times\overline{BC}$에서

$6^2=\overline{BD}\times10$ $\quad\therefore\overline{BD}=\dfrac{18}{5}$ cm

$\therefore\overline{DM}=\overline{BM}-\overline{BD}=5-\dfrac{18}{5}=\dfrac{7}{5}$ (cm)

또, $\overline{AB}\times\overline{AC}=\overline{AD}\times\overline{BC}$에서

$6\times8=\overline{AD}\times10$ $\quad\therefore\overline{AD}=\dfrac{24}{5}$ cm

$\therefore\triangle\text{ADM}=\dfrac{1}{2}\times\overline{DM}\times\overline{AD}$

$\qquad=\dfrac{1}{2}\times\dfrac{7}{5}\times\dfrac{24}{5}$

$\qquad=\dfrac{84}{25}$ (cm²)

11 $\angle$BEA$=\angle$BDC$=90°$이고, $\angle$B는 공통이므로

$\triangle$ABE $\backsim$ $\triangle$CBD (AA 닮음)

따라서 $\overline{AB}:\overline{CB}=\overline{BE}:\overline{BD}$에서

$10:12=6:\overline{BD}$, $10\overline{BD}=72$

$\therefore\overline{BD}=\dfrac{36}{5}$ cm

12 오른쪽 그림에서 점 H가 $\triangle$ABC의 수심이므로

$\angle$ADB$=\angle$BEC$=90°$이고,

$\angle$HAE$=\angle$HBD이므로

$\triangle$BDH $\backsim$ $\triangle$ADC (AA 닮음)

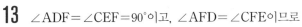

따라서 $\overline{BD}:\overline{AD}=\overline{DH}:\overline{DC}$에서

$6:(\overline{AH}+4)=4:6$, $4(\overline{AH}+4)=36$

$\overline{AH}+4=9$ $\quad\therefore\overline{AH}=5$ cm

13 $\angle$ADF$=\angle$CEF$=90°$이고, $\angle$AFD$=\angle$CFE이므로

$\triangle$AFD $\backsim$ $\triangle$CFE (AA 닮음)

따라서 $\overline{DF}:\overline{EF}=\overline{AF}:\overline{CF}$에서

$9:5=15:\overline{CF}$, $9\overline{CF}=75$

$\therefore\overline{CF}=\dfrac{25}{3}$ cm

또, $\triangle$ABE $\backsim$ $\triangle$CBD (AA 닮음)이므로

$\overline{AE}:\overline{CD}=\overline{BE}:\overline{BD}$에서

$20:\dfrac{52}{3}=\overline{BE}:13$, $\dfrac{52}{3}\overline{BE}=260$

$\therefore\overline{BE}=15$ cm

$\therefore\triangle\text{ABE}=\dfrac{1}{2}\times\overline{BE}\times\overline{AE}$

$\qquad=\dfrac{1}{2}\times15\times20$

$\qquad=150$ (cm²)

14 $\angle$PDB$=\angle$DBC (엇각), $\angle$PBD$=\angle$DBC (접은 각)

이므로 $\angle$PDB$=\angle$PBD

즉, $\triangle$PBD는 이등변삼각형이므로

$\overline{PB}=\overline{PD}$이고, $\overline{BQ}=\overline{DQ}=5$ cm

또, $\triangle$PBQ와 $\triangle$DBC에서

$\angle$PQB$=\angle$DCB$=90°$, $\angle$PBQ$=\angle$DBC이므로

$\triangle$PBQ $\backsim$ $\triangle$DBC (AA 닮음)

따라서 $\overline{PQ}:\overline{DC}=\overline{BQ}:\overline{BC}$에서

$\overline{PQ}:6=5:8$, $8\overline{PQ}=30$

$\therefore\overline{PQ}=\dfrac{15}{4}$ cm

> **TIP** 직사각형의 대각선을 접는 선으로 하여 접는 경우 접은 각의 크기와 엇각의 크기가 같으므로 이등변삼각형이 만들어진다.

15 오른쪽 그림에서

$\triangle$ADE$\equiv$$\triangle$AD'E이므로

$\overline{DE}=\overline{D'E}$, $\overline{AD'}=\overline{AD}=20$ cm

$\angle$ABD'$=\angle$AD'E$=\angle$D'CE,

$\angle$BAD'$=90°-\angle$AD'B

$\qquad=\angle$CD'E

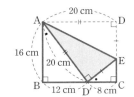

이므로 △ABD′∽△D′CE (AA 닮음)

$\overline{AB} : \overline{D'C} = \overline{AD'} : \overline{D'E}$에서

$16 : 8 = 20 : \overline{D'E}$ ∴ $\overline{D'E} = 10$ cm

∴ $\overline{DE} = \overline{D'E} = 10$ cm

16 오른쪽 그림에서

$\angle ABD = \angle DCE = 60°$,

$\angle BAD = 180° - (60° + \angle ADB)$

$\qquad\quad = \angle CDE$

이므로 △ABD∽△DCE (AA 닮음)

△ABC는 정삼각형이므로

$\overline{AB} = \overline{BC} = 6 + 2 = 8 \text{(cm)}$

$\overline{AB} : \overline{DC} = \overline{BD} : \overline{CE}$에서

$8 : 2 = 6 : \overline{CE}, 8\overline{CE} = 12$

∴ $\overline{CE} = \dfrac{3}{2}$ cm

17 △ABF∽△EFC (AA 닮음)이므로

$\overline{AF} : \overline{EC} = \overline{AB} : \overline{EF} = 2 : 4 = 1 : 2$

△AFE∽△ECD (AA 닮음)이므로

$\overline{AF} : \overline{EC} = \overline{EF} : \overline{DC}$에서

$1 : 2 = 4 : \overline{DC}$ ∴ $\overline{CD} = 8$ cm

18 △DEF∽△AFC (AA 닮음)이므로

$\overline{DE} : \overline{AF} = \overline{EF} : \overline{FC} = 3 : 6 = 1 : 2$

또, △BDE∽△BAF (AA 닮음)이므로

$\overline{BE} : \overline{BF} = \overline{DE} : \overline{AF}$에서

$\overline{BE} : (\overline{BE} + 3) = 1 : 2$

$2\overline{BE} = \overline{BE} + 3$ ∴ $\overline{BE} = 3$ cm

2^{STEP} 실력 높이기

50~54쪽

1 (1) $\dfrac{1}{6}S$ (2) $\dfrac{1}{5}S$	**2** $\dfrac{2}{3}$	**3** $2:1$	**4** 6	**5** $9:11$	**6** $\dfrac{9}{2}$ cm
7 15	**8** $4:1$	**9** $\dfrac{96}{25}$	**10** $4:1$	**11** $\dfrac{48}{5}$ cm	**12** 150 cm²
13 $\dfrac{168}{125}$ cm	**14** $7:1$	**15** $\dfrac{20}{3}$ cm	**16** $19:6$	**17** $\dfrac{4}{3}$ cm	**18** $40°$
19 $4:5$					

문제 풀이

1 (1) $\triangle AEC = \dfrac{1}{2}\triangle ABC = \dfrac{1}{2} \times \dfrac{1}{2}\square ABCD$

$\qquad\qquad = \dfrac{1}{4}\square ABCD = \dfrac{1}{4}S$

이때 △OAD∽△OCE (AA 닮음)이므로

$\overline{AO} : \overline{CO} = \overline{AD} : \overline{CE} = 2 : 1$

∴ $\triangle AEO = \dfrac{2}{3}\triangle AEC$

$\qquad\qquad = \dfrac{2}{3} \times \dfrac{1}{4}S = \dfrac{1}{6}S$

다른 풀이

점 O는 △BCD의 무게중심이므로

$\triangle OEC = \dfrac{1}{6}\triangle BCD = \dfrac{1}{6} \times \dfrac{1}{2}\square ABCD$

$\qquad\qquad = \dfrac{1}{12}\square ABCD = \dfrac{1}{12}S$

∴ $\triangle AEO = \triangle AEC - \triangle OEC$

$\qquad\qquad = \dfrac{1}{4}S - \dfrac{1}{12}S = \dfrac{1}{6}S$

(2) $\overline{AB} /\!/ \overline{DE}$이므로

$\triangle ABE = \triangle ABC = \dfrac{1}{2}\square ABCD = \dfrac{1}{2}S$

또, △ABF∽△ECF (AA 닮음)이므로

$\overline{AF} : \overline{EF} = \overline{BF} : \overline{CF} = 3 : 2$

∴ $\triangle BEF = \dfrac{2}{5}\triangle ABE = \dfrac{2}{5} \times \dfrac{1}{2}S = \dfrac{1}{5}S$

다른 풀이

$\overline{AB} : \overline{EC} = 3 : 2$에서 $\overline{EC} = \dfrac{2}{3}\overline{AB}$이므로

$\triangle BEC = \dfrac{2}{3}\triangle ABE = \dfrac{2}{3} \times \dfrac{1}{2}S = \dfrac{1}{3}S$

∴ $\triangle BEF = \dfrac{3}{5}\triangle BEC = \dfrac{3}{5} \times \dfrac{1}{3}S = \dfrac{1}{5}S$

2 △ABC와 △DBE에서

$\overline{AB}:\overline{DB}=\overline{BC}:\overline{BE}=3:2$이고, ∠B는 공통이므로

△ABC ∽ △DBE (SAS 닮음)

$\therefore \dfrac{\overline{DE}}{\overline{AC}}=\dfrac{\overline{DB}}{\overline{AB}}=\dfrac{2}{3}$

3 오른쪽 그림에서

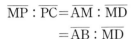

△ABP ≡ △AMP이므로

$\overline{AB}=\overline{AM}$, $\overline{BP}=\overline{MP}$

$\therefore \overline{BP}:\overline{PC}=\overline{MP}:\overline{PC}$ ······ ㉠

△AMD ∽ △MPC (AA 닮음)이므로

$\overline{MP}:\overline{PC}=\overline{AM}:\overline{MD}$

$\qquad\qquad =\overline{AB}:\overline{MD}$

$\qquad\qquad =2:1$ ······ ㉡

㉠, ㉡에서

$\overline{BP}:\overline{PC}=\overline{MP}:\overline{PC}=2:1$

4 서술형

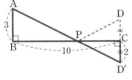

표현 단계 오른쪽 그림과 같이 점 D를 $\overline{BC}$를 대칭축으로 하여 대칭이동한 점을 D′이라 할 때, $\overline{AD'}$과 $\overline{BC}$가 만나는 점이 P이면 $\overline{AP}+\overline{DP}$의 길이가 최소가 된다.

변형 단계 따라서 △PAB ∽ △PD′C (AA 닮음)에서

$\overline{AB}:\overline{D'C}=\overline{BP}:\overline{CP}$이므로

풀이 단계 $3:2=\overline{BP}:(10-\overline{BP})$

$2\overline{BP}=30-3\overline{BP}$, $5\overline{BP}=30$

확인 단계 $\therefore \overline{BP}=6$

5 오른쪽 그림과 같이 $\overline{AM}=a$라 하면 $\overline{MD}=2a$, $\overline{BC}=3a$

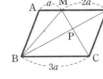

또, △PDM ∽ △PBC (AA 닮음)이므로

$\overline{PM}:\overline{PC}=\overline{MD}:\overline{CB}=2:3$

$\overline{BM}$을 그으면 △BCM에서 삼각형의 넓이는 높이가 같을 때, 밑변의 길이에 비례하므로

$\triangle BCP=\dfrac{3}{5}\triangle BCM$

$\qquad\quad =\dfrac{3}{5}\times\dfrac{1}{2}\square ABCD$

$\qquad\quad =\dfrac{3}{10}\square ABCD$

$\square ABPM=\triangle ABM+\triangle BPM$

$\qquad\qquad =\dfrac{1}{3}\triangle ABD+\dfrac{2}{5}\triangle BCM$

$\qquad\qquad =\dfrac{1}{3}\times\dfrac{1}{2}\square ABCD+\dfrac{2}{5}\times\dfrac{1}{2}\square ABCD$

$\qquad\qquad =\dfrac{1}{6}\square ABCD+\dfrac{1}{5}\square ABCD$

$\qquad\qquad =\dfrac{11}{30}\square ABCD$

$\therefore \triangle BCP:\square ABPM=\dfrac{3}{10}:\dfrac{11}{30}=9:11$

6 △BCD ∽ △BAC (AA 닮음)이므로

$\overline{AC}\times\overline{BC}=\overline{CD}\times\overline{AB}$에서

$4\times3=2\times\overline{AB}$ $\therefore \overline{AB}=6$ cm

또, $\overline{BC}^2=\overline{BD}\times\overline{BA}$이므로

$3^2=\overline{BD}\times6$ $\therefore \overline{BD}=\dfrac{3}{2}$ cm

$\therefore \overline{AD}=\overline{AB}-\overline{BD}=6-\dfrac{3}{2}=\dfrac{9}{2}$(cm)

7 △ABD ∽ △CAD (AA 닮음)이므로

$\overline{AB}:\overline{CA}=\overline{AD}:\overline{CD}$에서

$20:\overline{AC}=12:9$

$12\overline{AC}=180$

$\therefore \overline{AC}=15$

8 $\overline{AB}^2=\overline{BD}\times\overline{BC}$, $\overline{AC}^2=\overline{CD}\times\overline{CB}$에서

$\overline{AB}^2:\overline{AC}^2=\overline{BD}\times\overline{BC}:\overline{CD}\times\overline{BC}=\overline{BD}:\overline{CD}$

$\therefore \overline{BD}:\overline{CD}=\overline{AB}^2:\overline{AC}^2=4^2:2^2=4:1$

9 서술형

변형 단계 $\triangle ABC=\dfrac{1}{2}\times8\times6=\dfrac{1}{2}\times10\times\overline{AD}$

이므로 $\overline{AD}=\dfrac{24}{5}$

△DAC에서 $\overline{AD}^2=\overline{AE}\times\overline{AC}$이므로

풀이 단계 $\left(\dfrac{24}{5}\right)^2=\overline{AE}\times6$

확인 단계 $\therefore \overline{AE}=\dfrac{96}{25}$

10 오른쪽 그림에서

△BCM ≡ △CDN (SAS 합동)

이므로 △BCE에서

∠EBC + ∠ECB

= ∠NCD + ∠ECB = 90°

따라서 ∠BEC = 90°이므로

△BCE ∽ △CME (AA 닮음)

$\overline{BC}:\overline{CM}=\overline{EC}:\overline{EM}=\overline{BE}:\overline{CE}=2:1$이므로

$\overline{BE}=2\overline{CE}=2\times2\overline{EM}=4\overline{EM}$

$\therefore \overline{BE}:\overline{EM}=4:1$

11 오른쪽 그림에서

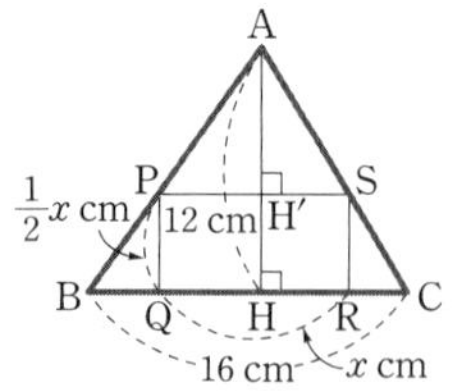

$\overline{QR}=x$ cm라 하면 $\overline{PQ}=\frac{1}{2}x$ cm

$\triangle APS \backsim \triangle ABC$ (AA 닮음)에서

$\overline{AH'} : \overline{AH} = \overline{PS} : \overline{BC}$이므로

$\left(12-\frac{1}{2}x\right) : 12 = x : 16$

$16\left(12-\frac{1}{2}x\right)=12x,\ 4\left(12-\frac{1}{2}x\right)=3x$

$48-2x=3x,\ 5x=48$ $\therefore x=\frac{48}{5}$

따라서 $\overline{QR}$의 길이는 $\frac{48}{5}$ cm이다.

12 $\overline{AB}^2=\overline{BD}\times\overline{BC}$에서

$15^2=9\times\overline{BC}$ $\therefore \overline{BC}=25$ cm

$\therefore \overline{CD}=\overline{BC}-\overline{BD}=25-9=16(\text{cm})$

또, $\overline{AD}^2=\overline{BD}\times\overline{CD}$에서

$\overline{AD}^2=9\times16=144$ $\therefore \overline{AD}=12$ cm $(\because \overline{AD}>0)$

$\therefore \triangle ABC=\frac{1}{2}\times\overline{BC}\times\overline{AD}$

$\qquad\qquad =\frac{1}{2}\times25\times12=150(\text{cm}^2)$

13 오른쪽 그림에서

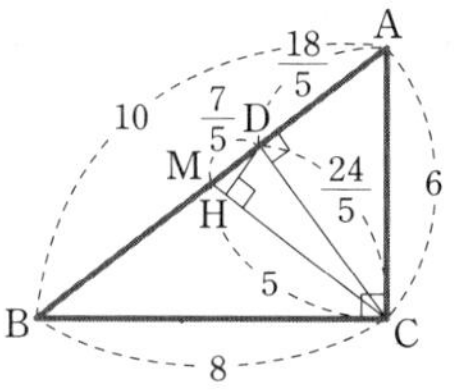

$\overline{AC}^2=\overline{AD}\times\overline{AB}$,

$6^2=\overline{AD}\times10$

$\therefore \overline{AD}=\frac{18}{5}$ cm

$\overline{AM}=\overline{BM}=5$ cm이므로

$\overline{DM}=\overline{AM}-\overline{AD}=5-\frac{18}{5}=\frac{7}{5}(\text{cm})$

또, $\overline{AC}\times\overline{BC}=\overline{CD}\times\overline{AB}$에서

$6\times8=\overline{CD}\times10$ $\therefore \overline{CD}=\frac{24}{5}$ cm

점 M은 직각삼각형 ABC의 외심이므로

$\overline{CM}=\overline{AM}=\overline{BM}=5$ cm

따라서 $\triangle CDM$에서 $\overline{CD}\times\overline{DM}=\overline{DH}\times\overline{CM}$이므로

$\frac{24}{5}\times\frac{7}{5}=\overline{DH}\times5$

$\therefore \overline{DH}=\frac{168}{125}$ cm

14 서술형

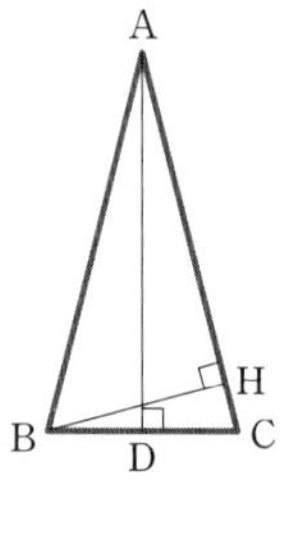

표현 단계 오른쪽 그림에서 $\overline{BC}=a$라 하고, 점 A에서 $\overline{BC}$에 내린 수선의 발을 D라 하면 $\triangle ABC$는 $\overline{AB}=\overline{AC}$인 이등변삼각형이므로 $\overline{BD}=\overline{CD}$이다.

즉, $\overline{AB}=\overline{AC}=2a,\ \overline{CD}=\frac{1}{2}a$이다.

변형 단계 $\triangle ACD$와 $\triangle BCH$에서

$\angle ADC = \angle BHC=90°,\ \angle C$는 공통이므로

$\triangle ACD \backsim \triangle BCH$ (AA 닮음)

풀이 단계 즉, $\overline{AC} : \overline{CD} = \overline{BC} : \overline{CH}$에서

$2a : \frac{1}{2}a = a : \overline{CH}$ $\therefore \overline{CH}=\frac{1}{4}a$

따라서 $\overline{AH}=2a-\frac{1}{4}a=\frac{7}{4}a$이므로

확인 단계 $\overline{AH} : \overline{CH} = \frac{7}{4}a : \frac{1}{4}a = 7 : 1$

15 오른쪽 그림에서

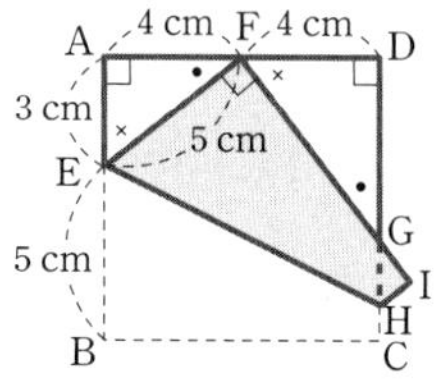

$\angle EAF = \angle FDG=90°$이고,

$\angle AEF = 90° - \angle AFE = \angle DFG$

이므로

$\triangle EAF \backsim \triangle FDG$ (AA 닮음)

$\overline{FD}=8-4=4(\text{cm}),\ \overline{EF}=\overline{EB}=8-3=5(\text{cm})$

이므로

$\overline{EA} : \overline{FD} = \overline{EF} : \overline{FG}$에서

$3 : 4 = 5 : \overline{FG},\ 3\overline{FG}=20$ $\therefore \overline{FG}=\frac{20}{3}$ cm

16 오른쪽 그림과 같이 $\overline{CE}=2a$, $\overline{EA}=3a$라고 하면 정삼각형 ABC 의 한 변의 길이는 $5a$이다.

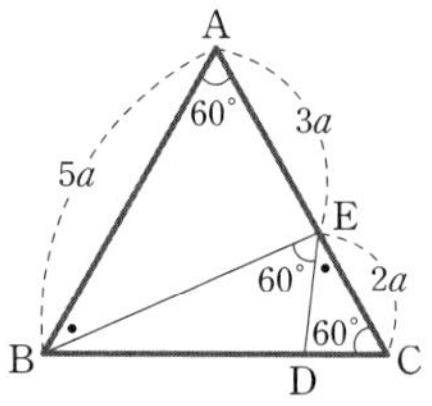

$\angle BAE = \angle ECD=60°$이고,

$\angle ABE = 180° - (60° + \angle AEB)$

$\qquad = \angle CED$

이므로

$\triangle ABE \backsim \triangle CED$ (AA 닮음)

따라서 $\overline{AB} : \overline{CE} = \overline{AE} : \overline{CD}$에서

$5a : 2a = 3a : \overline{CD}$ $\therefore \overline{CD}=\frac{6}{5}a$

또, $\overline{BD}=\overline{BC}-\overline{CD}=5a-\frac{6}{5}a=\frac{19}{5}a$이므로

$\overline{BD} : \overline{DC} = \frac{19}{5}a : \frac{6}{5}a = 19 : 6$

TIP 정삼각형의 한 내각의 크기

정삼각형 ABC는 $\overline{AB}=\overline{AC}$인 이등변삼각형이므로 $\angle B=\angle C$

마찬가지로 생각하면 $\overline{BA}=\overline{BC}$에서 $\angle A=\angle C$이다

즉, $\angle A=\angle B=\angle C$이다.

삼각형의 세 내각의 합은 180°이므로

$\angle A+\angle B+\angle C=3\angle A=180°$ $\therefore \angle A=60°$

즉, $\angle A=\angle B=\angle C$이므로 정삼각형의 한 내각의 크기는 60°이다.

---

17 오른쪽 그림에서

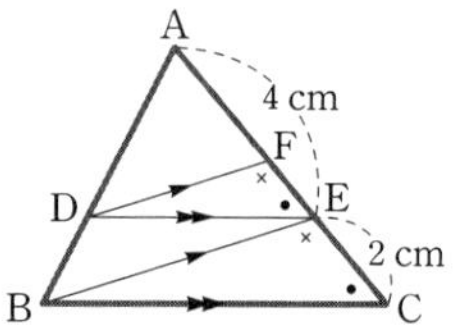

$\triangle ADE \backsim \triangle ABC$ (AA 닮음)

이므로

$\overline{DE} : \overline{BC} = \overline{AE} : \overline{AC} = 4 : 6 = 2 : 3$

또, $\triangle DEF \backsim \triangle BCE$ (AA 닮음)이므로

$\overline{DE} : \overline{BC} = \overline{EF} : \overline{CE}$에서

$2 : 3 = \overline{EF} : 2$, $3\overline{EF} = 4$ $\therefore \overline{EF} = \dfrac{4}{3}$ cm

18 오른쪽 그림에서

$\triangle ABC \backsim \triangle ADE$이므로

$\angle AED = \angle ACB$

$\qquad = 180° - (30° + 70°) = 80°$이고

$\overline{AB} : \overline{AC} = \overline{AD} : \overline{AE}$ ······ ㉠

$\triangle ABD$와 $\triangle ACE$에서

$\angle BAD = \angle CAE$ ······ ㉡

㉠, ㉡에서 $\triangle ABD \backsim \triangle ACE$ (SAS 닮음)

따라서 $\angle AEC = \angle ADB = 40°$이므로

$\angle CED = \angle AED - \angle AEC = 80° - 40° = 40°$

> **TIP** 닮은 평면도형의 성질
>
> 서로 닮은 두 평면도형에 대하여 대응하는 선분의 길이의 비는 일정하고 대응각의 크기는 서로 같다.
>
> 예를 들어 $\triangle ABC \backsim \triangle DEF$에 대하여
>
> $\overline{AB} : \overline{DE} = \overline{BC} : \overline{EF} = \overline{AC} : \overline{DF}$이고
>
> $\angle A = \angle D$, $\angle B = \angle E$, $\angle C = \angle F$이다.

19 오른쪽 그림에서

□ABCD가 평행사변형이므로

$\overline{AD} = \overline{BC}$

$\triangle EDA \backsim \triangle EBG$이므로

$\overline{AD} : \overline{GB} = \overline{AE} : \overline{GE} = \overline{DE} : \overline{BE}$

$\qquad = 2 : 3$

$\overline{AD} = 2b$라 하면 $\overline{CG} = b$가 되고,

$\triangle FDA \backsim \triangle FCG$ (AA 닮음)이므로

$\overline{AF} : \overline{GF} = \overline{AD} : \overline{GC} = 2 : 1$

따라서 $\overline{AE} = \dfrac{2}{5}\overline{AG}$, $\overline{AF} = \dfrac{2}{3}\overline{AG}$이므로

$\overline{EF} = \overline{AF} - \overline{AE} = \dfrac{2}{3}\overline{AG} - \dfrac{2}{5}\overline{AG} = \dfrac{4}{15}\overline{AG}$

또, $\overline{FG} = \dfrac{1}{3}\overline{AG}$이므로

$\overline{EF} : \overline{FG} = \dfrac{4}{15}\overline{AG} : \dfrac{1}{3}\overline{AG}$

$\qquad = 4 : 5$

---

3 STEP 최고 실력 완성하기

55~56쪽

| **1** 4 : 1 | **2** 9 cm | **3** 9 : 4 | **4** 5 : 7 | **5** 9 cm | **6** $\dfrac{27}{2}$ cm |
| **7** $\dfrac{16}{9}$ cm | **8** 70° | **9** 8 : 1 | **10** $b^2 = ac$ | | |

문제 풀이

1 $\triangle ODA \backsim \triangle OBC$ (AA 닮음)이므로

$\overline{OD} : \overline{OB} = \overline{AD} : \overline{CB} = 2 : 6 = 1 : 3$

$\therefore \overline{OD} = \dfrac{1}{4}\overline{BD}$

$\triangle EDA \backsim \triangle EBM$ (AA 닮음)이므로

$\overline{ED} : \overline{EB} = \overline{AD} : \overline{MB} = 2 : 3$

$\therefore \overline{ED} = \dfrac{2}{5}\overline{BD}$, $\overline{BE} = \dfrac{3}{5}\overline{BD}$

이때 $\overline{EO} = \overline{ED} - \overline{OD} = \dfrac{2}{5}\overline{BD} - \dfrac{1}{4}\overline{BD} = \dfrac{3}{20}\overline{BD}$이므로

$\overline{BE} : \overline{EO} = \dfrac{3}{5}\overline{BD} : \dfrac{3}{20}\overline{BD} = 4 : 1$

$\therefore \triangle ABE : \triangle AEO = \overline{BE} : \overline{EO} = 4 : 1$

2 오른쪽 그림에서

$\triangle ABC = \dfrac{1}{2} \times 12 \times \overline{BH} = 48$

$\therefore \overline{BH} = 8$ cm

□PQRS의 한 변의 길이를

x cm라 하면

$\triangle BPQ \backsim \triangle BAC$ (AA 닮음)에서

$\overline{BH'} : \overline{BH} = \overline{PQ} : \overline{AC}$이므로

$(8 - x) : 8 = x : 12$, $12(8 - x) = 8x$

$3(8 - x) = 2x$, $24 - 3x = 2x$

$5x = 24$ $\therefore x = \dfrac{24}{5}$

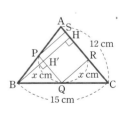

또, $\overline{BQ}:\overline{BC}=\overline{PQ}:\overline{AC}$이므로

$\overline{BQ}:15=\dfrac{24}{5}:12$ $\therefore \overline{BQ}=6$ cm

$\therefore \overline{QC}=\overline{BC}-\overline{BQ}=15-6=9(cm)$

3 $\overline{AB}^2=\overline{BD}\times\overline{BC}$이고, $\overline{AC}^2=\overline{CD}\times\overline{CB}$이므로

$\overline{AB}^2:\overline{AC}^2=\overline{BD}\times\overline{BC}:\overline{CD}\times\overline{BC}$

$\qquad\qquad\quad =\overline{BD}:\overline{CD}$ $\cdots\cdots$ ㉠

또, $\square BPQD=\overline{BP}\times\overline{BD}$이고,

$\square DQRC=\overline{BP}\times\overline{CD}$이므로

$\square BPQD:\square DQRC=\overline{BD}:\overline{CD}$

$\qquad\qquad\qquad\quad =\overline{AB}^2:\overline{AC}^2\,(\because ㉠)$

$\qquad\qquad\qquad\quad =3^2:2^2=9:4$

4 오른쪽 그림과 같이 $\overline{AD}$의 연장선과 $\overline{BP}$의 연장선이 만나는 점을 Q라고 하면

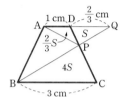

$\triangle PQD\varpropto\triangle PBC$ (AA 닮음)

$\overline{DQ}:\overline{BC}=\overline{DP}:\overline{PC}=1:2$

이므로 $\overline{DQ}=\dfrac{1}{2}\overline{BC}=\dfrac{3}{2}(cm)$

또, $\triangle PQD:\triangle PBC=1^2:2^2=1:4$이므로

$\triangle PQD=S$ cm²라 하면 $\triangle PBC=4S$ cm²

$\triangle PQA$에서

$\triangle PDA:\triangle PQD=\overline{AD}:\overline{DQ}=1:\dfrac{3}{2}=2:3$

$\therefore \triangle PDA=\dfrac{2}{3}S$ cm²

또, $\triangle ABQ$에서

$\triangle ABP:\triangle APQ=\overline{BP}:\overline{PQ}=\overline{PC}:\overline{PD}=2:1$

따라서 $\triangle ABP:\dfrac{5}{3}S=2:1$에서

$\triangle ABP=\dfrac{10}{3}S$ cm²

$\therefore \triangle ABP:(\triangle PDA+\triangle PBC)$

$\quad =\dfrac{10}{3}S:\left(\dfrac{2}{3}S+4S\right)=\dfrac{10}{3}S:\dfrac{14}{3}S=5:7$

다른 풀이

사다리꼴 ABCD의 높이를 $3h$ cm라 하면 $\triangle BPC$의 높이는 $2h$ cm, $\triangle PDA$의 높이는 h cm이므로

$\square ABCD=\dfrac{1}{2}\times(1+3)\times3h=6h(cm^2)$

$\triangle PDA=\dfrac{1}{2}\times1\times h=\dfrac{h}{2}(cm^2)$

$\triangle PBC=\dfrac{1}{2}\times3\times2h=3h(cm^2)$

$\therefore \triangle ABP:(\triangle PDA+\triangle PBC)$

$\quad =\left(6h-\dfrac{h}{2}-3h\right):\left(\dfrac{h}{2}+3h\right)$

$\quad =5:7$

5 오른쪽 그림과 같이 $\overline{PC}=x$ cm, $\overline{PA}=y$ cm라고 하면

$\triangle PAC\varpropto\triangle PBA$이므로

$y^2=x(x+7)$ $\cdots\cdots$ ㉠

$8y=6(x+7)$ $\cdots\cdots$ ㉡

㉡을 ㉠에 대입하면

$y^2=x(x+7)=x\times\dfrac{4}{3}y$ $\therefore y=\dfrac{4}{3}x$

따라서 $y=\dfrac{4}{3}x$를 ㉡에 대입하면

$8\times\dfrac{4}{3}x=6(x+7)$, $\dfrac{16}{3}x=3x+21$

$\dfrac{7}{3}x=21$ $\therefore x=9$

따라서 $\overline{PC}$의 길이는 9 cm이다.

6 $\triangle ABE$와 $\triangle ACF$에서

$\overline{AB}=\overline{AC}$이므로 $\angle B=\angle C$, $\angle BAE=\angle CAF$

$\therefore \triangle ABE\equiv\triangle ACF$ (ASA 합동)

$\therefore \overline{AE}=\overline{AF}=4$ cm

따라서 $\overline{AB}:\overline{AD}=\overline{AE}:\overline{AB}=2:3$이고,

$\angle BAD$는 공통이므로

$\triangle ABE\varpropto\triangle ADB$ (SAS 닮음)

$\overline{AB}:\overline{AD}=\overline{BE}:\overline{DB}$이므로 $6:9=4:\overline{BD}$

$6\overline{BD}=36$ $\therefore \overline{BD}=6$ cm

또, $\overline{AC}:\overline{AD}=\overline{AE}:\overline{AC}=2:3$이고 $\angle CAD$는 공통이므로 $\triangle ACE\varpropto\triangle ADC$ (SAS 닮음)

$\overline{CA}:\overline{DA}=\overline{CE}:\overline{DC}$이므로 $6:9=5:\overline{CD}$

$6\overline{CD}=45$ $\therefore \overline{CD}=\dfrac{15}{2}$ cm

$\therefore \overline{BD}+\overline{CD}=6+\dfrac{15}{2}=\dfrac{27}{2}(cm)$

7 오른쪽 그림에서 $\triangle ABE$와 $\triangle BCF$는 정삼각형이므로

$\angle EAB=\angle FBC=60°$

따라서 동위각의 크기가 같으므로 $\overline{AE}/\!/\overline{BF}$이고

$\triangle HAE\varpropto\triangle HBF$ (AA 닮음)

$\overline{HA}:\overline{HB}=\overline{AE}:\overline{BF}$에서 $12:8=4:\overline{BF}$

$12\overline{BF}=32$ $\therefore \overline{BF}=\dfrac{8}{3}$ cm

$\triangle BCF$와 $\triangle CDG$도 정삼각형이므로

$\overline{BC}=\overline{BF}=\dfrac{8}{3}$ cm

$\therefore \overline{HC}=\overline{HB}-\overline{BC}=8-\dfrac{8}{3}=\dfrac{16}{3}(cm)$

$\triangle HBF\varpropto\triangle HCG$ (AA 닮음)이므로

$\overline{HB}:\overline{HC}=\overline{BF}:\overline{CG}$에서 $8:\dfrac{16}{3}=\dfrac{8}{3}:\overline{CG}$

$\therefore \overline{CG}=\dfrac{16}{9}$ cm

8 오른쪽 그림의 △OBD와 △OCE에서

∠BDO=∠CEO,

∠DOB=∠EOC (맞꼭지각)

이므로

△OBD∽△OCE (AA 닮음)

∴ $\overline{OD}:\overline{OE}=\overline{OB}:\overline{OC}$ ······ ㉠

한편, △ODE와 △OBC에서

∠DOE=∠BOC이고, ㉠이므로

△ODE∽△OBC (SAS 닮음)

∴ ∠ODE=∠OBC=40° ······ ㉡

또, △BCE는 이등변삼각형이므로

∠BEC=∠BCE=∠BDC

$\qquad =\dfrac{1}{2}(180°-40°)=70°$ ······ ㉢

㉡, ㉢에서

∠ADE=180°-(∠ODE+∠BDC)

$\qquad =180°-(40°+70°)=70°$

9

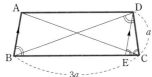

위의 그림에서 $\overline{DC}=a$라고 하면 $\overline{BC}=3a$

□ABCD는 등변사다리꼴이므로

∠B=∠C이고, ∠B=∠DEC (동위각)

∴ ∠DEC=∠C

또, $\overline{BD}=\overline{BC}$에서 ∠C=∠BDC이므로

△BCD∽△DCE (AA 닮음)

따라서 $\overline{BC}:\overline{DC}=\overline{DC}:\overline{EC}$이므로

$\overline{DC}^2=\overline{BC}\times\overline{EC}$, $a^2=3a\times\overline{EC}$

∴ $\overline{EC}=\dfrac{a}{3}$

∴ $\overline{BE}:\overline{EC}=\left(3a-\dfrac{a}{3}\right):\dfrac{a}{3}$

$\qquad\qquad =\dfrac{8}{3}a:\dfrac{a}{3}=8:1$

10 오른쪽 그림에서

$\overline{AD}:\overline{AB}=1:x$라고 하면

$\overline{DG}/\!/\overline{BC}$에서

$\overline{AD}:\overline{AB}=\overline{DH}:\overline{BE}$

$\qquad\quad =\overline{HI}:\overline{EF}$

$\qquad\quad =\overline{IG}:\overline{FC}$

이므로 $\overline{BE}=ax$, $\overline{EF}=bx$, $\overline{FC}=cx$이다.

또, □DEFG는 정사각형이므로

$\overline{DE}=\overline{FG}=\overline{EF}=bx$이고,

△BED∽△DAG∽△GFC (AA 닮음)에서

$\overline{BE}:\overline{GF}=\overline{DE}:\overline{CF}$, 즉 $ax:bx=bx:cx$

∴ $b^2=ac$

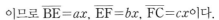
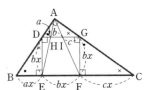

2 닮음의 응용

1 (1) $\dfrac{8}{3}$ (2) $\dfrac{15}{2}$ (3) $\dfrac{24}{5}$ (4) $\dfrac{5}{2}$　　2 ㄱ, ㄷ, ㄹ, ㅂ　　3 풀이 참조　　4 4 : 3　　5 6 cm

6 6 cm　　7 풀이 참조　　8 18 cm²　　9 6　　10 $\dfrac{7}{3}$ cm　　11 9 cm

12 $\dfrac{3}{2}$ cm　　13 2 cm　　14 (1) $\dfrac{25}{4}$ (2) $\dfrac{21}{2}$　　15 풀이 참조　　16 4 cm　　17 1 : 1

18 (1) 12 (2) 4 (3) $\dfrac{12}{5}$　　19 $\dfrac{9}{8}$　　20 2　　21 104 cm²　　22 $\dfrac{10}{3}$ cm²

23 $\dfrac{2}{3}$ cm²　　24 48 cm²　　25 1 : 7 : 19　　26 1000　　27 $\dfrac{190}{37}\pi$ cm³　　

28 (1) 7 : 3 (2) 1 : 1 (3) 5 : 3　　29 (1) 3 : 1 (2) 2 : 1 (3) 2 : 1 (4) 1 : 1　　30 1 : 4　　31 $\dfrac{1}{3}$

32 2 cm²　　33 3 : 2　　34 30 cm²

문제 풀이

1 (1) △ABC∽△ADE에서
$\overline{AB} : \overline{AD} = \overline{AC} : \overline{AE}$이므로
$9 : 6 = 8 : (8-x)$, $9(8-x) = 48$
$8 - x = \dfrac{16}{3}$　∴ $x = \dfrac{8}{3}$

다른 풀이
$\overline{AB} : \overline{BD} = \overline{AC} : \overline{CE}$이므로
$9 : 3 = 8 : x$, $9x = 24$
∴ $x = \dfrac{8}{3}$

(2) △ABC∽△ADE에서
$\overline{AC} : \overline{AE} = \overline{AB} : \overline{AD}$이므로
$9 : 3 = x : (10-x)$, $9(10-x) = 3x$
$3(10-x) = x$, $30 - 3x = x$
$4x = 30$　∴ $x = \dfrac{15}{2}$

다른 풀이
$\overline{AE} : \overline{EC} = \overline{AD} : \overline{DB}$이므로
$3 : 12 = (10-x) : 10$
또는 $\overline{AC} : \overline{CE} = \overline{AB} : \overline{BD}$이므로
$9 : 12 = x : 10$
∴ $x = \dfrac{15}{2}$

(3) △ADE∽△ABC에서
$\overline{AD} : \overline{AB} = \overline{DE} : \overline{BC}$이므로
$\overline{AD} : (\overline{AD}+4) = 10 : 14$

$14\overline{AD} = 10(\overline{AD}+4)$, $14\overline{AD} = 10\overline{AD} + 40$
$4\overline{AD} = 40$　∴ $\overline{AD} = 10$
또, $\overline{AD} : \overline{AE} = 5 : 6$이므로 $10 : \overline{AE} = 5 : 6$
$5\overline{AE} = 60$　∴ $\overline{AE} = 12$
$\overline{AD} : \overline{DB} = \overline{AE} : \overline{EC}$이므로 $10 : 4 = 12 : x$
$10x = 48$　∴ $x = \dfrac{24}{5}$

다른 풀이
$\overline{AD} : \overline{AE} = \overline{DB} : \overline{EC}$이므로
$5 : 6 = 4 : x$, $5x = 24$　∴ $x = \dfrac{24}{5}$

(4) △ADP∽△ABQ이고 △ADE∽△ABC이므로
$\overline{AP} : \overline{AQ} = \overline{AD} : \overline{AB}$
$\qquad\qquad = \overline{DE} : \overline{BC}$
$5 : (5+x) = 10 : 15$, $10(5+x) = 75$
$5 + x = \dfrac{15}{2}$　∴ $x = \dfrac{5}{2}$

2 ㄱ. $\overline{AB} : \overline{AD} = \overline{AC} : \overline{AE} = 2 : 5$이므로 $\overline{BC} /\!/ \overline{DE}$이다.
ㄴ. $\overline{AD} : \overline{DB} = 1 : 3$이고 $\overline{AE} : \overline{EC} = 1 : 4$이므로 $\overline{BC}$와 $\overline{DE}$는 평행하지 않다.
ㄷ. $\overline{AD} : \overline{AB} = \overline{AE} : \overline{AC} = 4 : 5$이므로 $\overline{BC} /\!/ \overline{DE}$이다.
ㄹ. $\overline{AB} : \overline{BD} = \overline{AC} : \overline{CE} = 3 : 1$이므로 $\overline{BC} /\!/ \overline{DE}$이다.
ㅁ. $\overline{AB} : \overline{AD} = 8 : 3$이고 $\overline{AC} : \overline{AE} = 5 : 2$이므로 $\overline{BC}$와 $\overline{DE}$는 평행하지 않다.
ㅂ. $\overline{AB} : \overline{AD} = \overline{AC} : \overline{AE} = 1 : 3$이므로 $\overline{BC} /\!/ \overline{DE}$이다.
따라서 보기 중 $\overline{BC} /\!/ \overline{DE}$인 것은 ㄱ, ㄷ, ㄹ, ㅂ이다.

3 (1) $\overline{AC} /\!/ \overline{BE}$이므로

∠BED=∠CAD (엇각)이고,

∠BDE=∠CDA (맞꼭지각)이므로

△DBE∽△DCA (AA 닮음)

또, △ABE에서

∠BAE=∠BEA이므로 $\overline{BA}=\overline{BE}$

∴ $\overline{AB}:\overline{AC}=\overline{EB}:\overline{AC}=\overline{BD}:\overline{CD}$

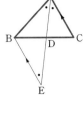

(2) $\overline{AC} /\!/ \overline{ED}$이므로

∠CAD=∠EDA (엇각)

즉, ∠EAD=∠EDA이므로

$\overline{AE}=\overline{DE}$ ...... ㉠

또, ∠ACB=∠EDB (동위각), ∠B는 공통이므로

△ABC∽△EBD (AA 닮음)

∴ $\overline{AB}:\overline{AC}=\overline{EB}:\overline{ED}$

$=\overline{EB}:\overline{EA}$ (∵ ㉠)

$=\overline{BD}:\overline{CD}$

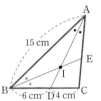

4 삼각형의 내각의 이등분선의 정리에 의해

$\overline{AB}:\overline{AD}=\overline{BE}:\overline{DE}$

$=△CBE:△CDE$

$=4:3$

5 점 I는 △ABC의 내심이므로

∠BAD=∠CAD

따라서 $\overline{AB}:\overline{AC}=\overline{BD}:\overline{CD}$에서

$15:\overline{AC}=6:4,\ 6\overline{AC}=60$

∴ $\overline{AC}=10$ cm

또한, ∠ABE=∠CBE이므로

$\overline{BA}:\overline{BC}=\overline{AE}:\overline{CE}$에서

$15:10=\overline{AE}:(10-\overline{AE}),\ 15(10-\overline{AE})=10\overline{AE}$

$150-15\overline{AE}=10\overline{AE},\ 25\overline{AE}=150$

∴ $\overline{AE}=6$ cm

> **TIP** 삼각형의 내심
> 삼각형의 내심은 삼각형의 세 내각의 이등분선의 교점이므로
> △ABC에 대하여 내심을 I라 하면
> ∠IAB=∠IAC, ∠IBA=∠IBC, ∠ICA=∠ICB가 성립한다.

6 △BCD와 △BAC에서

∠BCD=∠BAC이고, ∠B는 공통이므

로 △BCD∽△BAC (AA 닮음)

$\overline{BC}:\overline{BA}=\overline{BD}:\overline{BC}$에서

$\overline{BC}^2=\overline{BD}\times\overline{BA}$

$6^2=\overline{BD}\times12$

∴ $\overline{BD}=3$ cm

또, $\overline{BC}:\overline{BA}=\overline{CD}:\overline{AC}$에서

$\overline{AC}\times\overline{BC}=\overline{AB}\times\overline{CD}$

$6\overline{AC}=12\overline{CD}$

따라서 $\overline{AC}=2\overline{CD}$이므로

$\overline{AC}:\overline{CD}=2:1$

△CAD에서 삼각형의 내각의 이등분선의 정리에 의해

$\overline{AC}:\overline{CD}=\overline{AE}:\overline{ED}$

$2:1=\overline{AE}:(9-\overline{AE})$

$2(9-\overline{AE})=\overline{AE},\ 18-2\overline{AE}=\overline{AE},\ 3\overline{AE}=18$

∴ $\overline{AE}=6$ cm

7 (1) $\overline{AC} /\!/ \overline{ED}$이므로

∠CAD=∠EDA (엇각)

따라서 ∠EAD=∠EDA

이므로

$\overline{EA}=\overline{ED}$ ...... ㉠

또, ∠BAC=∠BED (동위각)이고, ∠B는 공통이므로

△BAC∽△BED (AA 닮음)

∴ $\overline{AB}:\overline{AC}=\overline{BE}:\overline{DE}$

$=\overline{BE}:\overline{EA}$ (∵ ㉠)

$=\overline{BD}:\overline{CD}$

(2) $\overline{AD} /\!/ \overline{BE}$이므로

∠FAD=∠ABE (동위각)

∠DAE=∠BEA (엇각)

따라서 ∠ABE=∠AEB이므로

$\overline{AB}=\overline{AE}$ ...... ㉠

또, ∠BEC=∠DAC,

∠BCE=∠DCA (맞꼭지각)이므로

△BCE∽△DCA (AA 닮음)

∴ $\overline{AB}:\overline{AC}=\overline{AE}:\overline{AC}$ (∵ ㉠)

$=\overline{BD}:\overline{CD}$

(3) $\overline{AD} /\!/ \overline{EC}$이므로

∠FAD=∠AEC (동위각)

∠DAC=∠ECA (엇각)

따라서 ∠AEC=∠ACE이므로

$\overline{AE}=\overline{AC}$ ...... ㉠

또, ∠BCE=∠BDA (동위각)이고, ∠B는 공통이므로

△BCE∽△BDA (AA 닮음)

∴ $\overline{AB}:\overline{AC}=\overline{AB}:\overline{AE}$ (∵ ㉠)

$=\overline{BD}:\overline{CD}$

8 $\overline{AD}$가 ∠A의 외각의 이등분선이므로

$\overline{AB}:\overline{AC}=\overline{BD}:\overline{CD}$에서

$\overline{BD}:\overline{CD}=12:8=3:2$

∴ $\overline{BC} : \overline{CD} = 1 : 2$

이때 $\triangle ABC : \triangle ACD = \overline{BC} : \overline{CD}$이므로

$\triangle ABC : 36 = 1 : 2$

∴ $\triangle ABC = 18 \text{ cm}^2$

9 $\overline{AB} : \overline{AC} = \overline{BD} : \overline{CD}$이므로

$6 : 4 = (3 + \overline{CD}) : \overline{CD}$

$6\overline{CD} = 12 + 4\overline{CD}, \quad 2\overline{CD} = 12$

∴ $\overline{CD} = 6$

10 점 I는 $\triangle ABC$의 내심이므로

$\angle PBI = \angle CBI, \quad \angle QCI = \angle BCI$

　　　　　　　　　　　　　……㉠

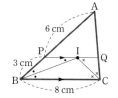

$\overline{PQ} /\!/ \overline{BC}$이므로

$\angle PIB = \angle CBI$ (엇각)

이때 $\angle PBI = \angle PIB$ ($\because$ ㉠)이므로

$\overline{PI} = \overline{PB} = 3 \text{ cm}$　　　　……㉡

또, $\angle QIC = \angle BCI$ (엇각)이므로

$\angle QIC = \angle QCI$ ($\because$ ㉠)

∴ $\overline{QC} = \overline{QI}$　　　　　　……㉢

또, $\triangle APQ \backsim \triangle ABC$이므로

$\overline{AP} : \overline{AB} = \overline{PQ} : \overline{BC}$

$6 : 9 = \overline{PQ} : 8$

$9\overline{PQ} = 48$

∴ $\overline{PQ} = \dfrac{16}{3} \text{ cm}$

㉡, ㉢에서

$\overline{CQ} = \overline{QI} = \overline{PQ} - \overline{PI}$

　　　$= \dfrac{16}{3} - 3$

　　　$= \dfrac{7}{3} (\text{cm})$

11 $\overline{AB} /\!/ \overline{DE}$이므로

$\angle ABF = \angle DEF$ (엇각),

$\angle AFB = \angle DFE$ (맞꼭지각)

∴ $\triangle FAB \backsim \triangle FDE$ (AA 닮음)

$\overline{AB} : \overline{DE} = \overline{BF} : \overline{EF}$에서

$6 : \overline{DE} = 2 : 1, \quad 2\overline{DE} = 6$

∴ $\overline{DE} = 3 \text{ cm}$

또, $\angle CBE = \angle CEB$이므로 $\overline{CB} = \overline{CE}$

∴ $\overline{BC} = \overline{CE} = \overline{CD} + \overline{DE}$

　　　　$= 6 + 3 = 9 (\text{cm})$

12 삼각형의 내각의 이등분선의 정리에 의해

$\overline{AB} : \overline{AC} = \overline{BD} : \overline{CD}$

$5 : 3 = (4 - \overline{CD}) : \overline{CD}$

$5\overline{CD} = 3(4 - \overline{CD}), \quad 5\overline{CD} = 12 - 3\overline{CD}$

$8\overline{CD} = 12$　　∴ $\overline{CD} = \dfrac{3}{2} \text{ cm}$

또, $\triangle ADE \equiv \triangle ADC$ (RHA 합동)이므로

$\overline{DE} = \overline{DC} = \dfrac{3}{2} \text{ cm}$

13 $\overline{AF}$와 $\overline{DC}$의 연장선이 만나는

점을 G라고 하면

$\triangle DAE$와 $\triangle DGE$에서

$\angle ADE = \angle GDE$,

$\overline{DE}$는 공통,

$\angle DEA = \angle DEG = 90°$이므로

$\triangle DAE \equiv \triangle DGE$ (ASA 합동)

따라서 $\overline{AD} = \overline{DG} = \overline{DC} + \overline{CG}$이므로

$6 = 4 + \overline{CG}$　　∴ $\overline{CG} = 2 \text{ cm}$

$\triangle GCF \backsim \triangle GDA$ (AA 닮음)이므로

$\overline{GC} : \overline{GD} = \overline{FC} : \overline{AD}$

$2 : 6 = \overline{FC} : 6$

∴ $\overline{CF} = 2 \text{ cm}$

다른 풀이

$\triangle DAE \equiv \triangle DGE$ (ASA 합동)

이므로

$\angle DAE = \angle DGE$　　　　……㉠

$\overline{AD} /\!/ \overline{BC}$이므로

$\angle DAE = \angle CFG$ (동위각)

　　　　　　　　　　　　　……㉡

㉠, ㉡에서

$\angle CFG = \angle DAE = \angle DGE$

∴ $\overline{CF} = \overline{CG} = \overline{DG} - \overline{DC} = 6 - 4 = 2 (\text{cm})$

14 (1) 오른쪽 그림과 같이 직선

p를 p'으로 평행이동하면

$x : 10 = 5 : 8, \quad 8x = 50$

∴ $x = \dfrac{25}{4}$

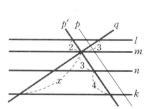

(2) 오른쪽 그림과 같이 직선 p

를 p'으로 평행이동하면

$3 : x = 2 : 7, \quad 2x = 21$

∴ $x = \dfrac{21}{2}$

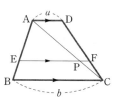

15 $\overline{AC}$를 긋고 $\overline{AC}$와 $\overline{EF}$의 교점

을 P라 하면

$\overline{AE} : \overline{EB} = m : n$이므로

$\triangle AEP \backsim \triangle ABC$에서

$\overline{AE} : \overline{AB} = \overline{EP} : \overline{BC}$

$m : (m+n) = \overline{EP} : b$

$\therefore \overline{EP} = \dfrac{bm}{m+n}$ ...... ㉠

$\triangle CPF \backsim \triangle CAD$에서

$\overline{CF} : \overline{CD} = \overline{PF} : \overline{AD}$

$n : (n+m) = \overline{PF} : a$

$\therefore \overline{PF} = \dfrac{an}{m+n}$ ...... ㉡

㉠, ㉡에서

$\overline{EF} = \overline{EP} + \overline{PF}$

$\qquad = \dfrac{an+bm}{m+n}$

16 $\triangle OAD \backsim \triangle OCB$이므로

$\overline{OA} : \overline{OC} = \overline{AD} : \overline{CB} = 3 : 6 = 1 : 2$

또, $\triangle AEO \backsim \triangle ABC$이므로

$\overline{AO} : \overline{AC} = \overline{EO} : \overline{BC}$

$1 : 3 = \overline{EO} : 6, \ 3\overline{EO} = 6$

$\therefore \overline{EO} = 2 \ \text{cm}$

또, $\triangle DOF \backsim \triangle DBC$이므로

$\overline{DO} : \overline{DB} = \overline{OF} : \overline{BC}$

$1 : 3 = \overline{OF} : 6$

$3\overline{OF} = 6 \quad \therefore \overline{OF} = 2 \ \text{cm}$

$\therefore \overline{EF} = \overline{EO} + \overline{OF}$

$\qquad = 2 + 2 = 4 \, (\text{cm})$

17 $\overline{EP} = \overline{PQ} = \overline{QF} = a,$

$\overline{AE} : \overline{EB} = 1 : x$라 하면

$\triangle AEQ \backsim \triangle ABC$에서

$\overline{AE} : \overline{AB} = \overline{EQ} : \overline{BC}$

$1 : (1+x) = 2a : 12$

$2a(1+x) = 12$

$\therefore a = \dfrac{6}{1+x}$ ...... ㉠

$\triangle BEP \backsim \triangle BAD$에서

$\overline{BE} : \overline{BA} = \overline{EP} : \overline{AD}$

$x : (x+1) = a : 6, \ a(x+1) = 6x$

$\therefore a = \dfrac{6x}{x+1}$ ...... ㉡

㉠, ㉡에서

$\dfrac{6}{x+1} = \dfrac{6x}{x+1} \qquad \therefore x = 1$

$\therefore \overline{AE} : \overline{EB} = 1 : 1$

18 (1) $\triangle CEF \backsim \triangle CAB$이므로

$\overline{CF} : \overline{CB} = \overline{EF} : \overline{AB} = 4 : 6 = 2 : 3$

$\triangle BEF \backsim \triangle BDC$이므로

$\overline{BF} : \overline{BC} = \overline{EF} : \overline{DC}$

$1 : 3 = 4 : x \quad \therefore x = 12$

(2) $\triangle CEF \backsim \triangle CAB$이므로

$\overline{CF} : \overline{CB} = \overline{EF} : \overline{AB}$

$2 : 6 = \overline{EF} : 8, \ 6\overline{EF} = 16$

$\therefore \overline{EF} = \dfrac{8}{3}$

또, $\triangle BEF \backsim \triangle BDC$이므로

$\overline{BF} : \overline{BC} = \overline{EF} : \overline{DC}$

$4 : 6 = \dfrac{8}{3} : x, \ 4x = 16$

$\therefore x = 4$

(3) $\triangle ABE \backsim \triangle CDE$이므로

$\overline{AE} : \overline{CE} = \overline{AB} : \overline{CD} = 6 : 4 = 3 : 2$

또, $\triangle CEF \backsim \triangle CAB$이므로

$\overline{CE} : \overline{CA} = \overline{EF} : \overline{AB}$

$2 : 5 = x : 6, \ 5x = 12$

$\therefore x = \dfrac{12}{5}$

19 $\overline{NF} = a, \ \overline{MF} = b, \ \overline{EF} = x$라고

하면

$\triangle NEF \backsim \triangle NAB$에서

$\overline{NF} : \overline{NB} = \overline{EF} : \overline{AB}$

$a : 2(a+b) = x : 3$

$\therefore 3a = 2(a+b)x$ ...... ㉠

또, $\triangle MEF \backsim \triangle MDC$에서

$\overline{MF} : \overline{MC} = \overline{EF} : \overline{DC}$

$b : 2(a+b) = x : 9$

$\therefore 9b = 2(a+b)x$ ...... ㉡

㉠, ㉡에서 $3a = 9b$

$\therefore a = 3b$ ...... ㉢

㉢을 ㉠에 대입하면

$9b = 8bx$

$\therefore x = \dfrac{9}{8}$

20 삼각형의 중점연결정리에 의해

$\overline{DE} /\!/ \overline{FG}$이고

$\overline{FG} = 2\overline{DE} = 2 \times 2 = 4$

$\overline{FP} = \overline{QG} = \dfrac{1}{2}\overline{DE} = \dfrac{1}{2} \times 2 = 1$

$\therefore \overline{PQ} = \overline{FG} - (\overline{FP} + \overline{QG})$

$\qquad = 4 - (1+1) = 2$

32 △ABD에서 $\overline{AE}:\overline{EB}=2:1$이
고 $\overline{BO}:\overline{OD}=1:1$이므로 메네라우
스의 정리를 이용하면

$\dfrac{\overline{DB}}{\overline{DO}}\times\dfrac{\overline{FO}}{\overline{AF}}\times\dfrac{\overline{EA}}{\overline{BE}}=1$이므로

$\dfrac{2b}{b}\times\dfrac{\overline{FO}}{\overline{AF}}\times\dfrac{2a}{a}=1$

$\overline{AF}=4\overline{FO}$

$\therefore \overline{AF}:\overline{FO}=4:1$

$\therefore \triangle ODF=\dfrac{1}{5}\triangle OAD$

$\qquad =\dfrac{1}{5}\times\dfrac{1}{4}\square ABCD$

$\qquad =\dfrac{1}{20}\square ABCD$

$\qquad =\dfrac{1}{20}\times 40=2(\text{cm}^2)$

33 $\overline{AO}:\overline{OD}=3:2$에서

$\overline{OD}:\overline{AD}=2:5$

$\overline{BO}:\overline{OE}=4:1$에서

$\overline{OE}:\overline{BE}=1:5$

제르곤의 정리를 이용하면

$\dfrac{\overline{OD}}{\overline{AD}}+\dfrac{\overline{OE}}{\overline{BE}}+\dfrac{\overline{OF}}{\overline{CF}}=1$이므로

$\dfrac{2}{5}+\dfrac{1}{5}+\dfrac{\overline{OF}}{\overline{CF}}=1$

$\dfrac{\overline{OF}}{\overline{CF}}=1-\dfrac{3}{5}=\dfrac{2}{5}$

따라서 $\overline{OF}:\overline{CF}=2:5$이므로

$\overline{CO}:\overline{OF}=3:2$

34 $\triangle BOA:\triangle BOD=2:1$에서 $\overline{AO}:\overline{OD}=2:1$이고
$\overline{AD}:\overline{OD}=3:1$이다.
또, $\overline{CO}=\overline{OF}$에서 $\overline{CF}:\overline{OF}=2:1$이므로
제르곤의 정리를 이용하면

$\dfrac{\overline{OD}}{\overline{AD}}+\dfrac{\overline{OE}}{\overline{BE}}+\dfrac{\overline{OF}}{\overline{CF}}=\dfrac{1}{3}+\dfrac{\overline{OE}}{\overline{BE}}+\dfrac{1}{2}=1$

$\dfrac{\overline{OE}}{\overline{BE}}=1-\dfrac{5}{6}=\dfrac{1}{6}$

$\overline{OE}:\overline{BE}=1:6$이므로

$\overline{BO}:\overline{OE}=5:1$ $\qquad$ ······ ㉠

$\triangle OAE=a$ cm^2, $\triangle OCE=b$ cm^{2}라고 하면

$\triangle OAC=5$ cm^{2}에서

$a+b=5$

㉠에서 $\triangle ABO=5a$ cm^2, $\triangle OBC=5b$ cm^{2}이므로

$\triangle ABC=\triangle ABO+\triangle OBC+\triangle OAC$

$\qquad =5(a+b)+5$

$\qquad =5\times 5+5$

$\qquad =30(\text{cm}^2)$

2^{STEP} 실력 높이기

1 $x=1.1,\ y=\dfrac{13}{6}$	2 3	3 $\dfrac{24}{5}$ cm	4 $\dfrac{36}{5}$ cm	5 7	6 2:1
7 $\dfrac{4S}{3a}$	8 $\dfrac{25}{4}$ cm	9 $\dfrac{12}{7}$	10 2:1	11 8 cm	12 5:4
13 8 cm	14 (1) 1:3 (2) 7:9	15 5 cm	16 2 cm	17 21	18 4
19 $\dfrac{30}{7}$ cm	20 $\dfrac{25}{2}$	21 $\dfrac{1}{5}$	22 6배	23 4 m	

문제 풀이

1 $l/\!/m/\!/n$이므로

$1:2=x:2.2$

$2x=2.2$ $\therefore x=1.1$

오른쪽 그림과 같이 직선 p를 p'으
로 평행이동하면

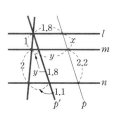

$1:3=(y-1.8):1.1,\ 3(y-1.8)=1.1$

$3y-5.4=1.1,\ 3y=6.5$

$\therefore y=\dfrac{13}{6}$

2 서술형

표현 단계 $\overline{BC} /\!/ \overline{DE}$에서 $\triangle ABP \backsim \triangle ADQ$ (AA 닮음),

$\triangle APC \backsim \triangle AQE$ (AA 닮음)이므로

$\overline{BP} : \overline{DQ} = \overline{AP} : \overline{AQ} = \overline{PC} : \overline{QE}$

$\therefore \overline{BP} : \overline{DQ} = \overline{PC} : \overline{QE}$

풀이 단계 따라서 $\overline{BP} : 5 = 6 : 10$이므로

$10\overline{BP} = 30$

확인 단계 $\therefore \overline{BP} = 3$

3 $\triangle ADE \backsim \triangle ABC$에서

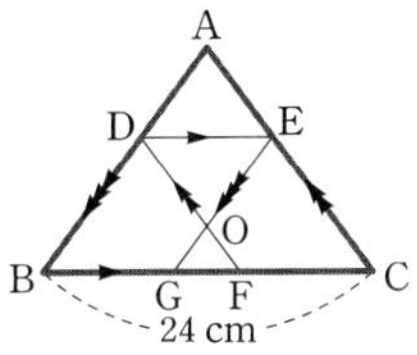

$\overline{AD} : \overline{AB} = \overline{DE} : \overline{BC}$이므로

$2 : 5 = \overline{DE} : 24$, $5\overline{DE} = 48$

$\therefore \overline{DE} = \dfrac{48}{5}$ cm

$\square DFCE$는 평행사변형이므로

$\overline{FC} = \overline{DE} = \dfrac{48}{5}$ cm

또, $\square DBGE$는 평행사변형이므로

$\overline{BG} = \overline{DE} = \dfrac{48}{5}$ cm

$\therefore \overline{GF} = \overline{BC} - \overline{BG} - \overline{FC}$

$= 24 - \dfrac{48}{5} - \dfrac{48}{5} = \dfrac{24}{5}$ (cm)

4 $\triangle ABF \backsim \triangle ACE$이므로

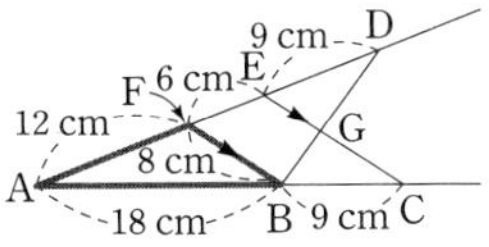

$\overline{AB} : \overline{BC} = \overline{AF} : \overline{FE}$에서

$18 : 9 = 12 : \overline{FE}$

$18\overline{FE} = 108$ $\therefore \overline{FE} = 6$ cm

또, $\overline{AB} : \overline{AC} = \overline{BF} : \overline{CE}$에서

$18 : 27 = 8 : \overline{CE}$, $18\overline{CE} = 216$

$\therefore \overline{CE} = 12$ cm

한편, $\triangle DEG \backsim \triangle DFB$이므로

$\overline{DE} : \overline{DF} = \overline{EG} : \overline{FB}$

$9 : 15 = \overline{EG} : 8$, $15\overline{EG} = 72$

$\therefore \overline{EG} = \dfrac{24}{5}$ cm

$\therefore \overline{CG} = \overline{CE} - \overline{EG} = 12 - \dfrac{24}{5} = \dfrac{36}{5}$ (cm)

5 서술형

표현 단계 $\overline{AD} /\!/ \overline{BC}$이므로 $\triangle OAD \backsim \triangle OCB$ (AA 닮음)

에서

$\overline{OD} : \overline{OB} = \overline{AD} : \overline{CB} = 8 : 12 = 2 : 3$이고,

$\overline{DP} : \overline{BP} = 3 : 1$이므로

변형 단계 $\overline{OD} = 2x$, $\overline{OB} = 3x$라 하고 $\overline{BP} = y$, $\overline{DP} = 3y$라 하

면

$\overline{BD} = 5x = 4y$에서 $y = \dfrac{5}{4}x$

$\therefore \overline{OP} = \overline{OB} - \overline{BP} = 3x - y = 3x - \dfrac{5}{4}x = \dfrac{7}{4}x$

풀이 단계 $\overline{PQ} /\!/ \overline{BC}$이므로 $\triangle OPQ \backsim \triangle OBC$ (AA 닮음)에

서 $\overline{OP} : \overline{OB} = \overline{PQ} : \overline{BC}$

$\dfrac{7}{4}x : 3x = \overline{PQ} : 12$, $3\overline{PQ} = 21$

확인 단계 $\therefore \overline{PQ} = 7$

6 오른쪽 그림과 같이 대각선 BD

를 긋고, $\overline{AE} : \overline{EB} = 1 : x$라고 하면

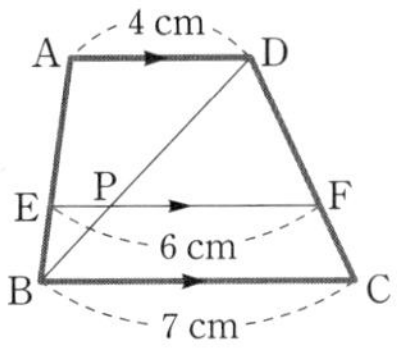

$\triangle BPE \backsim \triangle BDA$에서

$\overline{BE} : \overline{BA} = \overline{PE} : \overline{DA}$이므로

$x : (x+1) = \overline{PE} : 4$

$\therefore \overline{PE} = \dfrac{4x}{x+1}$ …… ㉠

또, $\triangle DPF \backsim \triangle DBC$에서 $\overline{DF} : \overline{DC} = \overline{PF} : \overline{BC}$이므로

$1 : (1+x) = \overline{PF} : 7$

$\therefore \overline{PF} = \dfrac{7}{x+1}$ …… ㉡

㉠, ㉡에서

$\overline{EF} = \overline{PE} + \overline{PF} = \dfrac{4x+7}{x+1} = 6$

$4x + 7 = 6x + 6$, $2x = 1$ $\therefore x = \dfrac{1}{2}$

$\therefore \overline{AE} : \overline{EB} = 1 : \dfrac{1}{2} = 2 : 1$

7 점 A에서 $\overline{BC}$에 내린 수선의

발을 H라고 하면

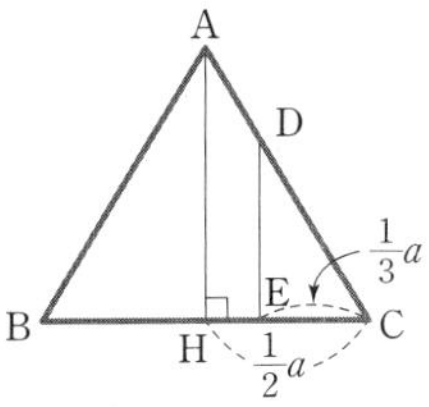

$\overline{CE} : \overline{EB} = 1 : 2$에서

$\overline{CE} = \dfrac{1}{3}a$, $\overline{EB} = \dfrac{2}{3}a$이고

$\overline{BH} = \overline{CH} = \dfrac{1}{2}a$이므로

$\overline{HE} = \overline{CH} - \overline{CE} = \dfrac{1}{2}a - \dfrac{1}{3}a = \dfrac{1}{6}a$

$\therefore \overline{CE} : \overline{EH} = \dfrac{1}{3}a : \dfrac{1}{6}a = 2 : 1$

따라서 $\overline{CD} : \overline{DA} = \overline{CE} : \overline{EH} = 2 : 1$이고 $\angle C$는 공통이므로

$\triangle CDE \backsim \triangle CAH$ (SAS 닮음)

$\triangle ABC = \dfrac{1}{2} \times \overline{BC} \times \overline{AH}$에서

$S = \dfrac{1}{2}a \times \overline{AH}$이므로 $\overline{AH} = \dfrac{2S}{a}$

그러므로 $\overline{CD} : \overline{CA} = \overline{DE} : \overline{AH}$에서

$2 : 3 = \overline{DE} : \dfrac{2S}{a}$, $3\overline{DE} = \dfrac{4S}{a}$

$\therefore \overline{DE} = \dfrac{4S}{3a}$

TIP 삼각형의 밑변의 길이와 넓이를 통해서 높이를 구할 수 있음을 이해한다.

8 △EGA ∽ △EBC이므로

$\overline{AE} : \overline{CE} = \overline{AG} : \overline{CB} = 9 : 15 = 3 : 5$

△CEF ∽ △CAB이므로 $\overline{CE} : \overline{CA} = \overline{EF} : \overline{AB}$

$5 : 8 = \overline{EF} : 10$, $8\overline{EF} = 50$ $\therefore \overline{EF} = \dfrac{25}{4}$ cm

9 서술형

표현 단계 ∠BCE = ∠ECA이므로 △ABC의 내각의 이등
분선의 성질에 의해

$\overline{CB} : \overline{CA} = \overline{BE} : \overline{EA}$에서

$\overline{BE} : \overline{EA} = 8 : 6 = 4 : 3$

변형 단계 즉, $\overline{AD} = \overline{BD} = x$라 하고

$\overline{BE} = 4y$, $\overline{EA} = 3y$라 하면

$\overline{AB} = 2x = 7y$에서 $x = \dfrac{7}{2}y$

따라서 $\overline{DE} = \overline{BE} - \overline{BD} = 4y - x = 4y - \dfrac{7}{2}y = \dfrac{1}{2}y$

이므로

풀이 단계 $\triangle DCE = \triangle ABC \times \dfrac{\overline{DE}}{\overline{AB}}$

$= 24 \times \dfrac{\frac{1}{2}y}{7y} = 24 \times \dfrac{1}{14}$

확인 단계 $= \dfrac{12}{7}$

10 점 I가 △ABC의 내심이므로

∠BAD = ∠CAD에서

$\overline{AB} : \overline{AC} = \overline{BD} : \overline{CD}$

$5 : 7 = \overline{BD} : (6 - \overline{BD})$

$5(6 - \overline{BD}) = 7\overline{BD}$

$30 - 5\overline{BD} = 7\overline{BD}$

$12\overline{BD} = 30$ $\therefore \overline{BD} = \dfrac{5}{2}$ cm

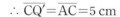

또, △ABD에서 ∠ABI = ∠DBI이므로

$\overline{AB} : \overline{BD} = \overline{AI} : \overline{ID} = 5 : \dfrac{5}{2} = 2 : 1$

$\therefore \overline{AI} : \overline{ID} = 2 : 1$

11 삼각형의 내각의 이등분선의 정리에 의해

$\overline{AB} : \overline{AC} = \overline{BD} : \overline{CD}$에서 $8 : 4 = (6 - \overline{CD}) : \overline{CD}$

$8\overline{CD} = 4(6 - \overline{CD})$, $2\overline{CD} = 6 - \overline{CD}$

$3\overline{CD} = 6$ $\therefore \overline{CD} = 2$ cm $\cdots\cdots$ ㉠

삼각형의 외각의 이등분선의 정리에 의해

$\overline{AB} : \overline{AC} = \overline{BE} : \overline{CE}$에서 $8 : 4 = (6 + \overline{CE}) : \overline{CE}$

$8\overline{CE} = 4(6 + \overline{CE})$, $2\overline{CE} = 6 + \overline{CE}$

$\therefore \overline{CE} = 6$ cm $\cdots\cdots$ ㉡

㉠, ㉡에서 $\overline{DE} = \overline{DC} + \overline{CE} = 2 + 6 = 8$(cm)

12 $\overline{AI}$의 연장선이 $\overline{BC}$와 만나는
점을 D라고 하면 점 I가 △ABC의
내심이므로

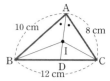

∠BAD = ∠CAD에서

$\overline{AB} : \overline{AC} = \overline{BD} : \overline{CD} = 10 : 8 = 5 : 4$

$\therefore \triangle IAB : \triangle IAC$

$= \triangle ABD - \triangle IBD : \triangle ACD - \triangle ICD$

$= \overline{BD} : \overline{CD}$

$= 5 : 4$

13 (i) 점 P가 점 B에 있을 때,
∠BAQ = ∠DAQ,
∠DAQ = ∠BQA (엇각)

이므로 ∠BAQ = ∠BQA

따라서 $\overline{BQ} = \overline{AB} = 4$ cm이므로

$\overline{QC} = \overline{BC} - \overline{BQ} = 7 - 4 = 3$(cm)

(ii) 점 P가 점 C에 있을 때,
∠CAQ′ = ∠DAQ′,
∠DAQ′ = ∠CQ′A (엇각)

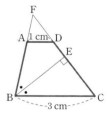

이므로 ∠CAQ′ = ∠CQ′A

$\therefore \overline{CQ'} = \overline{AC} = 5$ cm

(i), (ii)에서 점 Q가 움직인 거리는

$\overline{QC} + \overline{CQ'} = 3 + 5 = 8$(cm)

14 $\overline{BA}$와 $\overline{CD}$의 연장선의 교점을
F라고 하면

△BFE와 △BCE에서

∠FBE = ∠CBE, $\overline{BE}$는 공통,

∠BEF = ∠BEC이므로

△BFE ≡ △BCE (ASA 합동)

$\therefore \overline{EF} = \overline{EC}$

또, △FAD ∽ △FBC에서

$\overline{FD} : \overline{FC} = 1 : 3$

$\therefore \overline{FD} : \overline{DC} = 1 : 2$

(1) $\overline{FD} = a$ cm라고 하면 $\overline{FC} = 3a$ cm이므로

$\overline{FE} = \overline{CE} = \dfrac{3}{2}a$ cm이고

$\overline{DE} = \overline{FE} - \overline{FD} = \dfrac{3}{2}a - a = \dfrac{1}{2}a$(cm)

$\therefore \overline{DE} : \overline{EC} = \dfrac{1}{2}a : \dfrac{3}{2}a = 1 : 3$

(2) △FAD ∽ △FBC이고 닮음비가 1 : 3이므로 넓이의 비
는 $1^2 : 3^2 = 1 : 9$이다.

△FAD $= S$ cm²라고 하면 △FBC $= 9S$ cm²이므로

$$\triangle FBE = \triangle CBE = \frac{9}{2}S \text{ cm}^2$$

$$\square ABED = \triangle FBE - \triangle FAD$$

$$= \frac{9}{2}S - S = \frac{7}{2}S(\text{cm}^2)$$

$$\therefore \square ABED : \triangle BCE = \frac{7}{2}S : \frac{9}{2}S = 7 : 9$$

15

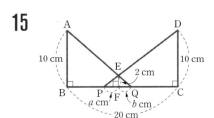

위의 그림과 같이 $\overline{PF}=a$ cm, $\overline{FQ}=b$ cm라고 하면

$\triangle PEF \sim \triangle PDC$ (AA 닮음)에서

$\overline{PF} : \overline{PC} = \overline{EF} : \overline{DC}$이므로

$a : \overline{PC} = 2 : 10$, $\overline{PC} = 5a$ cm

$\therefore \overline{FC} = 4a$ cm ······ ㉠

또, $\triangle QEF \sim \triangle QAB$ (AA 닮음)에서

$\overline{QF} : \overline{QB} = \overline{EF} : \overline{AB}$이므로

$b : \overline{BQ} = 2 : 10$, $\overline{BQ} = 5b$ cm

$\therefore \overline{BF} = 4b$ cm ······ ㉡

㉠, ㉡에서 $\overline{BC} = 4(a+b) = 20$이므로

$a+b=5$ $\therefore \overline{PQ} = 5$ cm

16 $\overline{AC}$ 위에 $\overline{BC} /\!/ \overline{ME}$인 점 E를 잡으면 삼각형의 중점연결정리의 역에서

$\overline{AE} = \overline{EC}$

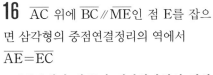
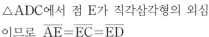

$\triangle ADC$에서 점 E가 직각삼각형의 외심이므로 $\overline{AE} = \overline{EC} = \overline{ED}$

따라서 $\angle MDE = \angle A$이고,

$\angle AME = \angle B = 2\angle A$이므로

$\angle MED = \angle AME - \angle MDE = 2\angle A - \angle A = \angle A$

$\therefore \overline{MD} = \overline{ME} = \frac{1}{2}\overline{BC} = \frac{1}{2} \times 4 = 2(\text{cm})$

17 서술형

표현 단계 점 G가 무게중심이므로

$\triangle GAB = \triangle GBC = \triangle GAC$ ······ ㉠

변형 단계 $\triangle ABG$에서 점 E가 $\overline{BG}$의 중점이므로

$\triangle ABE = \triangle AGE$

$\triangle ACG$에서도 같은 방법으로 $\triangle AGF = \triangle ACF$

$\triangle AGE + \triangle AGF = 7$이므로

$\triangle GAB + \triangle GAC = 2\triangle AGE + 2\triangle AGF$

$= 2(\triangle AGE + \triangle AGF)$

$= 2 \times 7 = 14$

이때 ㉠에 의해 $\triangle GAB = \triangle GAC = 7$

풀이 단계 $\therefore \triangle ABC = \triangle GAB + \triangle GBC + \triangle GAC$

$= 3\triangle GAB = 3 \times 7$

확인 단계 $= 21$

18 서술형

변형 단계 오른쪽 그림과 같이 $\overline{AC}$ 위에 $\overline{BD} /\!/ \overline{EP}$가 되도록 점 E를 잡으면

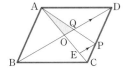

$\triangle COD$에서

$\overline{CP} : \overline{CD} = \overline{CE} : \overline{CO}$

$= \overline{EP} : \overline{OD} = 1 : 3$

$\therefore \overline{EP} = \frac{1}{3}\overline{OD}$

또, $\overline{AO} : \overline{AE} = \overline{OQ} : \overline{EP} = 3 : 5$이므로

$\overline{OQ} = \frac{3}{5} \times \overline{EP} = \frac{3}{5} \times \frac{1}{3}\overline{OD} = \frac{1}{5}\overline{OD}$

풀이 단계 $\therefore \triangle AOQ = \frac{1}{5}\triangle AOD = \frac{1}{5} \times \frac{1}{4}\square ABCD$

$= \frac{1}{20} \times 80$

확인 단계 $= 4$

19 $\overline{BO} = \overline{OD}$이므로 메네라우스의 정리를 이용하면

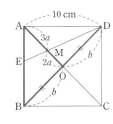

$\frac{\overline{DB}}{\overline{OD}} \times \frac{\overline{MO}}{\overline{AM}} \times \frac{\overline{EA}}{\overline{BE}} = 1$에서

$\frac{2b}{b} \times \frac{2a}{3a} \times \frac{\overline{EA}}{\overline{BE}} = 1$

$4\overline{EA} = 3\overline{BE}$ $\therefore \overline{AE} : \overline{EB} = 3 : 4$

$\therefore \overline{AE} = 10 \times \frac{3}{7} = \frac{30}{7}(\text{cm})$

20 $\overline{AC}$를 긋고 $\overline{BD}$와의 교점을 O라 하면 두 점 M, N이 $\overline{AB}$, $\overline{BC}$의 중점이므로

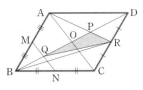

$\overline{MN} /\!/ \overline{AC}$이고

$\overline{BQ} = \overline{QO} = \frac{1}{2}\overline{BO}$

$\triangle ACD$에서 점 P는 무게중심이고, $\overline{BO} = \overline{DO}$이므로

$\overline{PO} = \frac{1}{3}\overline{DO} = \frac{1}{3}\overline{BO}$

$\therefore \overline{BQ} : \overline{PQ} : \overline{PD} = \frac{1}{2}\overline{BO} : \frac{5}{6}\overline{BO} : \frac{2}{3}\overline{BO} = 3 : 5 : 4$

한편, $\square ABCD = 120$이므로 $\triangle ABR = \triangle ABC = 60$

이때 $\overline{AP} : \overline{PR} = 2 : 1$이므로

$\triangle PBR = \frac{1}{3}\triangle ABR = \frac{1}{3} \times 60 = 20$

$\therefore \triangle PQR = \frac{5}{8}\triangle PBR = \frac{5}{8} \times 20 = \frac{25}{2}$

21 오른쪽 그림에서 메네라우스의
정리를 이용하면

$$\dfrac{\overline{BA}}{\overline{BD}} \times \dfrac{\overline{FD}}{\overline{CF}} \times \dfrac{\overline{EC}}{\overline{AE}} = 1$$이므로

$$\dfrac{2a}{a} \times \dfrac{\overline{FD}}{\overline{CF}} \times \dfrac{b}{2b} = 1$$

$$\overline{FD} = \overline{CF} \qquad \therefore \overline{FD} : \overline{CF} = 1 : 1$$

또, $\triangle FAC$에서 $\overline{CE} : \overline{EA} = 1 : 2$이므로

$\triangle CEF = S$라 하면 $\triangle FAE = 2S$이고

$\triangle ADC$에서 $\overline{DF} = \overline{FC}$이므로

$\triangle ADF = \triangle ACF = 3S$

따라서 $S_2 = \square ADFE = 5S$, $S_1 = \triangle CEF = S$이므로

$$\dfrac{S_1}{S_2} = \dfrac{S}{5S} = \dfrac{1}{5}$$

22 서술형

표현 단계 큰 쇠구슬의 반지름의 길이를 r라 하면 작은 쇠구슬
의 반지름의 길이는 $\dfrac{1}{6}r$이고, 구는 모두 닮음이다.

변형 단계 닮음비는

(큰 쇠구슬) : (작은 쇠구슬) $= r : \dfrac{1}{6}r = 6 : 1$

이고, 큰 쇠구슬과 작은 쇠구슬의 겉넓이를 S, S'
으로, 부피를 V, V'으로 놓으면

$V : V' = 6^3 : 1^3 = 216 : 1$이므로 큰 쇠구슬 1개를
녹여 작은 쇠구슬 216개를 만들 수 있다.

또, $S : S' = 6^2 : 1^2 = 36 : 1$이므로 $S = 36S'$

풀이 단계 따라서 큰 쇠구슬 1개의 겉넓이는 $36S'$이고, 작은
쇠구슬 216개의 겉넓이의 합은 $216S'$이므로 작은
쇠구슬 216개의 겉넓이의 합이 큰 쇠구슬의 겉넓
이의 x배라 하면

$216S' = x \times 36S' \qquad \therefore x = 6$

확인 단계 따라서 작은 쇠구슬의 겉넓이들의 합은 큰 쇠구슬
의 겉넓이의 6배이다.

TIP 큰 구슬을 녹여서 같은 크기의 작은 구슬을 k개 만들었을 때,
큰 구슬과 작은 구슬의 닮음비가 $m : n$이면 부피의 비는 $m^3 : n^3$이므로
$m^3 = k \times n^3$이 성립한다.

$\therefore k = \dfrac{m^3}{n^3}$

---

23 $\overline{BC}$의 연장선과 $\overline{AD}$의 연
장선이 만나는 점을 E라고 하면
전봇대의 그림자가 담에 나타나

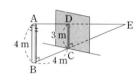

지 않는 위치에 있을 때의 그림
자의 길이는 위의 그림의 $\overline{BE}$의 길이와 같다.

$\triangle ECD \backsim \triangle EBA$에서 $\overline{EC} : \overline{EB} = \overline{DC} : \overline{AB}$이므로

$\overline{EC} : (\overline{EC} + 4) = 3 : 4$, $4\overline{EC} = 3(\overline{EC} + 4)$

$4\overline{EC} = 3\overline{EC} + 12 \qquad \therefore \overline{EC} = 12\,m$

즉, 4 m 길이의 전봇대의 그림자의 길이가 16 m이므로
1 m 길이의 막대의 그림자의 길이는 4 m이다.

1 14 cm	2 360 cm²	3 $\dfrac{30}{7}$ cm	4 1:8	5 14:1	6 2 cm
7 2	8 4 cm	9 30°			

문제 풀이

1 $\overline{AE}=x$ cm, $\overline{DF}=y$ cm라고

하면

$\overline{EB}=(12-x)$ cm

$\overline{FC}=(15-y)$ cm

(□AEFD의 둘레의 길이)

$=x+y+8+\overline{EF}$ ······ ㉠

(□EBCF의 둘레의 길이)

$=44-x-y+\overline{EF}$ ······ ㉡

㉠과 ㉡이 같으므로

$x+y+8=44-x-y$

$2(x+y)=36$

$\therefore x+y=18$ ······ ㉢

또, 평행선 사이에 있는 선분의 길이의 비에서

$x:(12-x)=y:(15-y)$

$x(15-y)=y(12-x)$

$15x-xy=12y-xy$

$\therefore 5x=4y$ ······ ㉣

㉢, ㉣을 연립하여 풀면

$x=8$, $y=10$

점 A에서 $\overline{DC}$에 평행한 직선을 그어 $\overline{EF}$, $\overline{BC}$와 만나는 점을 각각 G, H라 하면

$\overline{AD}=\overline{GF}=\overline{HC}=8$ cm이므로

$\overline{BH}=\overline{BC}-\overline{HC}$

$\qquad=17-8=9$(cm)

△AEG∽△ABH이므로

$\overline{AE}:\overline{AB}=\overline{EG}:\overline{BH}$

$8:12=\overline{EG}:9$

$12\overline{EG}=72$

$\therefore \overline{EG}=6$ cm

$\therefore \overline{EF}=\overline{EG}+\overline{GF}=6+8=14$(cm)

2 두 점 E와 F는 각각 $\overline{AC}$, $\overline{BC}$의 중점이므로 점 G는 △ABC의 무게중심이다.

$\therefore \overline{EG}:\overline{GB}=1:2$ ······ ㉠

또, 점 H도 △DBC의 무게중심이므로

$\overline{EH}:\overline{HC}=1:2$ ······ ㉡

㉠, ㉡에서

$\overline{EG}:\overline{EB}=\overline{EH}:\overline{EC}=1:3$이고,

∠E는 공통이므로

△EGH∽△EBC (SAS 닮음)

따라서 △EGH와 △EBC의 닮음비가 1:3이므로 넓이의 비는 $1^2:3^2=1:9$이다.

이때 △EGH=10 cm²이므로

△EBC=$10\times9=90$(cm²)

$\therefore$ □ABCD=4△EBC=$4\times90=360$(cm²)

3 점 I는 △ABC의 내심이므로

∠ABE=∠CBE

삼각형의 내각의 이등분선의 정리에 의해

$\overline{BA}:\overline{BC}=\overline{AE}:\overline{CE}$

$6:\overline{BC}=3:5$ $\therefore \overline{BC}=10$ cm

또, ∠BAD=∠CAD이므로 삼각형의 내각의 이등분선의 정리에 의해

$\overline{AB}:\overline{AC}=\overline{BD}:\overline{CD}$

$6:8=\overline{BD}:(10-\overline{BD})$

$6(10-\overline{BD})=8\overline{BD}$

$60-6\overline{BD}=8\overline{BD}$

$14\overline{BD}=60$

$\therefore \overline{BD}=\dfrac{30}{7}$ cm

4 $\overline{AB}:\overline{AC}=2:1$,

$\overline{AM}=\overline{MB}$, $\overline{BN}=\overline{NC}$이므로

$\overline{AM}=\overline{MB}=\overline{AC}=a$라고 하면

삼각형의 중점연결정리에 의해

$\overline{MN}\,/\!/\,\overline{AC}$, $\overline{MN}=\dfrac{1}{2}\overline{AC}=\dfrac{1}{2}a$

또, ∠MAE=∠CAE, ∠CAE=∠MEA (엇각)이므로

∠MAE=∠MEA

따라서 $\overline{MA}=\overline{ME}$이므로

$\overline{NE}=\overline{ME}-\overline{MN}=a-\dfrac{1}{2}a=\dfrac{1}{2}a$

한편, △DNE∽△DCA에서 닮음비는

$\overline{NE}:\overline{CA}=1:2$이므로 넓이의 비는 1:4이다.

즉, △DNE=S라고 하면 △ACD=$4S$

또, △ABD:△ACD=$\overline{BD}:\overline{DC}=\overline{AB}:\overline{AC}$이므로

$\triangle ABD : 4S = 2a : a = 2 : 1$

$\therefore \triangle ABD = 8S$

$\therefore \triangle DNE : \triangle ABD = S : 8S = 1 : 8$

5 $\overline{AD}$의 연장선과 $\overline{BC}$와의 교점
을 F라고 하면

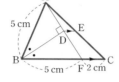

$\angle ABD = \angle FBD$,

$\angle BDA = \angle BDF$,

$\overline{BD}$는 공통이므로

$\triangle BAD \equiv \triangle BFD$ (ASA 합동)　　……　㉠

따라서 $\overline{AD} = \overline{DF}$이고 $\overline{DE} /\!/ \overline{FC}$이므로 삼각형의 중점연결
정리의 역에 의하여 $\triangle ADE \backsim \triangle AFC$이고 닮음비는
$1 : 2$이다.

$\therefore \triangle ADE : \triangle AFC = 1 : 4$

즉, $\triangle ADE = S \text{ cm}^2$라 하면 $\triangle AFC = 4S \text{ cm}^2$이고
㉠에 의해 $\overline{BF} = \overline{AB} = 5 \text{ cm}$, $\overline{FC} = 2 \text{ cm}$이므로

$\triangle ABF : \triangle AFC = \overline{BF} : \overline{FC}$

$\triangle ABF : 4S = 5 : 2$

$\therefore \triangle ABF = 10S \text{ cm}^2$

$\triangle ABC = \triangle ABF + \triangle AFC$

　　　　$= 10S + 4S = 14S(\text{cm}^2)$

$\therefore \triangle ABC : \triangle ADE = 14S : S = 14 : 1$

6 $\overline{BF}$의 연장선이 $\overline{AC}$와 만
나는 점을 P, $\overline{CE}$의 연장선이
$\overline{AB}$의 연장선과 만나는 점을
Q라고 하면

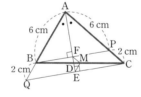

$\angle BAF = \angle PAF$,

$\angle AFB = \angle AFP$,

$\overline{AF}$는 공통이므로

$\triangle ABF \equiv \triangle APF$ (ASA 합동)

또, $\angle QAE = \angle CAE$, $\angle AEQ = \angle AEC$,

$\overline{AE}$는 공통이므로 $\triangle AQE \equiv \triangle ACE$ (ASA 합동)

$\therefore \overline{BF} = \overline{PF}$, $\overline{QE} = \overline{CE}$

$\overline{BM} = \overline{MC}$이므로 $\triangle BCP$와 $\triangle CBQ$에서 각각 삼각형의
중점연결정리에 의해

$\overline{MF} = \dfrac{1}{2}\overline{CP} = \dfrac{1}{2} \times 2 = 1(\text{cm})$

$\overline{ME} = \dfrac{1}{2}\overline{BQ} = \dfrac{1}{2} \times 2 = 1(\text{cm})$

$\therefore \overline{ME} + \overline{MF} = 1 + 1 = 2(\text{cm})$

7 $\triangle CDE \backsim \triangle CAB$에서

$\dfrac{\overline{DE}}{\overline{AB}} = \dfrac{\overline{CD}}{\overline{CA}}$　　……　㉠

$\triangle AFG \backsim \triangle ABC$에서

$\dfrac{\overline{FG}}{\overline{BC}} = \dfrac{\overline{AG}}{\overline{AC}}$　　……　㉡

$\square AIPD$와 $\square PHCG$가 평행사변형이므로

$\overline{HI} = \overline{IP} + \overline{PH} = \overline{AD} + \overline{GC}$에서

$\dfrac{\overline{HI}}{\overline{CA}} = \dfrac{\overline{AD} + \overline{GC}}{\overline{CA}}$　　……　㉢

㉠, ㉡, ㉢에서

$\dfrac{\overline{DE}}{\overline{AB}} + \dfrac{\overline{FG}}{\overline{BC}} + \dfrac{\overline{HI}}{\overline{CA}} = \dfrac{\overline{CD} + \overline{AG} + (\overline{AD} + \overline{GC})}{\overline{AC}}$

　　　　　　　　　　　$= \dfrac{(\overline{CD} + \overline{AD}) + (\overline{AG} + \overline{GC})}{\overline{AC}}$

　　　　　　　　　　　$= \dfrac{2\overline{AC}}{\overline{AC}} = 2$

8 점 I가 $\triangle ABC$의 내심
이므로

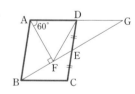

$\angle DAI = \angle EAI$,

$\angle AID = \angle AIE$,

$\overline{AI}$는 공통이므로

$\triangle ADI \equiv \triangle AEI$ (ASA 합동)

$\therefore \overline{DI} = \overline{IE}$　　……　㉠

또, $\angle BDI = \angle DIA + \angle DAI = 90° + \dfrac{1}{2}\angle A$,

$\angle CEI = \angle AIE + \angle EAI = 90° + \dfrac{1}{2}\angle A$,

$\angle BIC = 90° + \dfrac{1}{2}\angle A$

이므로 $\triangle BDI \backsim \triangle BIC \backsim \triangle IEC$ (AA 닮음)

$\overline{BD} : \overline{DI} = \overline{IE} : \overline{EC}$

$4 : \dfrac{1}{2}\overline{DE} = \dfrac{1}{2}\overline{DE} : 1 \ (\because ㉠)$

$\overline{DE}^2 = 16$　　$\therefore \overline{DE} = 4 \text{ cm} \ (\because \overline{DE} > 0)$

9 $\overline{BE}$의 연장선과 $\overline{AD}$의 연장
선이 만나는 점을 G라고 하자.

$\square ABCD$가 평행사변형이므로

$\overline{AD} = \overline{BC}$　　……　㉠

$\overline{DG} /\!/ \overline{BC}$에서

$\angle GDE = \angle BCE$, $\angle DEG = \angle CEB$, $\overline{DE} = \overline{CE}$이므로

$\triangle DEG \equiv \triangle CEB$ (ASA 합동)

$\therefore \overline{DG} = \overline{BC}$　　……　㉡

㉠, ㉡에서 $\overline{AD} = \overline{DG}$

즉, 직각삼각형 AFG의 빗변의 중점이 D이므로 점 D는
$\triangle AFG$의 외심이 되어 $\overline{AD} = \overline{DG} = \overline{DF}$

따라서 $\triangle DAF$는 $\overline{DA} = \overline{DF}$인 이등변삼각형이므로

$\angle DFA = \angle DAF = 60°$

$\therefore \angle DFE = 90° - 60° = 30°$

3 피타고라스 정리

1^{STEP} 주제별 실력다지기

1 (1) 풀이 참조 (2) 풀이 참조 (3) 풀이 참조   **2** (1) 풀이 참조 (2) 49

3 (1) 풀이 참조 (2) 4   **4** (1) 8 (2) 25 (3) 30 (4) 1 (5) 2   **5** 52   **6** 244

7 5 cm²   **8** 11   **9** 129   **10** 4 cm   **11** $\dfrac{20}{3}$ **12** 2

13 $\dfrac{8}{3}\pi$ **14** 84 cm²   **15** 풀이 참조   **16** $\dfrac{23}{2}$ **17** 81   **18** $x+z=y$

19 $\dfrac{25}{8}\pi$ cm²   **20** 풀이 참조   **21** 30 cm²   **22** $\dfrac{50}{3}$ cm²   **23** (1) $\dfrac{7}{5}$ cm (2) $\dfrac{84}{25}$ cm²

24 $\dfrac{84}{125}$ cm   **25** 풀이 참조   **26** 풀이 참조   **27** (1) 예각 (2) 둔각   **28** (1) 둔각삼각형 (2) 예각삼각형

29 15 cm   **30** 45°   **31** 20 cm   **32** 25 cm

최상위 NOTE 04

좌표평면 위의 두 점 사이의 거리

피타고라스 정리를 이용하면 좌표평면 위의 두 점 사이의 거리를 구할 수 있다.

오른쪽 그림과 같이 좌표평면 위의 두 점 P(1, 1), Q(5, 4)에 대하여 점 P를 지나고 x축과 평행한 직선과 점 Q를 지나고 y축과 평행한 직선의 교점을 R라 하자. 즉, 점 R의 좌표는 (5, 1)이다. 두 점 P, R의 y좌표가 같으므로 $\overline{\text{PR}}$의 길이는 두 점 P, R의 x좌표의 차와 같다. 즉, $\overline{\text{PR}}=5-1=4$

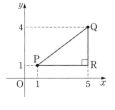

마찬가지로 두 점 Q, R의 x좌표가 같으므로 $\overline{\text{QR}}$의 길이는 두 점 Q, R의 y좌표의 차와 같다. 즉, $\overline{\text{QR}}=4-1=3$

△PQR에서 피타고라스 정리에 의해

$\overline{\text{PQ}}^2=\overline{\text{PR}}^2+\overline{\text{QR}}^2=4^2+3^2=25$

∴ $\overline{\text{PQ}}=5$ (∵ $\overline{\text{PQ}}>0$)

즉, 좌표평면 위의 두 점 P, Q 사이의 거리는 5이다.

마찬가지로 생각하면 두 점 A(x_1, y_1), B(x_2, y_2)에 대하여 점 A를 지나고 x축과 평행한 직선과 점 B를 지나고 y축과 평행한 직선의 교점을 C라 하자. 즉, 점 C의 좌표는 (x_2, y_1)이다. 두 점 A, C의 y좌표가 같으므로 $\overline{\text{AC}}$의 길이는 두 점 A, C의 x좌표의 차와 같다.

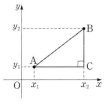

즉, $\overline{\text{AC}}=\begin{cases} x_2-x_1 & (x_1\leq x_2) \\ x_1-x_2 & (x_1>x_2) \end{cases}$

마찬가지로 생각하면 두 점 B, C의 x좌표가 같으므로 $\overline{\text{BC}}$의 길이는 두 점 B, C의 y좌표의 차와 같다.

즉, $\overline{\text{BC}}=\begin{cases} y_2-y_1 & (y_1\leq y_2) \\ y_1-y_2 & (y_1>y_2) \end{cases}$

△ABC에서 피타고라스 정리에 의해

$\overline{\text{AB}}^2=\overline{\text{AC}}^2+\overline{\text{BC}}^2=(x_2-x_1)^2+(y_2-y_1)^2$

1 (1) △ABF와 △EBC에서

$\overline{AB}=\overline{EB}$, $\overline{BF}=\overline{BC}$,

∠ABF=∠EBC이므로

△ABF≡△EBC (SAS 합동)

이때 밑변의 길이와 높이가

같으므로

△EBC=△EBA

△ABF=△LBF

∴ △EBA=△LBF

또한, □EBAD=2△EBA, □BFML=2△LBF

이므로 □EBAD=□BFML

(2) △AGC와 △HBC에서

$\overline{AC}=\overline{HC}$, $\overline{CG}=\overline{CB}$, ∠ACG=∠HCB이므로

△AGC≡△HBC (SAS 합동)

이때 밑변의 길이와 높이가 같으므로

△HBC=△HAC, △AGC=△LGC

∴ △HAC=△LGC

또한, □ACHI=2△HAC, □LMGC=2△LGC

이므로 □ACHI=□LMGC

(3) □ACHI+□EBAD=□LMGC+□BFML

$\qquad\qquad\qquad\quad$ =□BFGC

∴ $b^2+c^2=a^2$

2 (1) △ABC≡△CDE≡△EFG≡△GHA이므로

$\overline{AC}=\overline{CE}=\overline{EG}=\overline{GA}$이고

∠CAG

=180°−(∠CAB+∠HAG)

=180°−(∠CAB+∠BCA)

=∠ABC

=90°

따라서 □ACEG는 정사각형이다.

(2) □ACEG는 정사각형이므로 $\overline{AC}^2=25$에서

$\overline{AC}=5$ ($\because$ $\overline{AC}>0$)

△ABC에서 $\overline{AB}^2=5^2-4^2=9$

∴ $\overline{AB}=3$ ($\because$ $\overline{AB}>0$)

따라서 정사각형 HBDF의 한 변의 길이는 4+3=7이

므로

□HBDF=$7^2=49$

3 (1) △ABC≡△BDG≡△DEH≡△EAF이므로

$\overline{FC}=\overline{CG}=\overline{GH}=\overline{HF}$이고

∠FCG=180°−∠ACB

=180°−90°

=90°

따라서 □FCGH는 정사각형이다.

(2) △ABC에서 $\overline{BC}^2=10^2-8^2=36$

∴ $\overline{BC}=6$ ($\because$ $\overline{BC}>0$)

$\overline{FC}=\overline{AC}-\overline{AF}=\overline{AC}-\overline{BC}=8-6=2$

∴ □FCGH=$2^2=4$

4 (1) $x^2=10^2-6^2=64$ $\qquad$ ∴ $x=8$ ($\because$ $x>0$)

(2) $x^2=15^2+20^2=625$ $\qquad$ ∴ $x=25$ ($\because$ $x>0$)

(3) $x^2=34^2-16^2=900$ $\qquad$ ∴ $x=30$ ($\because$ $x>0$)

(4) $(5x)^2+12^2=(13x)^2$에서 $144x^2=144$, $x^2=1$

$\qquad$ ∴ $x=1$ ($\because$ $x>0$)

(5) $(24x)^2+(7x)^2=50^2$에서 $625x^2=2500$, $x^2=4$

$\qquad$ ∴ $x=2$ ($\because$ $x>0$)

5 △ABC에서 피타고라스 정리에 의해

$\overline{BC}^2=\overline{AB}^2+\overline{AC}^2$이므로

$5^2=3^2+\overline{AC}^2$, $\overline{AC}^2=16$

∴ $\overline{AC}=4$ ($\because$ $\overline{AC}>0$)

□ABCD는 평행사변형이므로

$\overline{AO}=\overline{CO}$

∴ $\overline{AO}=\dfrac{1}{2}\overline{AC}=\dfrac{1}{2}\times4=2$

이때 △ABO도 직각삼각형이므로

$\overline{BO}^2=\overline{AO}^2+\overline{AB}^2$

$\overline{BO}^2=2^2+3^2=13$

∴ $\overline{BD}^2=4\overline{BO}^2=4\times13=52$

TIP 평행사변형의 두 대각선은 서로 다른 것을 이등분한다.

6 오른쪽 그림과 같이 $\overline{AD}$와 $\overline{BC}$를

각각 그으면 □ABCD의 두 대각선이

서로 수직이므로

$\overline{AD}^2+\overline{BC}^2=\overline{AB}^2+\overline{CD}^2$

$\qquad\qquad\qquad$ $=12^2+10^2$

$\qquad\qquad\qquad$ $=244$

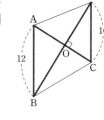

7 오른쪽 그림과 같이

△ABO를 △DCO′으로 평행

이동하면 □DOCO′의 두 대

각선은 서로 수직이므로

$6^2+\overline{OC}^2=5^2+4^2$, $\overline{OC}^2=5$

따라서 $\overline{OC}$를 한 변으로 하는 정사각형의 넓이는

$\overline{OC}^2=5(cm^2)$

8 오른쪽 그림과 같이 $\triangle \text{ABP}$를 $\triangle \text{DCP}'$으로 평행이동하면 $\square \text{DQCP}'$의 두 대각선은 서로 수직이므로

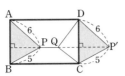

$\overline{\text{DQ}}^2+\overline{\text{CP}'}^2=\overline{\text{DP}'}^2+\overline{\text{CQ}}^2$

$\therefore \overline{\text{DQ}}^2-\overline{\text{CQ}}^2=\overline{\text{DP}'}^2-\overline{\text{CP}'}^2$
$=6^2-5^2=11$

9 $\overline{\text{DE}}^2+\overline{\text{BC}}^2=\overline{\text{BE}}^2+\overline{\text{CD}}^2$이므로

$4^2+\overline{\text{BC}}^2=8^2+9^2$

$\therefore \overline{\text{BC}}^2=129$

10 오른쪽 그림의 $\triangle \text{OAB}$에서 $\overline{\text{OB}}^2=1^2+1^2=2$

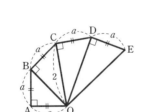

$\triangle \text{OBC}$에서 $\overline{\text{OC}}^2=2+1^2=3$

$\triangle \text{OCD}$에서 $\overline{\text{OD}}^2=3+2^2=7$

$\triangle \text{ODE}$에서 $\overline{\text{OE}}^2=7+3^2=16$

$\therefore \overline{\text{OE}}=4 \text{ cm} \ (\because \overline{\text{OE}}>0)$

11 오른쪽 그림과 같이 $\overline{\text{OA}}=a \ (a>0)$라 하면 $\triangle \text{OAB}$에서 $\overline{\text{OB}}^2=a^2+a^2=2a^2$

또, $\triangle \text{OBC}$에서 $\overline{\text{OC}}^2=2a^2+a^2=3a^2$

이와 같은 방법으로 계산하면

$\overline{\text{OD}}^2=4a^2$, $\overline{\text{OE}}^2=5a^2$

그런데 $\overline{\text{OC}}^2=3a^2=4$이므로

$a^2=\dfrac{4}{3}$

$\therefore \overline{\text{OE}}^2=5a^2=5\times\dfrac{4}{3}=\dfrac{20}{3}$

12 오른쪽 그림에서 $\overline{\text{OA}}$의 길이를 a라 하면

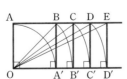

$\triangle \text{OA}'\text{B}$에서
$\overline{\text{OB}}^2=\overline{\text{OA}'}^2+\overline{\text{A}'\text{B}}^2$
$=\overline{\text{OA}}^2+\overline{\text{OA}}^2=2a^2$

이와 같은 방법으로 계산하면

$\overline{\text{OC}}^2=3a^2$, $\overline{\text{OD}}^2=4a^2$, $\overline{\text{OE}}^2=5a^2$

그런데 $\overline{\text{OE}}^2=5a^2=20$이므로 $a^2=4$

$\therefore \overline{\text{OA}}=a=2 \ (\because \overline{\text{OA}}>0)$

13 오른쪽 그림에서
$\overline{\text{OA}'}^2=\overline{\text{OA}}^2=2^2+2^2=8$
$\overline{\text{OB}'}^2=\overline{\text{OB}}^2=\overline{\text{OA}'}^2+\overline{\text{A}'\text{B}}^2$
$=8+2^2=12$
$\overline{\text{OC}}^2=\overline{\text{OB}'}^2+\overline{\text{B}'\text{C}}^2=12+2^2=16$

$\therefore \overline{\text{OC}}=4 \ (\because \overline{\text{OC}}>0)$

따라서 부채꼴 OCD는 반지름의 길이가 4이고 중심각의 크기가 60°이므로 구하는 넓이는 $\pi\times 4^2\times\dfrac{60}{360}=\dfrac{8}{3}\pi$

14 오른쪽 그림과 같이 점 A에서 $\overline{\text{BC}}$에 내린 수선의 발을 H라 하면

$\triangle \text{ABH}$에서
$\overline{\text{AB}}^2=\overline{\text{AH}}^2+\overline{\text{BH}}^2$이고
$\triangle \text{ACH}$에서 $\overline{\text{AC}}^2=\overline{\text{AH}}^2+\overline{\text{CH}}^2$이므로
$\overline{\text{AB}}^2-\overline{\text{BH}}^2=\overline{\text{AC}}^2-\overline{\text{CH}}^2$

이때 $\overline{\text{BH}}=x \text{ cm}$라 하면 $\overline{\text{CH}}=(21-x) \text{ cm}$이므로

$10^2-x^2=17^2-(21-x)^2$

$100-x^2=289-441+42x-x^2$

$42x=252$

$\therefore x=6$

$\triangle \text{ABH}$에서

$10^2=\overline{\text{AH}}^2+6^2, \ \overline{\text{AH}}^2=64$

$\therefore \overline{\text{AH}}=8 \text{ cm} \ (\because \overline{\text{AH}}>0)$

$\therefore \triangle \text{ABC}=\dfrac{1}{2}\times\overline{\text{BC}}\times\overline{\text{AH}}$
$=\dfrac{1}{2}\times 21\times 8$
$=84 (\text{cm}^2)$

TIP $(x-y)^2=x^2-2xy+y^2$
$(x-y)^2=(x-y)(x-y)$에서 $x-y=m$이라 하면
$(x-y)(x-y)=m(x-y)$
$=mx-my$
$=(x-y)x-(x-y)y$
$=x^2-xy-xy+y^2$
$=x^2-2xy+y^2$
$\therefore (x-y)^2=x^2-2xy+y^2$

---

15 오른쪽 그림의 $\triangle \text{ABH}$에서

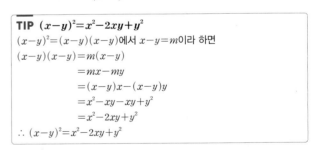

$\overline{\text{AB}}^2=\overline{\text{AH}}^2+\overline{\text{BH}}^2$
$=\overline{\text{AH}}^2+(\overline{\text{BD}}+\overline{\text{DH}})^2$
$=\overline{\text{AH}}^2+\overline{\text{BD}}^2+2\overline{\text{BD}}\times\overline{\text{DH}}+\overline{\text{DH}}^2$

$\cdots\cdots\text{㉠}$

또, $\triangle \text{ACH}$에서
$\overline{\text{AC}}^2=\overline{\text{AH}}^2+\overline{\text{CH}}^2$
$=\overline{\text{AH}}^2+(\overline{\text{CD}}-\overline{\text{DH}})^2$

$$= \overline{AH}^2 + (\overline{BD} - \overline{DH})^2 \ (\because \overline{CD} = \overline{BD})$$
$$= \overline{AH}^2 + \overline{BD}^2 - 2\overline{BD} \times \overline{DH} + \overline{DH}^2 \quad \cdots\cdots \ \text{ⓛ}$$

㉠+ⓛ을 하면
$$\overline{AB}^2 + \overline{AC}^2 = 2(\overline{AH}^2 + \overline{DH}^2 + \overline{BD}^2) = 2(\overline{AD}^2 + \overline{BD}^2)$$
$$(\because \triangle ADH \text{에서 } \overline{AD}^2 = \overline{AH}^2 + \overline{DH}^2)$$

> **TIP** $(x+y)^2 = x^2 + 2xy + y^2$
> $(x+y)^2 = (x+y)(x+y)$에서 $x+y = m$이라 하면
> $(x+y)(x+y) = m(x+y)$
> $\qquad\qquad\quad = mx + my$
> $\qquad\qquad\quad = (x+y)x + (x+y)y$
> $\qquad\qquad\quad = x^2 + xy + xy + y^2$
> $\qquad\qquad\quad = x^2 + 2xy + y^2$
> $\therefore (x+y)^2 = x^2 + 2xy + y^2$

16 오른쪽 그림의 $\triangle ABC$에서
$\overline{BD} = \overline{CD}$이므로 중선 정리에 의해

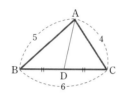

$$\overline{AB}^2 + \overline{AC}^2 = 2(\overline{AD}^2 + \overline{BD}^2)$$
$$5^2 + 4^2 = 2(\overline{AD}^2 + 3^2)$$
$$41 = 2\overline{AD}^2 + 18$$
$$2\overline{AD}^2 = 23$$
$$\therefore \overline{AD}^2 = \frac{23}{2}$$

17 오른쪽 그림에서
$\overline{BD} = \overline{DE}$이므로 $\triangle ABE$에서
중선 정리를 이용하면

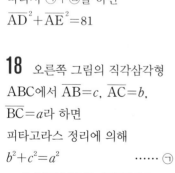

$$\overline{AB}^2 + \overline{AE}^2 = 2(\overline{AD}^2 + \overline{BD}^2)$$
$$12^2 + \overline{AE}^2 = 2(\overline{AD}^2 + 6^2)$$
$$\therefore 2\overline{AD}^2 - \overline{AE}^2 = 72 \quad \cdots\cdots \ \text{㉠}$$
또, $\overline{DE} = \overline{CE}$이므로 $\triangle ADC$에서 중선 정리를 이용하면
$$\overline{AD}^2 + \overline{AC}^2 = 2(\overline{AE}^2 + \overline{DE}^2)$$
$$\overline{AD}^2 + 9^2 = 2(\overline{AE}^2 + 6^2)$$
$$\therefore 2\overline{AE}^2 - \overline{AD}^2 = 9 \quad \cdots\cdots \ \text{ⓛ}$$
따라서 ㉠+ⓛ을 하면
$$\overline{AD}^2 + \overline{AE}^2 = 81$$

18 오른쪽 그림의 직각삼각형
ABC에서 $\overline{AB} = c$, $\overline{AC} = b$,
$\overline{BC} = a$라 하면
피타고라스 정리에 의해

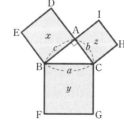

$$b^2 + c^2 = a^2 \quad \cdots\cdots \ \text{㉠}$$
그런데 □ADEB, □BFGC,
□ACHI가 모두 정사각형이므로
$$\square ADEB = c^2 = x \quad \cdots\cdots \ \text{ⓛ}$$
$$\square BFGC = a^2 = y \quad \cdots\cdots \ \text{ⓒ}$$
$$\square ACHI = b^2 = z \quad \cdots\cdots \ \text{ⓔ}$$

ⓛ, ⓒ, ⓔ을 ㉠에 대입하면 $x + z = y$

19 $\overline{AB}$, $\overline{AC}$를 각각 지름으로 하는 두 반원의 넓이의 합은 $\overline{BC}$를 지름으로 하는 반원의 넓이와 같으므로
$$S_1 + S_2 = \frac{\pi}{2}\left(\frac{5}{2}\right)^2 = \frac{25}{8}\pi \ (\text{cm}^2)$$

20 오른쪽 그림의 $\triangle ABC$는
$\angle A = 90°$인 직각삼각형이므로
피타고라스 정리에 의해
$$\overline{AB}^2 + \overline{AC}^2 = \overline{BC}^2 \quad \cdots\cdots \ \text{㉠}$$

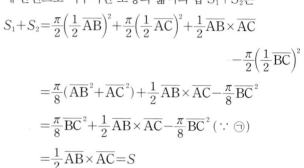

세 반원으로 이루어진 도형의 넓이의 합 $S_1 + S_2$는
$$S_1 + S_2 = \frac{\pi}{2}\left(\frac{1}{2}\overline{AB}\right)^2 + \frac{\pi}{2}\left(\frac{1}{2}\overline{AC}\right)^2 + \frac{1}{2}\overline{AB} \times \overline{AC}$$
$$- \frac{\pi}{2}\left(\frac{1}{2}\overline{BC}\right)^2$$
$$= \frac{\pi}{8}(\overline{AB}^2 + \overline{AC}^2) + \frac{1}{2}\overline{AB} \times \overline{AC} - \frac{\pi}{8}\overline{BC}^2$$
$$= \frac{\pi}{8}\overline{BC}^2 + \frac{1}{2}\overline{AB} \times \overline{AC} - \frac{\pi}{8}\overline{BC}^2 \ (\because \text{㉠})$$
$$= \frac{1}{2}\overline{AB} \times \overline{AC} = S$$

21 오른쪽 그림의 $\triangle ABC$가
직각삼각형이므로 피타고라스 정리
에 의해
$$\overline{AB}^2 + \overline{AC}^2 = \overline{BC}^2$$

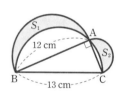

$$12^2 + \overline{AC}^2 = 13^2, \ \overline{AC}^2 = 25$$
$$\therefore \overline{AC} = 5 \text{ cm} \ (\because \overline{AC} > 0)$$
한편, $S_1 + S_2$의 값은 $\triangle ABC$의 넓이와 같으므로
(20번 증명 참고)
$$S_1 + S_2 = \triangle ABC$$
$$= \frac{1}{2} \times \overline{AB} \times \overline{AC}$$
$$= \frac{1}{2} \times 12 \times 5 = 30 \ (\text{cm}^2)$$

22 $\triangle ABD$에서 $5^2 = \overline{AD}^2 + 3^2$, $\overline{AD}^2 = 16$
$$\therefore \overline{AD} = 4 \text{ cm} \ (\because \overline{AD} > 0)$$
또, $\overline{AB}^2 = \overline{BD} \times \overline{BC}$이므로 $5^2 = 3 \times \overline{BC}$
$$\therefore \overline{BC} = \frac{25}{3} \text{ cm}$$
$$\therefore \triangle ABC = \frac{1}{2} \times \overline{BC} \times \overline{AD} = \frac{1}{2} \times \frac{25}{3} \times 4 = \frac{50}{3} \ (\text{cm}^2)$$

23 (1) $\overline{AB}^2 = 8^2 + 6^2 = 100$, $\overline{AB} = 10 \text{ cm} \ (\because \overline{AB} > 0)$
이므로 $\overline{AM} = \overline{BM} = \frac{1}{2}\overline{AB} = \frac{1}{2} \times 10 = 5 \ (\text{cm})$
또, $\overline{AC}^2 = \overline{AH} \times \overline{AB}$이므로 $6^2 = \overline{AH} \times 10$에서

$\overline{AH}=\dfrac{18}{5}$ cm

$\therefore \overline{MH}=\overline{AM}-\overline{AH}=5-\dfrac{18}{5}=\dfrac{7}{5}$ (cm)

(2) $\overline{AC}\times\overline{BC}=\overline{CH}\times\overline{AB}$이므로 $6\times8=\overline{CH}\times10$

$\therefore \overline{CH}=\dfrac{24}{5}$ cm

$\therefore \triangle CHM=\dfrac{1}{2}\times\overline{MH}\times\overline{CH}=\dfrac{1}{2}\times\dfrac{7}{5}\times\dfrac{24}{5}$

$=\dfrac{84}{25}$ (cm^2)

24 $\overline{BC}^2=3^2+4^2=25$ $\therefore \overline{BC}=5$ cm $(\because \overline{BC}>0)$

$\overline{AB}\times\overline{AC}=\overline{AD}\times\overline{BC}$이므로 $3\times4=\overline{AD}\times5$

$\therefore \overline{AD}=\dfrac{12}{5}$ cm

$\overline{AB}^2=\overline{BD}\times\overline{BC}=(\overline{BM}-\overline{DM})\times\overline{BC}$,

$3^2=\left(\dfrac{5}{2}-\overline{DM}\right)\times5$, $\dfrac{5}{2}-\overline{DM}=\dfrac{9}{5}$ $\therefore \overline{DM}=\dfrac{7}{10}$ cm

점 M은 빗변의 중점이므로 직각삼각형 ABC의 외심이다.

$\therefore \overline{AM}=\overline{BM}=\overline{CM}=\dfrac{5}{2}$ cm

또, $\triangle ADM$에서 $\overline{DM}\times\overline{DA}=\overline{DE}\times\overline{AM}$이므로

$\dfrac{7}{10}\times\dfrac{12}{5}=\overline{DE}\times\dfrac{5}{2}$ $\therefore \overline{DE}=\dfrac{84}{125}$ cm

25 오른쪽 그림의 직각삼각형
BHC에서
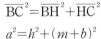

$\overline{BC}^2=\overline{BH}^2+\overline{HC}^2$

$a^2=h^2+(m+b)^2$

$=h^2+m^2+2mb+b^2$

$\therefore h^2=a^2-m^2-2mb-b^2$ …… ㉠

또, 직각삼각형 BHA에서

$\overline{BA}^2=\overline{BH}^2+\overline{HA}^2$

$c^2=h^2+m^2$

$\therefore h^2=c^2-m^2$ …… ㉡

㉠, ㉡에서

$a^2-m^2-2mb-b^2=c^2-m^2$

$\therefore a^2=c^2+2mb+b^2$

이때 $2mb>0$이므로 $c^2+2mb+b^2>c^2+b^2$

$\therefore a^2>b^2+c^2$

26 오른쪽 그림의 $\triangle ABD$와
$\triangle BCD$는 직각삼각형이므로
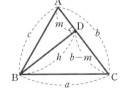

$c^2=m^2+h^2$ …… ㉠

$a^2=h^2+(b-m)^2$

$=h^2+b^2-2bm+m^2$ …… ㉡

㉡-㉠을 하면

$a^2-c^2=b^2-2bm$

$\therefore a^2=b^2+c^2-2bm$

이때 $2bm>0$이므로 $b^2+c^2-2bm<b^2+c^2$

$\therefore a^2<b^2+c^2$

27 (1) 오른쪽 그림에서
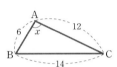

$\overline{AC}^2=7^2=49$

$\overline{AB}^2+\overline{BC}^2=4^2+9^2=97$

$\therefore \overline{AC}^2<\overline{AB}^2+\overline{BC}^2$

따라서 $\angle x$는 예각이다.

(2) 오른쪽 그림에서
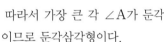

$\overline{BC}^2=14^2=196$

$\overline{AB}^2+\overline{AC}^2=6^2+12^2$

$=180$

$\therefore \overline{BC}^2>\overline{AB}^2+\overline{AC}^2$

따라서 $\angle x$는 둔각이다.

28 (1) 오른쪽 그림에서 가장 긴
변의 길이가 9이므로
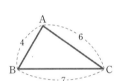

$9^2>5^2+7^2$

따라서 가장 큰 각 $\angle A$가 둔각
이므로 둔각삼각형이다.

(2) 오른쪽 그림에서 가장 긴 변의
길이가 7이므로

$7^2<4^2+6^2$

따라서 가장 큰 각 $\angle A$가 예각
이므로 예각삼각형이다.

> **TIP** 삼각형의 변의 길이와 각의 크기 사이의 관계
> 예각삼각형은 세 내각의 크기가 모두 예각인 삼각형이다. $\triangle ABC$에 대하여 $\overline{BC}^2<\overline{AB}^2+\overline{AC}^2$이면 $\overline{BC}$의 대각인 $\angle A$는 예각이다. 하지만 $\angle B$ 또는 $\angle C$가 예각이 아닐 수도 있으므로 $\triangle ABC$는 예각삼각형이 아닐 수도 있다. 만약 $\triangle ABC$의 세 변 중 가장 긴 변이 $\overline{BC}$라면 $\angle A$가 가장 큰 각이므로 $\angle A$가 예각일 때, $\angle B$와 $\angle C$도 모두 예각이 된다. 따라서 $\triangle ABC$는 예각삼각형이다.

29 오른쪽 그림과 같이 점 A
를 $\overline{CD}$에 대하여 대칭이동한
점을 A'이라 하면
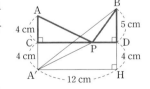

$\overline{AP}=\overline{A'P}$이므로

$\overline{AP}+\overline{BP}=\overline{A'P}+\overline{BP}$가 되고

그 최솟값은 $\overline{A'B}$의 길이이다.

점 A'에서 $\overline{BD}$의 연장선에 내린 수선의 발을 H라 하면

$\triangle A'HB$에서

$\overline{A'B}^2=\overline{A'H}^2+\overline{BH}^2=12^2+9^2=225$

$\therefore \overline{A'B}=15$ cm $(\because \overline{A'B}>0)$

30 오른쪽 그림과 같이 점 A를 $\overline{BD}$에 대하여 대칭이동한 점을 A′이라 하면 $\overline{AP}=\overline{A'P}$

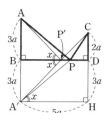

$\overline{AP}+\overline{PC}=\overline{A'P}+\overline{PC}$가 되고 그 최솟값은 $\overline{A'C}$의 길이이다.

한편, 점 A′에서 $\overline{CD}$의 연장선에 내린 수선의 발을 H라 하고

$\angle AP'B=\angle BP'A'=\angle P'A'H=\angle x$라 하면

$\overline{A'H}=\overline{BD}=5a$,

$\overline{CH}=\overline{CD}+\overline{DH}=2a+3a=5a$

이므로 $\triangle A'HC$는 직각이등변삼각형이 된다.

따라서 $\angle x=45°$이다.

31 다음 그림과 같이 점 P와 점 S를 $\overline{AD}$, $\overline{BC}$에 대하여 대칭이동한 점을 각각 P′, S′이라 하면

$\overline{PQ}+\overline{QR}+\overline{RS}=\overline{P'Q}+\overline{QR}+\overline{RS'}$

이고 그 최솟값은 $\overline{P'S'}$의 길이이다.

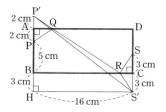

점 S′에서 $\overline{AB}$의 연장선에 내린 수선의 발을 H라 하면

$\triangle P'HS'$에서

$\overline{P'S'}^2=\overline{P'H}^2+\overline{HS'}^2=12^2+16^2=400$

$\therefore \overline{P'S'}=20\,\text{cm}\ (\because \overline{P'S'}>0)$

32 선이 지나가는 면을 펼치면 오른쪽 그림과 같다.

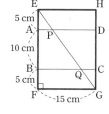

따라서 최단 거리 $\overline{EG}$는

$\overline{EG}^2=\overline{EF}^2+\overline{FG}^2$

$\qquad =20^2+15^2$

$\qquad =625$

$\therefore \overline{EG}=25\,\text{cm}\ (\because \overline{EG}>0)$

1 ③	2 13 : 9	3 49 cm²	4 24 cm²	5 24	6 $\frac{32}{5}$ cm
7 둔각삼각형	8 3	9 18 cm²	10 ④	11 4 cm²	12 48
13 $\frac{25}{2}$ cm²	14 144 cm²	15 (1) $\frac{7}{4}$ cm (2) $\frac{75}{4}$ cm²		16 20	17 15 cm
18 4					

문제 풀이

1 ① △ABC에서 피타고라스 정리에 의해

$\overline{AB}^2 = \overline{BC}^2 - \overline{AC}^2 = 5^2 - 3^2 = 16$

$\overline{AB} = 4$ cm $(\because \overline{AB} > 0)$

이므로

$\square EBAD = 4^2 = 16 (cm^2)$

$\therefore \triangle EBC = \triangle EBA = \frac{1}{2}\square EBAD$

$= \frac{1}{2} \times 16 = 8(cm^2)$

② △EBC와 △ABF에서

$\overline{EB} = \overline{AB}$, $\angle EBC = \angle ABF$, $\overline{BC} = \overline{BF}$

이므로

$\triangle EBC \equiv \triangle ABF$ (SAS 합동)

③ $\triangle EBC = 8 cm^2 (\because ①)$

$\triangle ABC = \frac{1}{2} \times \overline{AB} \times \overline{AC}$

$= \frac{1}{2} \times 4 \times 3 = 6(cm^2)$

$\therefore \triangle EBC \neq \triangle ABC$

④ $\triangle EBC \equiv \triangle ABF$이고, $\triangle ABF = \triangle LBF$이므로

$\triangle EBC = \triangle LBF$

⑤ $\triangle EBC = \triangle LBF = \frac{1}{2}\square BFML$

따라서 옳지 않은 것은 ③이다.

2 오른쪽 그림에서

$\overline{AB} : \overline{AC} = 3 : 2$이므로

$\square BADE : \square ACHI$

$= 3^2 : 2^2 = 9 : 4$

△ABC에서 피타고라스 정리에 의해

$\overline{AB}^2 + \overline{AC}^2 = \overline{BC}^2$이므로

$\square BADE + \square ACHI = \square BFGC$

$\therefore \square BFGC : \square BADE = (9+4) : 9 = 13 : 9$

3 서술형

표현 단계 $\angle BAQ + \angle ABQ = 90°$이고

$\angle BAQ + \angle DAP = 90°$이므로

$\angle ABQ = \angle DAP$

즉, $\triangle ABQ \equiv \triangle BCR \equiv \triangle CDS$

$\equiv \triangle DAP$ (RHA 합동)

$\therefore \overline{AQ} = \overline{BR} = \overline{CS} = \overline{DP}$, $\overline{BQ} = \overline{CR} = \overline{DS} = \overline{AP}$

따라서 $\overline{PQ} = \overline{QR} = \overline{RS} = \overline{SP}$이므로 $\square PQRS$는

정사각형이다.

변형 단계 △ABQ에서 $\overline{BQ} = 8$ cm이므로 피타고라스 정리

에 의해

$\overline{AQ}^2 = \overline{AB}^2 - \overline{BQ}^2 = 17^2 - 8^2 = 225$

$\therefore \overline{AQ} = 15$ cm $(\because \overline{AQ} > 0)$

풀이 단계 $\overline{PQ} = \overline{AQ} - \overline{AP} = 15 - 8 = 7(cm)$

따라서 $\square PQRS$의 한 변의 길이는 7 cm이다.

확인 단계 $\square PQRS = 7 \times 7 = 49(cm^2)$

4 오른쪽 그림과 같이 두 점 A

와 D에서 $\overline{BC}$에 내린 수선의 발을

각각 P, Q라 하면

$\overline{PQ} = \overline{AD} = 3$ cm

$\overline{BP} = \overline{CQ} = \frac{1}{2}(9-3) = 3(cm)$

△ABP에서

$\overline{AP}^2 = \overline{AB}^2 - \overline{BP}^2 = 5^2 - 3^2 = 16$

$\therefore \overline{AP} = 4$ cm $(\because \overline{AP} > 0)$

따라서 $\square ABCD$의 넓이 S는

$S = \frac{1}{2} \times (3+9) \times 4 = 24(cm^2)$

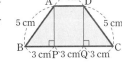

5 오른쪽 그림의 △ABH에서

$\overline{AH}^2 = 7^2 - x^2$ ······ ㉠

△AHC에서

$\overline{AH}^2 = 5^2 - y^2$ ······ ㉡

㉠, ㉡에서 $7^2 - x^2 = 5^2 - y^2$

$\therefore x^2 - y^2 = 7^2 - 5^2 = 24$

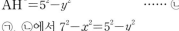

6 오른쪽 그림의 △ABC에서

$\overline{AD}^2 = \overline{BD} \times \overline{DC}$이므로

$\overline{AD}^2 = 16 \times 4 = 64$

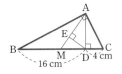

$\therefore \overline{AD}=8 \text{ cm} \ (\because \overline{AD}>0)$

한편, 점 M은 $\overline{BC}$의 중점이므로 직각삼각형 ABC의 외심이다.

$\therefore \overline{AM}=\overline{BM}=\overline{CM}=\dfrac{1}{2}\times(16+4)=10(\text{cm})$

$\triangle AMD$에서 $\overline{AD}^2=\overline{AE}\times\overline{AM}$이므로

$8^2=\overline{AE}\times10$

$\therefore \overline{AE}=\dfrac{32}{5} \text{ cm}$

7 서술형

표현 단계 $\overline{AB}=7$, $\overline{BC}=11$, $\overline{AC}=6$으로 놓으면 변의 길이와 각의 크기 사이의 관계에 의해 $\overline{BC}$의 대각이 가장 큰 각이다.

풀이 단계 $\overline{BC}^2=121$, $\overline{AB}^2+\overline{AC}^2=7^2+6^2=85$에서 $\overline{BC}^2>\overline{AB}^2+\overline{AC}^2$이다.

확인 단계 따라서 주어진 삼각형은 $\angle A>90°$인 둔각삼각형이다.

8 서술형

표현 단계 $9^2+12^2=15^2$이므로 주어진 $\triangle ABC$는 $\angle A=90°$인 직각삼각형이다.

변형 단계 다음 그림과 같이 $\triangle ABC$의 내접원 O의 반지름의 길이를 r라 하면

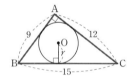

풀이 단계 $\triangle ABC=\dfrac{1}{2}\times r\times(9+12+15)=\dfrac{1}{2}\times9\times12$

$18r=54$

확인 단계 $\therefore r=3$

9 오른쪽 그림의 $\triangle ABE$에서

$\overline{AE}^2=15^2-12^2=81$

$\therefore \overline{AE}=9 \text{ cm} \ (\because \overline{AE}>0)$

$\therefore \overline{EC}=\overline{AC}-\overline{AE}$

$=12-9=3(\text{cm})$

$\overline{AB} /\!/ \overline{CD}$이므로

$\triangle ABE \backsim \triangle CDE$ (AA 닮음)

이때 $\overline{AE}:\overline{CE}=9:3=3:1$이므로

$\overline{AB}:\overline{CD}=3:1$에서

$12:\overline{CD}=3:1$, $3\overline{CD}=12$ $\therefore \overline{CD}=4 \text{ cm}$

$\therefore \triangle AED=\dfrac{1}{2}\times\overline{AE}\times\overline{CD}=\dfrac{1}{2}\times9\times4=18(\text{cm}^2)$

10 오른쪽 그림의 $\triangle OAB$에서

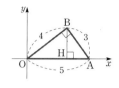

$5^2=4^2+3^2$이므로

$\overline{OA}^2=\overline{OB}^2+\overline{BA}^2$

즉, $\triangle OAB$는 $\angle B=90°$인 직각삼각형이다.

점 B에서 $\overline{OA}$에 내린 수선의 발을 H라 하고, 점 B의 좌표를 (x, y)라 하면 $\triangle OAB \backsim \triangle OBH$에서

$\overline{OA}:\overline{OB}=\overline{OB}:\overline{OH}$

$5:4=4:x$, $5x=16$ $\therefore x=\dfrac{16}{5}$

또, $\triangle OBH \backsim \triangle BAH$에서

$\overline{OB}:\overline{BA}=\overline{OH}:\overline{BH}$

$4:3=\dfrac{16}{5}:y$, $4y=\dfrac{48}{5}$ $\therefore y=\dfrac{12}{5}$

따라서 점 B의 좌표는 $\left(\dfrac{16}{5}, \dfrac{12}{5}\right)$이다.

11 오른쪽 그림에서

$\overline{AM}=\overline{BM}=\dfrac{1}{2}\times12=6(\text{cm})$

$\triangle AMD$에서

$\overline{DM}^2=6^2+8^2=100$

$\therefore \overline{DM}=10 \text{ cm} \ (\because \overline{DM}>0)$

$\overline{DC} /\!/ \overline{AN}$이므로

$\angle CDN=\angle DNM$ (엇각)

따라서 $\angle MDN=\angle CDN=\angle DNM$이므로

$\triangle MND$는 이등변삼각형이다.

즉, $\overline{MN}=\overline{DM}=10 \text{ cm}$

$\therefore \overline{BN}=\overline{MN}-\overline{MB}=10-6=4(\text{cm})$

$\triangle AND \backsim \triangle BNE$ (AA 닮음)이므로

$\overline{AN}:\overline{BN}=\overline{AD}:\overline{BE}$

$16:4=8:\overline{BE}$ $\therefore \overline{BE}=2 \text{ cm}$

$\therefore \triangle BNE=\dfrac{1}{2}\times\overline{BN}\times\overline{BE}=\dfrac{1}{2}\times4\times2=4(\text{cm}^2)$

12 서술형

표현 단계 $\triangle ABC$는 직각삼각형이므로 피타고라스 정리에 의해

변형 단계 $\overline{AC}^2=\overline{BC}^2-\overline{AB}^2=6^2-2^2=32$

또, $\square ABCD$가 평행사변형이므로 $\overline{OA}=\overline{OC}$, $\overline{OB}=\overline{OD}$이다.

풀이 단계 즉, $\overline{OA}=\dfrac{1}{2}\overline{AC}$이므로

$\triangle OAB$에서 피타고라스 정리에 의해

$\overline{OB}^2=\overline{OA}^2+\overline{AB}^2=\dfrac{1}{4}\overline{AC}^2+\overline{AB}^2=8+4=12$

확인 단계 따라서 $\overline{OB}=\overline{OD}$이므로

$\overline{BD}^2=4\overline{OB}^2=4\times12=48$

13 오른쪽 그림의 $\triangle ABC$에서

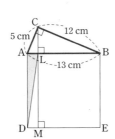

$\overline{CA}^2 = \overline{AB} \times \overline{AL}$이므로

$5^2 = 13 \times \overline{AL}$

$\therefore \overline{AL} = \dfrac{25}{13}$ cm

$\square ADEB$가 정사각형이므로

$\overline{AD} = \overline{AB} = 13$ cm

$\therefore \triangle LAD = \dfrac{1}{2} \times \overline{AL} \times \overline{AD}$

$\qquad\qquad = \dfrac{1}{2} \times \dfrac{25}{13} \times 13 = \dfrac{25}{2}(\text{cm}^2)$

> **TIP** $\triangle LAD$의 넓이는 $\overline{AC}$를 한 변으로 하는 정사각형의 넓이의 $\dfrac{1}{2}$임을 이용하여 $\triangle LAD$의 넓이가 $\dfrac{25}{2}$ cm²임을 구할 수도 있다.

---

14 오른쪽 그림의 $\triangle ABO$에서

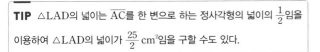

$\overline{OA} = \overline{OB} = 12$ cm이므로

$\overline{AB}^2 = 12^2 + 12^2 = 288$

$S_1 = (\overline{AB}$가 지름인 반원의 넓이$)$

$\qquad + (\triangle ABO$의 넓이$)$

$\qquad - (\text{부채꼴 } OAB$의 넓이$)$

$\quad = \dfrac{\pi}{2}\left(\dfrac{\overline{AB}}{2}\right)^2 + \dfrac{1}{2} \times 12 \times 12 - \dfrac{\pi}{4} \times 12^2$

$\quad = \dfrac{\pi}{2} \times 72 + 72 - 36\pi$

$\quad = 72(\text{cm}^2)$

$S_2 = \triangle ABO = \dfrac{1}{2} \times 12 \times 12 = 72(\text{cm}^2)$

$\therefore S_1 + S_2 = 72 + 72 = 144(\text{cm}^2)$

15 (1) 오른쪽 그림에서

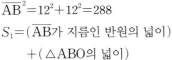

$\angle EBD = \angle CBD$ (접은 각)

$\angle CBD = \angle EDB$ (엇각)

$\therefore \angle EBD = \angle EDB$

즉, $\triangle EBD$는 $\overline{EB} = \overline{ED}$

인 이등변삼각형이다.

$\overline{AE} = x$ cm라 하면

$\overline{EB} = \overline{ED} = (8-x)$ cm이므로 $\triangle BAE$에서

$\overline{BE}^2 = \overline{AE}^2 + \overline{AB}^2$

$(8-x)^2 = x^2 + 6^2$

$64 - 16x + x^2 = x^2 + 36$

$16x = 28 \qquad \therefore x = \dfrac{7}{4}$

따라서 $\overline{AE}$의 길이는 $\dfrac{7}{4}$ cm이다.

---

(2) $\triangle EBD = \dfrac{1}{2} \times \overline{ED} \times \overline{AB}$

$\qquad\quad = \dfrac{1}{2} \times \left(8 - \dfrac{7}{4}\right) \times 6$

$\qquad\quad = \dfrac{75}{4}(\text{cm}^2)$

16 오른쪽 그림의

$\triangle ABD$와 $\triangle CAE$에서

$\angle ABD + \angle BAD = 90°$

$\angle CAE + \angle BAD = 90°$

이므로 $\angle ABD = \angle CAE$

또, $\overline{AB} = \overline{CA}$,

$\angle ADB = \angle CEA = 90°$이므로

$\triangle ABD \equiv \triangle CAE$ (RHA 합동)

따라서 $\overline{AD} = \overline{CE} = 2$, $\overline{AE} = \overline{BD} = 4$이므로

$\overline{DE} = \overline{AE} - \overline{AD} = 4 - 2 = 2$

$\triangle BDE$가 직각삼각형이므로

$\overline{BE}^2 = 4^2 + 2^2 = 20$

17 주어진 도형의 옆면의 전개도는 오

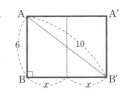

른쪽 그림과 같고, 부채꼴의

중심각의 크기를 $\angle x$라 하면

$\angle x = \angle BAB' = \dfrac{\overline{OB}}{\overline{AB}} \times 360° = \dfrac{3}{12} \times 360° = 90°$

따라서 구하는 최단 길이는 $\overline{BM}$의 길이이므로

$\overline{BM}^2 = 12^2 + 9^2 = 225$

$\therefore \overline{BM} = 15$ cm ($\because \overline{BM} > 0$)

18 서술형

표현 단계 원기둥의 옆면 2개를 오른

쪽 그림과 같이 이어붙여

서 전개도로 나타내면 실

의 길이의 최솟값이 10이

므로 $\overline{AB'} = 10$이다.

풀이 단계 원기둥의 밑면의 둘레의 길이를 x라 하면

$\triangle ABB'$에서 피타고라스 정리에 의해

$6^2 + (2x)^2 = 10^2$

$4x^2 = 64$, $x^2 = 16 \qquad \therefore x = 4$ ($\because x > 0$)

확인 단계 따라서 구하는 둘레의 길이는 4이다.

| 1 ④ | 2 5 : 16 | 3 30 cm² | 4 $\frac{58}{7}$ cm² |

문제 풀이

1 오른쪽 그림에서 $\overline{CD}=x$ cm, $\overline{BC}=y$ cm라 하면

□BCDF=18 cm²이므로

$xy=18$ ...... ㉠

직사각형의 두 대각선의 길이는 같으므로

$\overline{BD}=\overline{CF}=8$ cm

△BCD에서

$x^2+y^2=8^2$ ...... ㉡

㉠, ㉡에서

$(x+y)^2=x^2+y^2+2xy=8^2+2\times18=100$

∴ $x+y=10$ (∵ $x>0$, $y>0$)

$\overline{DE}=(8-x)$ cm, $\overline{AB}=(8-y)$ cm이므로

$\overline{AB}+\overline{BD}+\overline{DE}=(8-y)+8+(8-x)$

$\qquad\qquad\qquad\qquad=24-(x+y)=14(\text{cm})$

$\overset{\frown}{EA}=2\pi\times8\times\dfrac{90}{360}=4\pi(\text{cm})$

따라서 어두운 부분의 둘레의 길이는

$\overline{AB}+\overline{BD}+\overline{DE}+\overset{\frown}{EA}=14+4\pi(\text{cm})$

2 오른쪽 그림에서

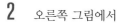

△DGF ∽ △ABC이므로

∠DFG=∠ACB

또, ∠DAG=∠ACB (엇각),

∠DFG=∠EFC (맞꼭지각)

이므로 △DAF, △ECF는 이등변삼각형이다.

$\overline{BE}=2a$, $\overline{CE}=3a$(단, $a>0$)라 하면

$\overline{AD}=\overline{DF}=5a$, $\overline{FE}=\overline{CE}=3a$

이므로 $\overline{DE}=\overline{DF}+\overline{FE}=5a+3a=8a$

△DEC에서

$\overline{DC}^2=\overline{DE}^2-\overline{CE}^2$

$\qquad=(8a)^2-(3a)^2=55a^2$

△ACD에서

$\overline{AC}^2=\overline{AD}^2+\overline{CD}^2$

$\qquad=(5a)^2+55a^2=80a^2$

∴ △DGF : △ABC

$\quad=\overline{DF}^2:\overline{AC}^2$

$\quad=25a^2:80a^2$

$\quad=5:16$

3 오른쪽 그림에서 △ABC가 직각삼각형이므로

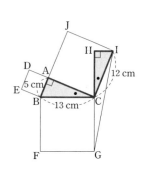

$\overline{AC}^2=\overline{BC}^2-\overline{AB}^2$

$\qquad=13^2-5^2=144$

∴ $\overline{AC}=12$ cm (∵ $\overline{AC}>0$)

점 I에서 $\overline{CG}$의 연장선에 내린 수선의 발을 H라 하면

△ABC와 △HIC에서

∠BAC=∠IHC=90°,

∠ACB=90°−∠HCA

$\qquad$=∠HCI

이므로 △ABC ∽ △HIC (AA 닮음)

$\overline{BC}:\overline{IC}=\overline{AB}:\overline{HI}$이므로

$13:12=5:\overline{HI}$

$13\overline{HI}=60$ ∴ $\overline{HI}=\dfrac{60}{13}$ cm

∴ △CGI$=\dfrac{1}{2}\times\overline{CG}\times\overline{HI}$

$\qquad\qquad=\dfrac{1}{2}\times13\times\dfrac{60}{13}=30(\text{cm}^2)$

4 오른쪽 그림의 점 D에서 $\overline{BC}$에 내린 수선의 발을 H라 하면

$\overline{BH}=\overline{AD}=2$ cm,

$\overline{CH}=5-2=3(\text{cm})$

△DHC에서

$\overline{DH}^2=\overline{DC}^2-\overline{CH}^2=5^2-3^2=16$

∴ $\overline{DH}=4$ cm (∵ $\overline{DH}>0$)

점 O에서 $\overline{BC}$, $\overline{AD}$에 내린 수선의 발을 각각 P, Q라 하면

$\overline{OP}+\overline{OQ}=\overline{DH}=4$ cm

△OAD ∽ △OCB이고 닮음비가 2 : 5이므로

$\overline{OP}=\dfrac{5}{5+2}\times\overline{DH}=\dfrac{5}{7}\times4=\dfrac{20}{7}(\text{cm})$

$\overline{OQ}=\dfrac{2}{5+2}\times\overline{DH}=\dfrac{2}{7}\times4=\dfrac{8}{7}(\text{cm})$

∴ (어두운 부분의 넓이)

$=\triangle\text{OBC}+\triangle\text{OAD}$

$=\dfrac{1}{2}\times\overline{BC}\times\overline{OP}+\dfrac{1}{2}\times\overline{AD}\times\text{OQ}$

$=\dfrac{1}{2}\times5\times\dfrac{20}{7}+\dfrac{1}{2}\times2\times\dfrac{8}{7}$

$=\dfrac{50}{7}+\dfrac{8}{7}=\dfrac{58}{7}(\text{cm}^2)$

1 72π	2 49 : 64	3 6 cm	4 5 cm	5 1	6 4 cm
7 $\dfrac{39}{5}$ cm	8 10 cm	9 $\dfrac{27}{7}$ cm	10 $\dfrac{9}{2}$ cm	11 6 cm	12 15 cm
13 39 cm²	14 5 cm	15 16	16 5 : 6 : 4	17 3 : 4	18 16 : 25
19 60π cm²	20 74π cm³	21 12 : 41	22 8 cm²	23 50 cm	24 100 m
25 4 cm	26 17 cm	27 80 cm²	28 36 cm²	29 90	30 $\dfrac{12}{5}$
31 ④	32 340	33 ④	34 높이: 24 cm, 부피: 800π cm³		35 $\dfrac{3}{2}$ cm
36 13π cm					

문제 풀이

1 두 원뿔의 닮음비가 4 : 8=1 : 2이므로 작은 원뿔의 밑면의 반지름의 길이는 3이고, 큰 원뿔의 모선의 길이는 10이다.

따라서 두 원뿔의 겉넓이는 각각

$S=\pi\times6\times10+\pi\times6^2=96\pi$

$S'=\pi\times3\times5+\pi\times3^2=24\pi$

$\therefore S-S'=96\pi-24\pi=72\pi$

> **TIP 원뿔의 옆넓이 구하기**
> 밑면의 반지름의 길이가 r, 모선의 길이가 l인 원뿔의 옆넓이 S에 대하여 $S=\pi rl$
>
>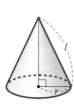

2 두 정육면체의 부피의 비가 343 : 512=7^3 : 8^3이므로 닮음비는 7 : 8이다.

따라서 두 정육면체의 겉넓이의 비는

7^2 : 8^2=49 : 64

3 오른쪽 그림에서

$\triangle CEF \backsim \triangle CAB$ (AA 닮음)

이므로

$\overline{CF}:\overline{CB}=\overline{EF}:\overline{AB}$

$\overline{CF}:(\overline{CF}+6)=2:6$

$6\overline{CF}=2(\overline{CF}+6)$

$3\overline{CF}=\overline{CF}+6,\ 2\overline{CF}=6$

$\therefore \overline{CF}=3$ cm ······ ㉠

또, $\triangle BFE \backsim \triangle BCD$ (AA 닮음)이므로

$\overline{BF}:\overline{BC}=\overline{FE}:\overline{CD}$

$6:9=2:\overline{CD},\ 6\overline{CD}=18$

$\therefore \overline{CD}=3$ cm ······ ㉡

㉠, ㉡에서 $\overline{CF}+\overline{CD}=3+3=6$(cm)

4 $\overline{DE}/\!/\overline{BC}$이므로

$\triangle ADP \backsim \triangle ABQ$ (AA 닮음)

$\therefore \overline{AD}:\overline{AB}=\overline{AP}:\overline{AQ}=5:8$

또, $\triangle ADE \backsim \triangle ABC$ (AA 닮음)이므로

$\overline{AD}:\overline{AB}=\overline{DE}:\overline{BC}$

$5:8=\overline{DE}:8$

$\therefore \overline{DE}=5$ cm

5 평행선 사이에 있는 선분의 길이의 비에 의해

$3:(x+5)=4:8$

$24=4(x+5),\ x+5=6$

$\therefore x=1$

6 $\triangle ACD \backsim \triangle ABC$ (AA 닮음)이므로

$\overline{AC}:\overline{AB}=\overline{AD}:\overline{AC}$에서

$\overline{AC}^2=\overline{AB}\times\overline{AD}$

$6^2=9\times\overline{AD}$

$\therefore \overline{AD}=4$ cm

7 $\triangle DAC$는 $\overline{AD}=\overline{CD}$인 이등변삼각형이므로

$\overline{AC}=x$ cm, $\overline{AD}=\overline{CD}=y$ cm라고 하자.

$\triangle BCD \backsim \triangle BAC$이므로

$\overline{BC}:\overline{BA}=\overline{BD}:\overline{BC}$

$\overline{BC}^2=\overline{BD}\times\overline{BA}$

$25=(8-y)\times8,\ 8-y=\dfrac{25}{8}$

$\therefore y=\dfrac{39}{8}$

또, $\overline{AC}\times\overline{BC}=\overline{CD}\times\overline{AB}$이므로

$x \times 5 = \dfrac{39}{8} \times 8$ $\therefore x = \dfrac{39}{5}$

따라서 $\overline{AC}$의 길이는 $\dfrac{39}{5}$ cm이다.

8 $\overline{AD}^2 = \overline{BD} \times \overline{DC}$이므로

$6^2 = \overline{BD} \times \dfrac{9}{2}$

$\therefore \overline{BD} = 8$ cm

또, $\overline{AB}^2 = \overline{BD} \times \overline{BC}$이므로

$\overline{AB}^2 = 8\left(8 + \dfrac{9}{2}\right) = 8 \times \dfrac{25}{2} = 100$

$\therefore \overline{AB} = 10$ cm ($\because \overline{AB} > 0$)

9 오른쪽 그림의 점 A에서 $\overline{BC}$에 내린 수선의 발을 H′이라 하면 □ABCD의 넓이가 42 cm²이므로

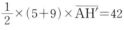

$\dfrac{1}{2} \times (5 + 9) \times \overline{AH'} = 42$

$\therefore \overline{AH'} = 6$ cm

$\triangle EAD \backsim \triangle ECB$ (AA 닮음)이므로

$\overline{AE} : \overline{CE} = \overline{AD} : \overline{CB} = 5 : 9$

또, $\triangle CEH \backsim \triangle CAH'$ (AA 닮음)이므로

$\overline{CE} : \overline{CA} = \overline{EH} : \overline{AH'}$

$9 : 14 = \overline{EH} : 6$, $14\overline{EH} = 54$ $\therefore \overline{EH} = \dfrac{27}{7}$ cm

10 점 H가 $\triangle ABC$의 수심이므로

$\angle ADC = \angle BEC = 90°$

따라서 $\triangle BDH$, $\triangle BEC$, $\triangle AEH$, $\triangle ADC$는 모두 닮음이다. (AA 닮음)

이 중에서 $\triangle BDH \backsim \triangle ADC$이므로

$\overline{BD} : \overline{AD} = \overline{DH} : \overline{DC}$에서

$4 : 6 = 3 : \overline{CD}$, $4\overline{CD} = 18$

$\therefore \overline{CD} = \dfrac{9}{2}$ cm

11 두 점 M, N이 각각 $\overline{AB}$, $\overline{CD}$의 중점이므로

$\overline{AD} /\!/ \overline{MN} /\!/ \overline{BC}$

$\triangle AMF \backsim \triangle ABC$에서 삼각형의 중점연결정리의 역에 의해

$\overline{MF} = \dfrac{1}{2}\overline{BC} = \dfrac{1}{2} \times 18 = 9$(cm)

$\triangle BME \backsim \triangle BAD$에서 삼각형의 중점연결정리의 역에 의해

$\overline{ME} = \dfrac{1}{2}\overline{AD} = \dfrac{1}{2} \times 6 = 3$(cm)

$\therefore \overline{EF} = \overline{MF} - \overline{ME} = 9 - 3 = 6$(cm)

12 $\triangle ABC$에서 $\overline{AM} = \overline{MB}$, $\overline{AN} = \overline{NC}$이므로 삼각형의 중점연결정리에 의해

$\overline{BC} = 2\overline{MN} = 2 \times 5 = 10$(cm)

또, $\triangle DBC$에서 $\overline{DE} = \overline{EB}$, $\overline{DF} = \overline{FC}$이므로 삼각형의 중점연결정리에 의해

$\overline{EF} = \dfrac{1}{2}\overline{BC} = \dfrac{1}{2} \times 10 = 5$(cm)

$\therefore \overline{EF} + \overline{BC} = 5 + 10 = 15$(cm)

13 $\overline{AH}^2 = \overline{BH} \times \overline{CH} = 36$이므로

$\overline{AH} = 6$ cm ($\because \overline{AH} > 0$)

$\therefore \triangle ABC = \dfrac{1}{2} \times \overline{BC} \times \overline{AH}$

$= \dfrac{1}{2} \times 13 \times 6 = 39$(cm²)

14 오른쪽 그림에서 $\overline{EF} /\!/ \overline{BC}$, $\overline{ED} /\!/ \overline{AC}$이므로 □EDCF는 평행사변형이다.

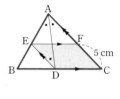

$\therefore \overline{ED} = \overline{FC} = 5$ cm

또, $\overline{ED} /\!/ \overline{AC}$에서

$\angle EDA = \angle CAD$(엇각)이므로 $\angle EAD = \angle EDA$

따라서 $\triangle EDA$는 $\overline{AE} = \overline{DE}$인 이등변삼각형이므로

$\overline{AE} = \overline{ED} = 5$ cm

15 오른쪽 그림과 같이 $\angle EDF = 60°$이므로

$\angle BED = 180° - (60° + \angle EDB)$

$= \angle CDF$

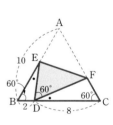

또, $\angle B = \angle C = 60°$이므로

$\triangle BDE \backsim \triangle CFD$ (AA 닮음)

따라서 $\overline{BE} : \overline{CD} = \overline{BD} : \overline{CF}$이므로

$\overline{BE} : 8 = 2 : \overline{CF}$

$\therefore \overline{BE} \times \overline{CF} = 16$

16 오른쪽 그림과 같이 $\angle EAB + \angle EBA$ $= \angle DEF = \angle B$, $\angle FBC + \angle FCB$ $= \angle EFD = \angle C$

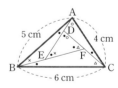

이므로 $\triangle DEF \backsim \triangle ABC$ (AA 닮음)

$\therefore \overline{DE} : \overline{EF} : \overline{FD} = \overline{AB} : \overline{BC} : \overline{CA}$

$= 5 : 6 : 4$

17 오른쪽 그림과 같이
$\triangle \text{FEA} \backsim \triangle \text{FBC}$에서
$\overline{\text{AF}} : \overline{\text{CF}} = \overline{\text{AE}} : \overline{\text{CB}}$
$\therefore \overline{\text{AF}} : \overline{\text{FC}} = 1 : 2$
즉, 닮음비가 $1 : 2$이므로
$\triangle \text{AFE} : \triangle \text{CFB} = 1 : 4$
따라서 $\triangle \text{AFE} = S$라 하면 $\triangle \text{CFB} = 4S$
$\triangle \text{BCA}$에서 $\overline{\text{AF}} : \overline{\text{FC}} = 1 : 2$이므로
$\triangle \text{BFA} : \triangle \text{BCF} = \overline{\text{AF}} : \overline{\text{FC}} = 1 : 2$
$\triangle \text{BFA} : 4S = 1 : 2$
$\therefore \triangle \text{BFA} = 2S$
$\therefore \triangle \text{BEA} : \triangle \text{BCF} = 3S : 4S = 3 : 4$

18 $\triangle \text{ABP}$와 $\triangle \text{ADQ}$에서
$\angle \text{B} = \angle \text{D}$, $\angle \text{APB} = \angle \text{AQD}$이므로
$\triangle \text{ABP} \backsim \triangle \text{ADQ}$ (AA 닮음)
닮음비가 $\overline{\text{AB}} : \overline{\text{AD}} = 8 : 10 = 4 : 5$이므로
$\triangle \text{ABP} : \triangle \text{ADQ} = 4^2 : 5^2 = 16 : 25$

19 작은 원뿔과 전체 원뿔의 닮음비가 $3 : 6 = 1 : 2$이므로 겉넓이의 비는 $1^2 : 2^2 = 1 : 4$이다.
따라서 작은 원뿔의 옆넓이가 $20\pi \text{ cm}^2$일 때, 큰 원뿔의 옆넓이는 $80\pi \text{ cm}^2$이므로 원뿔대의 옆넓이는
$80\pi - 20\pi = 60\pi (\text{cm}^2)$

20 물의 부피와 그릇의 부피의 비는 $3^3 : 4^3 = 27 : 64$이므로 그릇의 부피를 $V \text{ cm}^3$라 하면
$27 : 64 = 54\pi : V$
$\therefore V = 128\pi \text{ cm}^3$
따라서 물이 담기지 않은 곳의 부피는
$128\pi - 54\pi = 74\pi (\text{cm}^3)$

21 오른쪽 그림의 $\triangle \text{BAD}$에서
$\triangle \text{BAE} : \triangle \text{BDE} = \overline{\text{AE}} : \overline{\text{DE}}$
$\qquad\qquad = 3 : 2$
이므로 $\triangle \text{BAE} = 3S \text{ cm}^2$,
$\triangle \text{BDE} = 2S \text{ cm}^2$라고 하자.
또, 점 E에서 $\overline{\text{AC}}$에 평행한 직선을 그어 $\overline{\text{BC}}$와의 교점을 G라고 하면
$\triangle \text{DGE} \backsim \triangle \text{DCA}$이므로
$\overline{\text{DG}} : \overline{\text{GC}} = \overline{\text{DE}} : \overline{\text{EA}} = 2 : 3$
$\therefore \overline{\text{DG}} = 2 \text{ cm}, \overline{\text{GC}} = 3 \text{ cm}$
그런데 $\triangle \text{EBG}$에서 $\overline{\text{BD}} = \overline{\text{DG}} = 2 \text{ cm}$이므로
$\triangle \text{EDG} = \triangle \text{EBD} = 2S \text{ cm}^2$

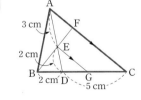

한편, $\triangle \text{BGE} \backsim \triangle \text{BCF}$ (AA 닮음)이고
$\overline{\text{BG}} : \overline{\text{BC}} = 4 : 7$이므로
$\triangle \text{BGE} : \triangle \text{BCF} = 4^2 : 7^2 = 16 : 49$
이때 $\triangle \text{BGE} = \triangle \text{EBD} + \triangle \text{EDG} = 2S + 2S = 4S(\text{cm}^2)$
이므로
$4S : \triangle \text{BCF} = 16 : 49$
$\therefore \triangle \text{BCF} = \dfrac{49}{4} S \text{ cm}^2$
$\square \text{CDEF} = \triangle \text{BCF} - \triangle \text{BDE}$
$\qquad\qquad = \dfrac{49}{4} S - 2S = \dfrac{41}{4} S (\text{cm}^2)$
$\therefore \triangle \text{ABE} : \square \text{CDEF} = 3S : \dfrac{41}{4} S$
$\qquad\qquad\qquad = 12 : 41$

22 오른쪽 그림에서 점 F와 점 H 각각 $\overline{\text{AB}}$, $\overline{\text{CD}}$의 중점이므로
$\overline{\text{FH}} /\!/ \overline{\text{AD}} /\!/ \overline{\text{BC}}$이고
$\overline{\text{FH}} = \dfrac{\overline{\text{AD}} + \overline{\text{BC}}}{2}$
$\qquad = \dfrac{2+6}{2}$
$\qquad = 4(\text{cm})$
또, $\square \text{ABCD}$가 등변사다리꼴이므로
$\square \text{ABGE} \equiv \square \text{DCGE}$에서
$\angle \text{OEA} = \angle \text{OGB} = 90°$
따라서 $\overline{\text{FH}} \perp \overline{\text{EG}}$이므로
$\square \text{EFGH} = \dfrac{1}{2} \times 4 \times 4 = 8(\text{cm}^2)$

23 $10 \text{ km} = 10000 \text{ m} = 1000000 \text{ cm}$이므로
구하려는 지도 위의 거리를 $x \text{ cm}$라고 하면
$1 : 20000 = x : 1000000$
$\therefore x = \dfrac{1000000}{20000} = 50$
따라서 지도에서 50 cm로 그려진다.

24 $\triangle \text{ABC} \backsim \triangle \text{EDC}$ (AA 닮음)이므로
$\overline{\text{AB}} : \overline{\text{ED}} = \overline{\text{BC}} : \overline{\text{DC}}$
$\overline{\text{AB}} : 20 = 75 : 15$
$\therefore \overline{\text{AB}} = 100 \text{ m}$

25 오른쪽 그림과 같은 이등변삼각형의 꼭지각의 이등분선은 밑변을 수직이등분하므로
$\overline{\text{BD}} = \overline{\text{DC}}$
따라서 메넬라우스의 정리에 의해

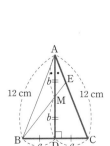

$\dfrac{\overline{BC}}{\overline{BD}} \times \dfrac{\overline{MD}}{\overline{AM}} \times \dfrac{\overline{EA}}{\overline{CE}} = 1$에서

$\dfrac{2a}{a} \times \dfrac{b}{b} \times \dfrac{\overline{EA}}{\overline{CE}} = 1$

$2\overline{EA} = \overline{CE}$

따라서 $\overline{AE} : \overline{CE} = 1 : 2$이므로

$\overline{AE} = \overline{AC} \times \dfrac{1}{3} = 12 \times \dfrac{1}{3} = 4 \, (\mathrm{cm})$

26
$\overline{AB}$를 한 변으로 하는 정사각형의 넓이는

$\overline{AB}^2 = \overline{AC}^2 + \overline{BC}^2 = 64 + 225 = 289 \, (\mathrm{cm}^2)$

$\therefore \overline{AB} = 17 \, \mathrm{cm} \; (\because \overline{AB} > 0)$

27
오른쪽 그림과 같이
$\overline{BO} = \overline{OC} = x \, \mathrm{cm}$라 하면
$\overline{AB} = 2x \, \mathrm{cm}$

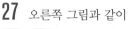

$\overline{OA}$를 그으면 $\overline{OA} = 10 \, \mathrm{cm}$이므로

$\triangle ABO$에서 피타고라스 정리에 의해

$10^2 = x^2 + (2x)^2, \; x^2 = 20$

따라서 정사각형 ABCD의 넓이는 $(2x)^2 = 4x^2 = 80 \, (\mathrm{cm}^2)$이다.

28
오른쪽 그림과 같이 $\overline{AC}$를 그으면 직각삼각형 ABC에서

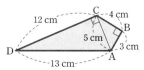

$\overline{AC}^2 = \overline{AB}^2 + \overline{BC}^2$
$= 3^2 + 4^2$
$= 25$

$\therefore \overline{AC} = 5 \, \mathrm{cm} \; (\because \overline{AC} > 0)$

$\triangle ACD$에서 세 변의 길이의 비가 $5 : 12 : 13$이므로

$\triangle ACD$는 $\angle C = 90°$인 직각삼각형이다.

$\therefore \square ABCD = \triangle ABC + \triangle ACD$
$= \dfrac{1}{2} \times 3 \times 4 + \dfrac{1}{2} \times 5 \times 12$
$= 6 + 30$
$= 36 \, (\mathrm{cm}^2)$

29
$\overline{DE} /\!/ \overline{BC}$이므로

$\triangle ADE \backsim \triangle ABC$이고,

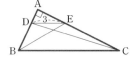

$\overline{AD} : \overline{DB} = 1 : 2$에서 두 삼각형의 닮음비는 $1 : 3$이다.

즉, $\overline{AD} : \overline{AB} = \overline{DE} : \overline{BC}$이므로

$1 : 3 = 3 : \overline{BC}$ $\quad \therefore \overline{BC} = 9$

$\therefore \overline{CD}^2 + \overline{BE}^2 = (\overline{AD}^2 + \overline{AC}^2) + (\overline{AE}^2 + \overline{AB}^2)$
$\qquad = (\overline{AD}^2 + \overline{AE}^2) + (\overline{AC}^2 + \overline{AB}^2)$
$\qquad = \overline{DE}^2 + \overline{BC}^2$
$\qquad = 3^2 + 9^2 = 90$

30
오른쪽 그림과 같이 두 점 A, B를 잡으면

A$(0, 4)$, B$(-3, 0)$이므로

$\overline{AB}^2 = 3^2 + 4^2$
$= 25$

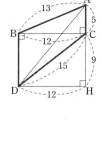

$\therefore \overline{AB} = 5 \; (\because \overline{AB} > 0)$

원점 O에서 직선 $y = \dfrac{4}{3}x + 4$에 내린 수선의 발을 H라 하면 $\triangle OAB$에서

$\overline{OA} \times \overline{OB} = \overline{AB} \times \overline{OH}$이므로

$4 \times 3 = 5 \times \overline{OH}$ $\quad \therefore \overline{OH} = \dfrac{12}{5}$

> **TIP 점과 직선 사이의 거리**
> 직선 l 위에 있지 않은 점 P에서 직선 l에 내린 수선의 발을 H라 할 때, 점 P와 직선 l 사이의 거리는 $\overline{PH}$의 길이이다.

31
① $3^2 + 4^2 = 5^2$이므로 직각삼각형이다.

② $16^2 < 15^2 + 8^2$이므로 예각삼각형이다.

③ $2 + 3 = 5$이므로 삼각형이 되지 않는다.

④ $13^2 > 11^2 + 5^2$이므로 둔각삼각형이다.

⑤ $4^2 < 3^2 + 3^2$이므로 예각삼각형이다.

32
오른쪽 그림의 $\triangle ABC$에서

$\overline{BC}^2 = \overline{AB}^2 - \overline{AC}^2$
$= 13^2 - 5^2 = 144$

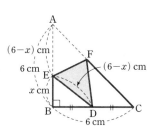

$\therefore \overline{BC} = 12 \; (\because \overline{BC} > 0)$

점 D에서 $\overline{AC}$의 연장선에 내린 수선의 발을 H라 하면

$\overline{DH} = \overline{BC} = 12$이므로

$\triangle CDH$에서

$\overline{CH}^2 = \overline{CD}^2 - \overline{DH}^2$
$= 15^2 - 12^2$
$= 81$

$\therefore \overline{CH} = 9 \; (\because \overline{CH} > 0)$

따라서 $\triangle ADH$에서

$\overline{AD}^2 = \overline{AH}^2 + \overline{DH}^2$
$= 14^2 + 12^2$
$= 340$

33
오른쪽 그림에서 $\overline{BE} = x \, \mathrm{cm}$라 하면

$\overline{ED} = \overline{AE} = (6-x) \, \mathrm{cm}$

$\triangle EBD$에서 피타고라스 정리에 의해

$$x^2+3^2=(6-x)^2$$
$$x^2+9=36-12x+x^2$$
$$12x=27 \qquad \therefore x=\frac{9}{4}$$

따라서 $\overline{BE}$의 길이는 $\frac{9}{4}$ cm이다.

34 원뿔의 높이 $\overline{AO}$는
$$\begin{aligned}\overline{AO}^2&=\overline{AB}^2-\overline{OB}^2\\&=26^2-10^2\\&=576\end{aligned}$$
$$\therefore \overline{AO}=24 \text{ cm} \; (\because \overline{AO}>0)$$
또, 구하는 부피 V는
$$\begin{aligned}V&=\frac{1}{3}\times(\text{밑면의 넓이})\times\overline{AO}\\&=\frac{1}{3}\times\pi\times10^2\times24\\&=800\pi\,(\text{cm}^3)\end{aligned}$$

35 오른쪽 그림의 $\triangle OAH$에서
$$\begin{aligned}\overline{OH}^2&=\overline{OA}^2-\overline{AH}^2\\&=5^2-3^2=16\end{aligned}$$
$$\therefore \overline{OH}=4 \text{ cm} \; (\because \overline{OH}>0)$$

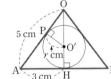

$\triangle OO'P \backsim \triangle OAH$이므로
$\overline{O'P}=r$ cm라 하면
$\overline{OO'}:\overline{OA}=\overline{O'P}:\overline{AH}$에서
$$(4-r):5=r:3,\; 5r=12-3r$$
$$8r=12 \qquad \therefore r=\frac{3}{2}$$

따라서 구의 반지름의 길이는 $\frac{3}{2}$ cm이다.

36 원기둥의 옆면의 전개도를 그려
보면 오른쪽 그림과 같다.
원기둥의 밑면의 둘레의 길이는
$$2\pi\times3=6\pi\,(\text{cm})$$
이므로
$$\overline{RR'}=\overline{PP'}=6\pi \text{ cm}$$
또, $\overline{PQ}=2\pi\times3\times\dfrac{60}{360}=\pi\,(\text{cm})$
$$\therefore \overline{QP'}=6\pi-\pi=5\pi\,(\text{cm})$$
따라서 구하는 최단 길이는 $\overline{QR'}$이므로 $\triangle R'QP'$에서
$$\begin{aligned}\overline{QR'}^2&=\overline{QP'}^2+\overline{R'P'}^2\\&=(5\pi)^2+(12\pi)^2\\&=169\pi^2\end{aligned}$$
$$\therefore \overline{QR'}=13\pi \text{ cm} \; (\because \overline{QR'}>0)$$

1 경우의 수

1STEP 주제별 실력다지기

101~108쪽

1 7

2 (1) 5 (2) 7

3 12

4 12

5 풀이 참조, (1) 풀이 참조 (2) 풀이 참조

6 도: 4, 개: 6, 걸: 4, 윷: 1, 모: 1

7 풀이 참조, 9

8 6

9 48

10 287

11 22

12 (1) 62번째 (2) cebda

13 20

14 (1) 120 (2) 60 (3) 24 (4) 24

15 (1) 120 (2) 24 (3) 36 (4) 72 (5) 36

16 20종류

17 81

18 64

19 (1) 120 (2) 24 (3) 48 (4) 72

20 (1) 3 (2) 12

21 420

22 60

23 (1) 60 (2) 66

24 32

25 풀이 참조, 10

26 45

27 (1) 720 (2) 120

28 30

29 4

30 (1) 35 (2) 35

31 (1) 20 (2) 60

32 15

33 (1) 15 (2) 90

최상위05
NOTE 순서를 생각하지 않고 택하는 경우의 수

1, 2, 3, 4, 5 중에서 세 수를 택하여 일렬로 배열하는 경우의 수는 $\dfrac{5!}{(5-3)!}=\dfrac{5!}{2!}=60$이다.

하지만 순서를 생각하지 않는다면

1, 2, 3 / 1, 3, 2 / 2, 1, 3 / 2, 3, 1 / 3, 1, 2 / 3, 2, 1은 모두 1과 2와 3을 택한 경우이므로 같은 경우이다. 즉, 순서를 생각하지 않는다면 6 (=3!)가지씩 중복이 발생하므로 1, 2, 3, 4, 5 중에서 순서를 생각하지 않고 세 수를 택하는 경우의 수는

$\dfrac{5!}{2!}\div3!=\dfrac{5!}{3!2!}=10$이다.

마찬가지로 생각하면

서로 다른 n개 중에서 r개 ($r\leq n$)를 택하여 일렬로 배열하는 경우의 수는 $\dfrac{n!}{(n-r)!}$이다. 하지만 순서를 생각하지 않는다면 $r!$가지씩 중복이 발생한다.

따라서 서로 다른 n개 중에서 순서를 생각하지 않고 r개 ($r\leq n$)를 택하는 경우의 수는

$\dfrac{n!}{(n-r)!}\div r!=\dfrac{n!}{r!(n-r)!}$이다.

1 책상을 선택하는 경우가 4가지, 의자를 선택하는 경우가 3가지이고, 책상과 의자를 동시에 선택할 수 없으므로 합의 법칙에 의하여 구하는 경우의 수는
4+3=7

2 (1) 3의 배수가 적힌 카드를 선택하는 경우는 3, 6, 9의 3가지, 5의 배수가 적힌 카드를 선택하는 경우는 5, 10의 2가지이고, 중복되는 경우가 없으므로 합의 법칙에 의하여 구하는 경우의 수는
3+2=5

(2) 2의 배수가 적힌 카드를 선택하는 경우는 2, 4, 6, 8, 10의 5가지, 3의 배수가 적힌 카드를 선택하는 경우는 3, 6, 9의 3가지이고, 이 중에서 6은 중복되므로 합의 법칙에 의하여 구하는 경우의 수는
5+3-1=7

3 책상을 선택하는 경우는 4가지이고, 그 각각의 경우에 대하여 의자를 선택하는 경우는 3가지이므로 곱의 법칙에 의하여 구하는 가구 세트의 종류의 수는
4×3=12

4 한 개의 동전을 던질 때 나올 수 있는 면은 앞면, 뒷면의 2가지이고, 한 개의 주사위를 던질 때 나올 수 있는 눈은 1, 2, 3, 4, 5, 6의 6가지이다.
따라서 곱의 법칙에 의하여 구하는 경우의 수는
2×6=12

5 서로 다른 주사위 2개를 동시에 던질 때, 나올 수 있는 모든 경우를 수형도로 나타내면 다음 그림과 같다.

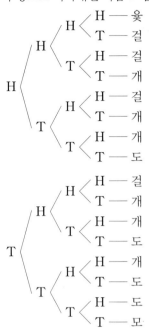

(1) 두 주사위의 눈의 수의 합에 따른 경우의 수

합	2	3	4	5	6	7	8	9	10	11	12	합계
경우의 수	1	2	3	4	5	6	5	4	3	2	1	36

(2) 두 주사위의 눈의 수의 차에 따른 경우의 수

차	0	1	2	3	4	5	합계
경우의 수	6	10	8	6	4	2	36

6 윷짝의 평평한 면을 H, 둥근 면을 T라 하고 서로 다른 윷짝 4개를 동시에 던질 때, 나올 수 있는 모든 경우를 수형도로 나타내면 다음 그림과 같다.

```
              H ── 윷
          H <
              T ── 걸
      H <
              H ── 걸
          T <
              T ── 개
  H <
              H ── 걸
          H <
              T ── 개
      T <
              H ── 개
          T <
              T ── 도

              H ── 걸
          H <
              T ── 개
      H <
              H ── 개
          T <
              T ── 도
  T <
              H ── 개
          H <
              T ── 도
      T <
              H ── 도
          T <
              T ── 모
```

따라서 도가 나오는 경우의 수는 4, 개가 나오는 경우의 수는 6, 걸이 나오는 경우의 수는 4, 윷이 나오는 경우의 수는 1, 모가 나오는 경우의 수는 1이다.

7 주연, 은정, 현정 세 사람이 가위바위보를 할 때, 나올 수 있는 모든 경우를 수형도로 나타내면 다음 그림과 같다.

```
주연        은정        현정
                      가위
          가위 ──── 바위 (○)
                      보
                      가위 (○)
  가위 ── 바위 ──── 바위
                      보
                      가위
          보 ──────  바위
                      보  (○)

                      가위 (○)
          가위 ──── 바위
                      보
                      가위
  바위 ── 바위 ──── 바위
                      보  (○)
                      가위
          보 ──────  바위 (○)
                      보
```

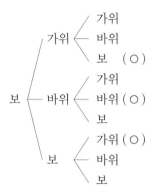

이때 한 사람만 이기는 경우는 위의 수형도에서 ○표한 9 가지이므로 구하는 경우의 수는 9이다.

8 동전의 앞면을 H, 뒷면을 T라 하고 서로 다른 동전 4 개를 동시에 던질 때, 나올 수 있는 모든 경우를 수형도로 나타내면 다음 그림과 같다.

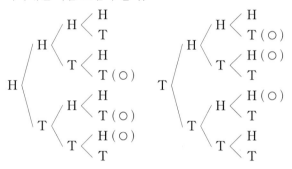

따라서 앞면이 2개 나오는 경우는 수형도에서 ○표한 6가 지이므로 구하는 경우의 수는 6이다.

9 (i) $A \rightarrow B \rightarrow C \rightarrow A : 3 \times 4 \times 2 = 24$
(ii) $A \rightarrow C \rightarrow B \rightarrow A : 2 \times 4 \times 3 = 24$
(i), (ii)에서 구하는 방법의 수는
$24 + 24 = 48$

10 각각의 지불 방법을 생각해 보면
10000원권은 0~5매의 6가지, 1000원권은 0~11매의 12가지, 500원짜리 동전은 0~3개의 4가지
이때 0원을 지불하는 방법은 1가지이다.
따라서 구하는 방법의 수는 $6 \times 12 \times 4 - 1 = 287$

11

합	2	3	4	5
경우의 수	1	2	3	4

차	3	4	5
경우의 수	6	4	2

위의 표에서
$m = 1 + 2 + 3 + 4 = 10$,
$n = 6 + 4 + 2 = 12$
이므로
$m + n = 10 + 12 = 22$

TIP 주사위 2개의 눈의 합이 2, 3, 4, 5인 경우로 나누어 생각한다. 마찬가지로 주사위 2개의 눈의 차가 3, 4, 5인 경우로 나누어 생각한다.

12 (1) (i) a○○○○인 단어 :
$4 \times 3 \times 2 \times 1 = 24$(개)
(ii) b○○○○인 단어 :
$4 \times 3 \times 2 \times 1 = 24$(개)
(iii) c a○○○인 단어 :
$3 \times 2 \times 1 = 6$(개)
(iv) c b○○○인 단어 :
$3 \times 2 \times 1 = 6$(개)
그 다음은 cdabe, cdaeb, …이므로
$24 + 24 + 6 + 6 + 1 + 1 = 62$(번째)
(2) a○○○○, b○○○○인 단어가 각각 24개이고,
ca○○○, cb○○○, cd○○○인 단어가 각각 6개이므로
$24 + 24 + 6 + 6 + 6 = 66$(개)
따라서 70번째 단어는 ce○○○인 단어 중 4번째이므로
ceabd, ceadb, cebad, cebda, …에서 cebda가 된다.

13 5명의 사람을 A, B, C, D, E라 하고 각각 자신의 의자를 a, b, c, d, e라고 하자. 이때 A, B만 자신의 의자에 앉는 경우는 다음과 같이 2가지이다.

A	B	C	D	E
a	b	d	e	c
a	b	e	c	d

그런데 자신의 의자에 앉는 두 사람이 선택되는 경우는 AB, AC, AD, AE, BC, BD, BE, CD, CE, DE의 10가지이므로 구하는 경우의 수는
$2 \times 10 = 20$

14 (1) $5! = 5 \times 4 \times 3 \times 2 \times 1 = 120$
(2) $5 \times 4 \times 3 = 60$
(3) 짝수가 되는 경우는 □□2, □□4의 2가지이고, 각각의 경우는
$4 \times 3 = 12$(가지)
이므로 구하는 짝수의 개수는
$2 \times 12 = 24$
(4) 3의 배수이려면 각 자리의 숫자의 합이 3의 배수이어야 하므로
$(1, 2, 3), (1, 3, 5), (2, 3, 4), (3, 4, 5)$
의 4가지 순서쌍을 각각 배열하면 된다.
따라서 구하는 3의 배수의 개수는
$4 \times 3! = 4 \times (3 \times 2 \times 1) = 24$

15 (1) $5! = 5 \times 4 \times 3 \times 2 \times 1 = 120$

(2) 남학생 세 명을 하나로 묶어서 생각하고, 여학생 두 명을 하나로 묶어서 생각하면 두 명을 일렬로 세우는 방법의 수는

$2! = 2 \times 1 = 2$

이때 남학생 세 명끼리 자리를 바꾸는 방법이 $3!$가지이고, 여학생 두 명끼리 자리를 바꾸는 방법이 $2!$가지이므로 구하는 방법의 수는

$2 \times 3! \times 2! = 2 \times (3 \times 2 \times 1) \times (2 \times 1) = 24$

(3) 남학생 세 명을 하나로 묶어서 생각하면 세 명을 일렬로 세우는 방법의 수는

$3! = 3 \times 2 \times 1 = 6$

이때 남학생 세 명끼리 자리를 바꾸는 방법이 $3!$가지이므로 구하는 방법의 수는

$6 \times 3! = 6 \times (3 \times 2 \times 1) = 36$

(4) ㉠ 남 ㉡ 남 ㉢ 남 ㉣

위의 그림과 같이 남학생을 세운 다음 ㉠, ㉡, ㉢, ㉣ 중 두 군데에 여학생 두 명을 세우면 된다.

따라서 구하는 방법의 수는

$3! \times (4 \times 3) = (3 \times 2 \times 1) \times 12 = 72$

(5)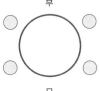

먼저 A, B 사이에 한 명을 세우는 방법은 3가지이다. A, B와 그 사이의 한 명을 하나로 묶어서 생각하면 세 명을 일렬로 세우는 방법은 $3!$가지이고, A와 B가 자리를 바꾸는 경우가 $2!$가지이므로 구하는 방법의 수는

$3 \times 3! \times 2! = 3 \times (3 \times 2 \times 1) \times (2 \times 1) = 36$

16 5개의 지역 중에서 두 지역을 뽑아 일렬로 나열하면 (출발 지역, 도착 지역)의 순서로 볼 수 있으므로 만들어야 하는 버스표는 $5 \times 4 = 20$(종류)

17 서로 다른 3개에서 중복을 허락하여 4개를 뽑아 만들 수 있는 네 자리의 정수의 개수는 $3 \times 3 \times 3 \times 3 = 3^4 = 81$

18 한 통의 편지를 우체통에 넣는 방법은 4가지이므로 세 통의 편지를 넣는 방법의 수는 $4 \times 4 \times 4 = 64$

19 (1) $(6-1)! = 5! = 5 \times 4 \times 3 \times 2 \times 1 = 120$

(2) 오른쪽 그림과 같이 부모를 먼저 마주 보도록 앉힌 다음, 나머지 4 자리에 4명의 자녀를 앉히면 된다.

따라서 구하는 방법의 수는

$(2-1)! \times 4! = 1 \times (4 \times 3 \times 2 \times 1)$
$= 24$

(3) 부모를 하나로 묶어서 생각하면 5명을 원탁에 앉히는 방법은 $(5-1)!$가지이고, 부모가 자리를 바꾸는 경우가 $2!$가지이므로 구하는 방법의 수는

$(5-1)! \times 2! = (4 \times 3 \times 2 \times 1) \times (2 \times 1)$
$= 48$

(4) 오른쪽 그림과 같이 자녀 4명을 먼저 원탁에 앉힌 다음 그 사이의 4자리 중 2자리에 부모를 앉히면 되므로 구하는 방법의 수는

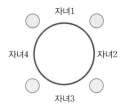

$(4-1)! \times 4 \times 3$
$= (3 \times 2 \times 1) \times 4 \times 3$
$= 72$

20 (1) $\dfrac{(4-1)!}{2} = \dfrac{3!}{2} = \dfrac{3 \times 2 \times 1}{2} = 3$

(2) $\dfrac{(5-1)!}{2} = \dfrac{4!}{2} = \dfrac{4 \times 3 \times 2 \times 1}{2} = 12$

21 7개의 문자 s, s, s, c, c, e, u 중 s가 3개, c가 2개이므로 일렬로 배열하는 방법의 수는

$\dfrac{7!}{3!2!} = \dfrac{7 \times 6 \times 5 \times 4 \times 3 \times 2 \times 1}{(3 \times 2 \times 1) \times (2 \times 1)}$
$= 420$

22 6개의 숫자 1, 1, 1, 2, 2, 3 중 1이 3개, 2가 2개이므로 일렬로 배열하여 만들 수 있는 여섯 자리의 정수의 개수는

$\dfrac{6!}{3!2!} = \dfrac{6 \times 5 \times 4 \times 3 \times 2 \times 1}{(3 \times 2 \times 1) \times (2 \times 1)}$
$= 60$

23 (1) A 지점에서 C 지점까지 최단 거리로 가는 방법의 수는

$\dfrac{5!}{3!2!} = \dfrac{5 \times 4 \times 3 \times 2 \times 1}{(3 \times 2 \times 1) \times (2 \times 1)} = 10$

C 지점에서 B 지점까지 최단 거리로 가는 방법의 수는

$\dfrac{4!}{2!2!} = \dfrac{4 \times 3 \times 2 \times 1}{(2 \times 1) \times (2 \times 1)} = 6$

따라서 구하는 방법의 수는

$10 \times 6 = 60$

(2) A 지점에서 B 지점까지 최단 거리로 가는 방법의 수는

$\dfrac{9!}{5!4!} = \dfrac{9 \times 8 \times 7 \times 6 \times 5 \times 4 \times 3 \times 2 \times 1}{(5 \times 4 \times 3 \times 2 \times 1) \times (4 \times 3 \times 2 \times 1)}$
$= 126$

이때 C 지점을 반드시 거쳐서 가는 방법의 수가 60이므로 C 지점을 거치지 않고 가는 방법의 수는

$126 - 60 = 66$

24

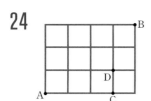

위의 그림과 같이 $\overline{CD}$를 그어 길을 만들면 A 지점에서 B 지점까지 최단 거리로 가는 방법의 수에서 $\overline{CD}$를 거쳐 가는 방법의 수를 빼면 된다.

따라서 구하는 방법의 수는

$$\frac{7!}{4!3!} - 1 \times \frac{3!}{1!2!}$$

$$= \frac{7 \times 6 \times 5 \times 4 \times 3 \times 2 \times 1}{(4 \times 3 \times 2 \times 1) \times (3 \times 2 \times 1)} - 1 \times \frac{3 \times 2 \times 1}{1 \times (2 \times 1)}$$

$$= 35 - 3$$

$$= 32$$

다른 풀이

각 지점을 지나는 방법의 수는 오른쪽 그림과 같으므로 A 지점에서 B 지점까지 최단 거리로 가는 방법의 수는 32이다.

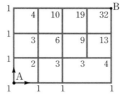

25

$$\begin{array}{ccc} 1 & 2 & 3 \\ 1 & \boxed{2} & \boxed{4} \\ 1 & \boxed{2} & \boxed{5} \\ 1 & 3 & 4 \\ 1 & \boxed{3} & \boxed{5} \\ 1 & 4 & \boxed{5} \end{array} \quad \begin{array}{ccc} 2 & 3 & 4 \\ 2 & \boxed{3} & \boxed{5} \\ 2 & 4 & \boxed{5} \end{array} \quad \begin{array}{ccc} 3 & \boxed{4} & \boxed{5} \end{array}$$

따라서 구하는 경우의 수는 10이다.

26 $\dfrac{10 \times 9}{2!} = \dfrac{10 \times 9}{2 \times 1} = 45$

27 (1) $10 \times 9 \times 8 = 720$

(2) $\dfrac{10 \times 9 \times 8}{3!} = \dfrac{10 \times 9 \times 8}{3 \times 2 \times 1} = 120$

> **TIP** 순서를 생각하지 않고 택하는 경우
> 서로 다른 10명의 사람 A, B, C, …, J에 대하여 위원 3명 뽑을 때, A, B, C를 뽑는 경우와 A, C, B를 뽑는 경우는 같은 경우이다. 즉, 위원 3명을 뽑는 경우는 순서를 생각하지 않고 택하는 경우와 같다.

28 과일을 택하는 방법의 수는

$$\frac{5 \times 4}{2!} = \frac{5 \times 4}{2 \times 1} = 10$$

이고, 음료수를 택하는 방법의 수는 3이므로 구하는 방법의 수는 $10 \times 3 = 30$

29 $\dfrac{4 \times 3 \times 2}{3!} = \dfrac{4 \times 3 \times 2}{3 \times 2 \times 1} = 4$

다른 풀이

4명의 학생 중 3명의 대의원을 뽑는 경우의 수는 4명의 학생 중 대의원이 되지 않을 학생 1명을 뽑는 경우의 수와 같으므로 4이다.

30 (1) 7개의 점 중에서 3개의 점을 택하면 삼각형이 결정되므로 만들 수 있는 삼각형의 개수는

$$\frac{7 \times 6 \times 5}{3!} = \frac{7 \times 6 \times 5}{3 \times 2 \times 1} = 35$$

(2) 7개의 점 중에서 4개의 점을 택하면 사각형이 결정되므로 만들 수 있는 사각형의 개수는

$$\frac{7 \times 6 \times 5 \times 4}{4!} = \frac{7 \times 6 \times 5 \times 4}{4 \times 3 \times 2 \times 1} = 35$$

31 (1) (i) 한 변의 길이가 1인 정사각형의 개수 :

$$4 \times 3 = 12$$

(ii) 한 변의 길이가 2인 정사각형의 개수 :

$$3 \times 2 = 6$$

(iii) 한 변의 길이가 3인 정사각형의 개수 :

$$2 \times 1 = 2$$

(i), (ii), (iii)에서 구하는 정사각형의 개수는

$$12 + 6 + 2 = 20$$

(2) 가로 4개의 선분 중에서 2개, 세로 5개의 선분 중에서 2개를 택하면 하나의 직사각형이 만들어지므로 구하는 직사각형의 개수는

$$\frac{4 \times 3}{2} \times \frac{5 \times 4}{2} = 6 \times 10 = 60$$

32 5개의 축구공을 세 조로 분류할 때 2개인 조가 두 조이므로 구하는 방법의 수는

$$\frac{5 \times 4}{2!} \times \frac{3 \times 2}{2!} \times \frac{1}{2!} = \frac{5 \times 4}{2 \times 1} \times \frac{3 \times 2}{2 \times 1} \times \frac{1}{2 \times 1}$$

$$= 10 \times 3 \times \frac{1}{2} = 15$$

33 (1) $\dfrac{6 \times 5}{2!} \times \dfrac{4 \times 3}{2!} \times \dfrac{1}{3!} = \dfrac{6 \times 5}{2 \times 1} \times \dfrac{4 \times 3}{2 \times 1} \times \dfrac{1}{3 \times 2 \times 1}$

$$= 15 \times 6 \times \frac{1}{6} = 15$$

(2) $\left(\dfrac{6 \times 5}{2!} \times \dfrac{4 \times 3}{2!} \times \dfrac{1}{3!} \right) \times 3! = \dfrac{6 \times 5}{2 \times 1} \times \dfrac{4 \times 3}{2 \times 1}$

$$= 15 \times 6 = 90$$

1 23	**2** 24	**3** 59	**4** 27	**5** 36	**6** 9
7 9	**8** 30	**9** 144	**10** (1) 10 (2) 8 (3) 10		**11** 4320
12 72	**13** 23	**14** 64	**15** 18	**16** 9	**17** 39
18 12	**19** 12	**20** 10080	**21** 19	**22** (1) 6 (2) 66	**23** 210
24 10	**25** 180	**26** 120	**27** (1) 31 (2) 22	**28** 25	

문제 풀이

1 1에서 50까지의 자연수 중 3의 배수는 16개이고, 5의 배수는 10개이다. 이때 3과 5의 공배수, 즉 15의 배수는 3개이므로 구하는 수의 개수는

$16+10-3=23$

> **TIP 서로소인 두 자연수의 공배수 구하기**
> 두 자연수 a, b에 대하여 a의 배수이면서 동시에 b의 배수인 수는 a와 b의 공배수이다. 한편 a와 b가 서로소이면 a와 b의 최소공배수는 ab이므로 a와 b의 공배수는 ab의 배수와 같다.

2 360을 소인수분해하면 $2^3 \times 3^2 \times 5$이다. 이때 2^3의 약수는 1, 2, 2^2, 2^3의 4개, 3^2의 약수는 1, 3, 3^2의 3개, 5의 약수는 1, 5의 2개이고, 2^3, 3^2, 5의 약수를 각각 하나씩 곱하면 360의 약수가 된다.
따라서 360의 약수의 개수는
$4 \times 3 \times 2 = 24$

3 서술형
표현 단계 두 팀이 한 경기를 치르므로
변형 단계 1차 예선의 60개 팀은 30경기를 치른다. 같은 방법으로 2차 예선의 30개 팀은 15경기, 3차 예선은 1팀이 부전승으로 올라가고 나머지 14개 팀이 7경기, 4차 예선은 8개 팀이 4경기, 5차 예선은 4개 팀이 2경기, 결승전은 2개 팀이 1경기를 치른다.
풀이 단계 따라서 총 경기의 수는
$30+15+7+4+2+1=59$

4 주사위 2개를 동시에 던질 때, 나올 수 있는 모든 경우의 수는
$6 \times 6 = 36$
이때 2개의 주사위 모두 홀수의 눈이 나오는 경우의 수는
$3 \times 3 = 9$
따라서 적어도 하나는 짝수의 눈이 나오는 경우의 수는
$36-9=27$

5 서술형
표현 단계 0은 백의 자리에 올 수 없으므로 백의 자리의 숫자가 1, 2, 3인 세 자리의 정수의 개수를 구하면
변형 단계 백의 자리에 올 수 있는 숫자는 1, 2, 3의 3가지, 십의 자리에 올 수 있는 숫자는 백의 자리에 온 숫자를 제외한 4가지, 일의 자리에 올 수 있는 숫자는 백의 자리, 십의 자리에 온 숫자를 제외한 3가지이므로
풀이 단계 구하는 정수의 개수는 $3 \times 4 \times 3 = 36$

6 동전 2개를 던질 때, 적어도 하나의 동전이 앞면이 나오는 경우는 (앞, 앞), (뒤, 앞), (앞, 뒤)의 3가지이고, 주사위 1개를 던질 때 소수의 눈이 나오는 경우는 2, 3, 5의 3가지이므로 구하는 경우의 수는
$3 \times 3 = 9$

다른 풀이

동전 2개를 던질 때, 나올 수 있는 모든 경우의 수는
$2 \times 2 = 4$
이때 2개 모두 뒷면이 나오는 경우는 1가지이므로 적어도 하나의 동전이 앞면이 나오는 경우의 수는
$4-1=3$
주사위 1개를 던질 때 소수의 눈이 나오는 경우는 2, 3, 5의 3가지이므로 구하는 경우의 수는
$3 \times 3 = 9$

7 세 사람이 가위바위보를 할 때, 두 사람이 이기고 한 사람만 져서 승부가 나는 경우는 (가위, 가위, 보), (바위, 바위, 가위), (보, 보, 바위)의 3가지이다.
이때 주희, 동원, 동진 세 사람이 (가위, 가위, 보)로 승부가 나는 경우는 다음과 같이 3가지이다.

주희	동원	동진
가위	가위	보
가위	보	가위
보	가위	가위

나머지 2가지 경우도 마찬가지이므로 구하는 경우의 수는
$3 \times 3 = 9$

8 (i) 두 눈의 수의 차가 0인 경우
   $(1, 1), (2, 2), (3, 3), (4, 4), (5, 5), (6, 6)$의 6가지
(ii) 두 눈의 수의 차가 1인 경우
   $(1, 2), (2, 1), (2, 3), (3, 2), (3, 4), (4, 3),$
   $(4, 5), (5, 4), (5, 6), (6, 5)$의 10가지
(iii) 두 눈의 수의 차가 2인 경우
   $(1, 3), (2, 4), (3, 1), (3, 5), (4, 2), (4, 6),$
   $(5, 3), (6, 4)$의 8가지
(iv) 두 눈의 수의 차가 3인 경우
   $(1, 4), (2, 5), (3, 6), (4, 1), (5, 2), (6, 3)$의 6가지
(i)~(iv)에서 두 눈의 수의 차가 3 이하가 되는 경우의 수는
$6 + 10 + 8 + 6 = 30$

다른 풀이

주사위 2개를 동시에 던질 때, 나올 수 있는 모든 경우의 수는
$6 \times 6 = 36$
두 눈의 수의 차가 4가 되는 경우는
$(1, 5), (2, 6), (5, 1), (6, 2)$의 4가지이고, 두 눈의 수의 차가 5가 되는 경우는 $(1, 6), (6, 1)$의 2가지이므로 두 눈의 수의 차가 4 이상이 되는 경우의 수는
$4 + 2 = 6$
따라서 두 눈의 수의 차가 3 이하가 되는 경우의 수는
$36 - 6 = 30$

9 (i) $A \to B \to D \to B \to A$의 경우의 수는
   $3 \times 2 \times 2 \times 3 = 36$
(ii) $A \to B \to D \to C \to A$의 경우의 수는
   $3 \times 2 \times 3 \times 2 = 36$
(iii) $A \to C \to D \to B \to A$의 경우의 수는
   $2 \times 3 \times 2 \times 3 = 36$
(iv) $A \to C \to D \to C \to A$의 경우의 수는
   $2 \times 3 \times 3 \times 2 = 36$
(i)~(iv)에서 구하는 경우의 수는
$36 + 36 + 36 + 36 = 144$

다른 풀이

(i) A 지점을 출발하여 D 지점까지 가는 경우
   $A \to B \to D : 3 \times 2 = 6$(가지)
   $A \to C \to D : 2 \times 3 = 6$(가지)
   $\therefore 6 + 6 = 12$(가지)
(ii) D 지점에서 A 지점으로 돌아오는 경우
   $D \to B \to A : 2 \times 3 = 6$(가지)
   $D \to C \to A : 3 \times 2 = 6$(가지)
   $\therefore 6 + 6 = 12$(가지)
(i), (ii)에서 구하는 경우의 수는
$12 \times 12 = 144$

10 (1) 짝수가 되려면 일의 자리의 숫자가 0 또는 2이어야 한다.
   (i) ㉠㉡0인 경우
      ㉠에 올 수 있는 수는 1, 2, 3의 3가지, ㉡에 올 수 있는 수는 1, 2, 3 중 ㉠에 온 수를 제외한 2가지이므로
      $3 \times 2 = 6$
   (ii) ㉠㉡2인 경우
      ㉠에 올 수 있는 수는 1, 3의 2가지, ㉡에 올 수 있는 수는 0, 1, 3 중 ㉠에 온 수를 제외한 2가지이므로
      $2 \times 2 = 4$
   (i), (ii)에서 구하는 짝수의 개수는
   $6 + 4 = 10$
(2) 홀수가 되려면 일의 자리의 숫자가 1 또는 3이어야 한다.
   (i) ㉠㉡1인 경우
      ㉠에 올 수 있는 수는 2, 3의 2가지, ㉡에 올 수 있는 수는 0, 2, 3 중 ㉠에 온 수를 제외한 2가지이므로
      $2 \times 2 = 4$
   (ii) ㉠㉡3인 경우
      (i)과 마찬가지로 $2 \times 2 = 4$
   (i), (ii)에서 구하는 홀수의 개수는
   $4 + 4 = 8$
(3) 3의 배수가 되려면 각 자리의 숫자의 합이 3의 배수이어야 하므로 $(0, 1, 2), (1, 2, 3)$의 2가지 순서쌍을 각각 배열하면 된다.
   따라서 구하는 3의 배수의 개수는
   $2 \times 2 \times 1 + 3 \times 2 \times 1 = 4 + 6 = 10$

11 남자 3명과 여자 4명, 즉 7명을 일렬로 세우는 경우의 수는
$7! = 7 \times 6 \times 5 \times 4 \times 3 \times 2 \times 1 = 5040$
남자 3명이 항상 이웃하려면

남 남 남 여 여 여 여

와 같이 남자 3명을 하나로 묶어서 생각해야 한다.
5명을 일렬로 세우는 경우는 5!가지이고 남자 3명끼리 자리를 바꾸는 경우는 3!가지이므로 남자 3명이 항상 이웃하도록 세우는 경우의 수는
$5! \times 3! = (5 \times 4 \times 3 \times 2 \times 1) \times (3 \times 2 \times 1) = 720$
따라서 남자 3명이 항상 이웃하지 않도록 세우는 경우의 수는 $5040 - 720 = 4320$

12 어느 남학생끼리도 이웃하지 않고, 어느 여학생끼리도 이웃하지 않게 세우려면 남학생과 여학생을 번갈아 세워야 한다. 즉,

(남 여 남 여 남 여) 또는 (여 남 여 남 여 남)

의 2가지 경우가 있고, 각각 남학생 3명, 여학생 3명을 일렬로 세우는 경우가 3!가지씩 있다.

따라서 구하는 경우의 수는

$3! \times 3! \times 2 = (3 \times 2 \times 1) \times (3 \times 2 \times 1) \times 2 = 72$

13 서술형

표현 단계 $y = \dfrac{b}{a}x - 1$이므로 a, b로 만들어지는 서로 다른 기울기의 개수를 구하면 된다.

변형 단계 구하는 a, b를 순서쌍 (a, b)로 나타내면

$(1, 1), (2, 2), (3, 3), (4, 4), (5, 5), (6, 6)$은 기울기가 1로 같은 경우이고, $(1, 2), (2, 4), (3, 6)$은 기울기가 2로 같은 경우, $(1, 3), (2, 6)$은 기울기가 3으로 같은 경우, $(2, 1), (4, 2), (6, 3)$은 기울기가 $\dfrac{1}{2}$로 같은 경우, $(2, 3), (4, 6)$은 기울기가 $\dfrac{3}{2}$으로 같은 경우, $(3, 1), (6, 2)$는 기울기가 $\dfrac{1}{3}$로 같은 경우, $(3, 2), (6, 4)$는 기울기가 $\dfrac{2}{3}$로 같은 경우이다.

풀이 단계 따라서 전체의 경우에서 중복된 경우를 빼면 구하는 직선의 개수는 $36 - 13 = 23$

14 세 학생을 각각 A, B, C라고 하면 A가 학원을 선택하는 경우는 4가지이고, B와 C도 마찬가지이므로 구하는 경우의 수는

$4 \times 4 \times 4 = 64$

15 백의 자리에 올 수 있는 수는 0을 제외한 2가지, 십의 자리와 일의 자리에 올 수 있는 수는 각각 3가지이므로 구하는 세 자리의 정수의 개수는

$2 \times 3 \times 3 = 18$

16 서술형

표현 단계 직접 수형도를 그려서 경우의 수를 구한다.

변형 단계 학생을 A, B, C, D라 하고 각 학생의 가방을 a, b, c, d라 하면 자기 가방을 든 학생이 한 명도 없는 경우는 다음과 같다.

```
 A    B    C    D
     a — d — c
 b < c — d — a
     d — a — c
     a — d — b
 c <
     d < a — b
         b — a
     a — b — c
 d <
     c < a — b
         b — a
```

풀이 단계 따라서 구하는 경우의 수는 9이다.

17 500원짜리 동전 1개를 100원짜리 동전 5개로 생각하면 문제는 10원짜리 동전 3개와 100원짜리 동전 9개로 지불할 수 있는 금액의 가짓수를 구하는 것과 같다.

즉, 10원짜리 동전으로 지불할 수 있는 방법은 4가지, 100원짜리 동전으로 지불할 수 있는 방법은 10가지이고, 0원을 지불하는 방법은 제외하므로 지불할 수 있는 금액의 가짓수는

$4 \times 10 - 1 = 39$

18 여자 3명을 하나로 묶어서 생각하면 3명을 원탁에 앉히는 경우의 수는

$(3-1)!$

이때 여자끼리 자리를 바꾸는 경우의 수가 3!이므로 구하는 경우의 수는

$(3-1)! \times 3! = 2! \times 3!$
$= (2 \times 1) \times (3 \times 2 \times 1)$
$= 12$

19 $\dfrac{(5-1)!}{2} = \dfrac{4!}{2} = \dfrac{4 \times 3 \times 2 \times 1}{2} = 12$

20 8개의 문자 p, p, s, s, a, o, r, t 중 p가 2개, s가 2개이므로 일렬로 배열하는 경우의 수는

$\dfrac{8!}{2!2!} = \dfrac{8 \times 7 \times 6 \times 5 \times 4 \times 3 \times 2 \times 1}{(2 \times 1) \times (2 \times 1)}$
$= 10080$

21 3장의 카드를 뽑을 때 나올 수 있는 수들은 $(1, 1, 1)$, $(1, 1, 2), (1, 1, 3), (1, 2, 2), (1, 2, 3), (2, 2, 3)$이고, 이 수들을 각각 일렬로 나열하는 경우의 수의 합이 구하는 세 자리의 정수의 개수이므로

$1 + \dfrac{3!}{2!} + \dfrac{3!}{2!} + \dfrac{3!}{2!} + 3! + \dfrac{3!}{2!}$
$= 19$

22

(1) l을 거쳐서 가는 경우는

$$A \to C \to D \to B$$

이므로 구하는 방법의 수는

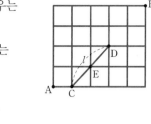

$$1 \times 1 \times \frac{4!}{2!2!}$$

$$= \frac{4 \times 3 \times 2 \times 1}{(2 \times 1) \times (2 \times 1)}$$

$$= 6$$

(2) 전체 길을 위의 바둑판 모양으로 생각하면 A 지점에서 B 지점까지 최단 거리로 가는 방법의 수는

$$\frac{9!}{5!4!} = \frac{9 \times 8 \times 7 \times 6 \times 5 \times 4 \times 3 \times 2 \times 1}{(5 \times 4 \times 3 \times 2 \times 1) \times (4 \times 3 \times 2 \times 1)} = 126$$

l을 거치지 않고 가려면 E 지점을 지나지 않으면 된다.

이때 E 지점을 지나는 방법의 수는

$$\frac{3!}{2!} \times \frac{6!}{3!3!} = \frac{3 \times 2 \times 1}{2 \times 1} \times \frac{6 \times 5 \times 4 \times 3 \times 2 \times 1}{(3 \times 2 \times 1) \times (3 \times 2 \times 1)}$$

$$= 3 \times 20 = 60$$

따라서 구하는 방법의 수는

$$126 - 60 = 66$$

23

7개의 깃발 중 노란 깃발이 3개, 파란 깃발이 2개, 붉은 깃발이 2개이므로 만들 수 있는 신호의 가짓수는

$$\frac{7!}{3!2!2!} = \frac{7 \times 6 \times 5 \times 4 \times 3 \times 2 \times 1}{(3 \times 2 \times 1) \times (2 \times 1) \times (2 \times 1)} = 210$$

24

예를 들어 1, 2, 3, 4, 5 중에서 (1, 3, 4)의 3장을 뽑았다면 4 3 1 과 같이 배열한다.

(3, 1, 4), (4, 1, 3), … 등을 뽑을 때에도 4 3 1 과 같이 배열되므로 구하는 경우의 수는 5장의 카드 중에서 순서를 생각하지 않고 3장을 뽑는 경우의 수와 같다.

$$\therefore \frac{5 \times 4 \times 3}{3!} = \frac{5 \times 4 \times 3}{3 \times 2 \times 1} = 10$$

25

짝수가 적혀 있는 카드는 2, 4, 6, 8의 4장이므로 이 중에서 2장을 뽑는 경우의 수는

$$\frac{4 \times 3}{2!} = \frac{4 \times 3}{2 \times 1} = 6$$

홀수가 적혀 있는 카드는 1, 3, 5, 7, 9의 5장이므로 이 중에서 1장을 뽑는 경우의 수는 5이다.

따라서 세 수를 뽑아 일렬로 배열하는 경우의 수는 3!이므로 구하는 세 자리의 자연수의 개수는

$$6 \times 5 \times 3! = 6 \times 5 \times (3 \times 2 \times 1) = 180$$

26 서술형

표현 단계 정십각형의 10개의 꼭짓점에서 세 점을 순서에 관계없이 선택하는 것이므로

풀이 단계 구하는 삼각형의 개수는

$$\frac{10 \times 9 \times 8}{3 \times 2 \times 1} = 120$$

> **TIP** 일반적으로 정n각형의 경우 어떤 세 점도 한 직선 위에 있지 않으므로 정n각형의 n개의 꼭짓점 중 서로 다른 세 점을 선택하면 삼각형이 결정된다.

27

(1) 7개의 점 중에서 3개를 택하면 삼각형이 결정되는데 $\overline{AB}$ 위의 네 점 A, C, D, B 중 3개를 택하면 삼각형이 결정되지 않으므로 구하는 삼각형의 개수는

$$\frac{7 \times 6 \times 5}{3!} - \frac{4 \times 3 \times 2}{3!} = 35 - 4 = 31$$

(2) 7개의 점 중에서 4개를 택하면 사각형이 결정되는데 $\overline{AB}$ 위의 네 점 A, C, D, B 중 3개와 세 점 E, F, G 중 1개를 택하면 사각형이 결정되지 않고, 네 점 A, C, D, B를 택하면 사각형이 결정되지 않으므로 구하는 사각형의 개수는

$$\frac{7 \times 6 \times 5 \times 4}{4!} - \left(\frac{4 \times 3 \times 2}{3!} \times 3 + 1 \right)$$

$$= 35 - (4 \times 3 + 1) = 22$$

28

(i) (1권, 1권, 3권)으로 분류하는 경우

$$5 \times 4 \times \frac{1}{2!} = 10 \text{(가지)}$$

(ii) (2권, 2권, 1권)으로 분류하는 경우

$$\frac{5 \times 4}{2!} \times \frac{3 \times 2}{2!} \times \frac{1}{2!} = 15 \text{(가지)}$$

(i), (ii)에서 구하는 방법의 수는

$$10 + 15 = 25$$

1	26	2	32번째	3	16	4	89	5	30	6	16

7	14	8	360	9	30	10	210	11	갤

12	㉠ 399	㉡ 10773	㉢ 11172	13	11172, 11172

문제 풀이

1 100 이하의 자연수 중에서 2의 배수도, 3의 배수도, 5의 배수도 아닌 자연수의 개수를 구하려면 100 이하의 자연수의 개수에서 2의 배수 또는 3의 배수 또는 5의 배수인 자연수의 개수를 빼면 된다.

2의 배수는 50개, 3의 배수는 33개, 5의 배수는 20개, 2와 3의 공배수는 16개, 3과 5의 공배수는 6개, 2와 5의 공배수는 10개, 2와 3과 5의 공배수는 3개이므로 2의 배수 또는 3의 배수 또는 5의 배수인 자연수의 개수는

$50+33+20-16-6-10+3=74$

따라서 구하는 자연수의 개수는 $100-74=26$

2 $1\square\square\square\square$의 꼴인 수는 $4\times3\times2\times1=24$(개)

$20\square\square\square$의 꼴인 수는 $3\times2\times1=6$(개)

그 다음은 21034, 21043, …이므로 21043은 $24+6+2=32$(번째) 수이다.

3 (i) ㉠ → ㉡ → ㉢의 경우는

$2\times2\times2=8$(가지)

(ii) ㉡ → ㉠ → ㉢의 경우는

$2\times2\times2=8$(가지)

(i), (ii)에서 가능한 관광 노선의 가짓수는

$8+8=16$

4 (i) 1계단씩 10번 오르는 경우는 1가지

(ii) 2계단씩 1번, 1계단씩 8번 오르는 경우

(2, 1, 1, 1, 1, 1, 1, 1, 1)을 일렬로 배열하는 방법의 수와 같으므로

$\dfrac{9!}{8!}=9$(가지)

(iii) 2계단씩 2번, 1계단씩 6번 오르는 경우

(2, 2, 1, 1, 1, 1, 1, 1)을 일렬로 배열하는 방법의 수와 같으므로

$\dfrac{8!}{2!6!}=28$(가지)

(iv) 2계단씩 3번, 1계단씩 4번 오르는 경우

(2, 2, 2, 1, 1, 1, 1)을 일렬로 배열하는 방법의 수와 같으므로

$\dfrac{7!}{3!4!}=35$(가지)

(v) 2계단씩 4번, 1계단씩 2번 오르는 경우

(2, 2, 2, 2, 1, 1)을 일렬로 배열하는 방법의 수와 같으므로

$\dfrac{6!}{4!2!}=15$(가지)

(vi) 2계단씩 5번 오르는 경우는 1가지

(i)~(vi)에서 구하는 방법의 수는

$1+9+28+35+15+1=89$

5 4의 배수인 경우는 $\square\square04$, $\square\square12$, $\square\square20$, $\square\square24$, $\square\square32$, $\square\square40$의 6가지이다.

(i) $\square\square04$, $\square\square20$, $\square\square40$인 경우

천의 자리에 올 수 있는 수는 끝의 두 자리에 온 수를 제외한 3가지, 백의 자리에 올 수 있는 수는 천의 자리와 끝의 두 자리에 온 수를 제외한 2가지이므로 각각의 경우는

$3\times2=6$(가지)

(ii) $\square\square12$, $\square\square24$, $\square\square32$인 경우

천의 자리에 올 수 있는 수는 0과 끝의 두 자리에 온 수를 제외한 2가지, 백의 자리에 올 수 있는 수는 천의 자리와 끝의 두 자리에 온 수를 제외한 2가지이므로 각각의 경우는

$2\times2=4$(가지)

(i), (ii)에서 구하는 4의 배수의 개수는

$6\times3+4\times3=30$

6 (i) A가 B, C, D의 3개와 연결되는 경우는 1가지

(ii) A가 B, C, D 중 2개와 연결되는 경우

A가 B, C와 연결되는 경우는

A $<$ B — D   A $<$ B
      C   C — D

의 2가지이다.

그런데 A가 B, C, D 중 2개와 연결되는 경우는 (B, C), (B, D), (C, D)의 3가지이고, 각각의 경우가 2가지씩 존재하므로

$2\times3=6$(가지)

(iii) A가 B, C, D 중 1개와 연결되는 경우

　A가 B와 연결되는 경우는

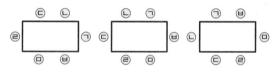

의 3가지이다.

　C, D와 연결되는 경우도 마찬가지로 각각 3가지씩이므로

$3 \times 3 = 9$(가지)

(i), (ii), (iii)에서 구하는 방법의 수는

$1 + 6 + 9 = 16$

TIP A와 연결되는 섬의 개수가 1, 2, 3인 경우로 나누어 생각한다.

7 (i) 부호를 1개 사용하여 만들 수 있는 단어는

$2^1 = 2$(개)

(ii) 부호를 2개 중복 사용하여 만들 수 있는 단어는

$2 \times 2 = 2^2 = 4$(개)

(iii) 부호를 3개 중복 사용하여 만들 수 있는 단어는

$2 \times 2 \times 2 = 2^3 = 8$(개)

(i), (ii), (iii)에서 만들 수 있는 단어의 개수는

$2 + 4 + 8 = 14$

8 6명이 원탁에 앉는 방법의 수는 $(6-1)!$이다.

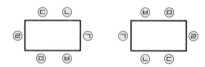

위의 그림에서 3가지 경우의 앉는 방법은 다르다. 즉, 모든 배열은 각각 3가지씩의 서로 다른 앉는 방법이 존재하므로 구하는 방법의 수는

$(6-1)! \times 3 = 5! \times 3 = 360$

다른 풀이

6명을 일렬로 배열하는 방법의 수는 $6!$이다.

그런데 위의 그림의 2가지 경우는 앉는 방법이 같다. 즉, 모든 배열은 각각 2가지씩 앉는 방법이 같은 경우가 존재하므로 구하는 방법의 수는

$\dfrac{6!}{2} = 360$

9 (i) 오른쪽 그림에서 정사각형은

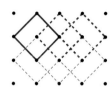

・1개짜리 : $4 \times 3 = 12$(개)

・4개짜리 : $3 \times 2 = 6$(개)

・9개짜리 : $2 \times 1 = 2$(개)

즉, $12 + 6 + 2 = 20$(개)

(ii) 오른쪽 그림과 같은 모양의 정사각형은

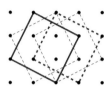

$3 \times 2 = 6$(개)

(iii) 오른쪽 그림과 같은 모양의 정사각형은 4개 있다.

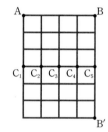

(i), (ii), (iii)에서 구하는 정사각형의 개수는

$20 + 6 + 4 = 30$

10 구하는 방법의 수는 오른쪽 그림의 A 지점에서 B′ 지점까지 최단 거리로 가는 방법의 수와 같으므로

$\dfrac{10!}{4!6!} = 210$

11 첫 번째 초성은 ㄱ, 두 번째 중성은 ㅐ, 네 번째 종성은 ㄹ이므로 만들어지는 글자는 걀이다.

12 ㉠ $19 \times 21 = 399$

㉡ $19 \times 21 \times 27 = 10773$

㉢ $399 + 10773 = 11172$

2 확률

1 STEP 주제별 실력다지기

1 (1) $\frac{2}{5}$ (2) $\frac{1}{4}$ **2** $\frac{1}{4}$ **3** $\frac{3}{5}$ **4** $\frac{1}{4}$ **5** $\frac{1}{4}$ **6** (1) 1 (2) 0 (3) 1

7 $\frac{5}{6}$ **8** $\frac{1}{2}$ **9** $\frac{5}{8}$ **10** $\frac{17}{50}$ **11** $\frac{3}{4}$ **12** (1) $\frac{9}{49}$ (2) $\frac{4}{7}$

13 (1) $\frac{4}{9}$ (2) $\frac{8}{9}$ **14** (1) $\frac{17}{60}$ (2) $\frac{19}{20}$ (3) $\frac{1}{10}$ **15** $\frac{441}{1000}$

최상위 06 NOTE 확률의 덧셈의 원리 확인하기

사건 A와 사건 B가 동시에 일어나지 않을 때,
사건 A가 일어나는 경우의 수가 m이고, 사건 B가 일어나는 경우의
수가 n이면
(사건 A 또는 사건 B가 일어나는 경우의 수)$=m+n$
이때 양변을 전체 경우의 수로 나누면 다음과 같다.
$$\frac{(사건\ A\ 또는\ 사건\ B가\ 일어나는\ 경우의\ 수)}{(전체\ 경우의\ 수)}$$
$$=\frac{m}{(전체\ 경우의\ 수)}+\frac{n}{(전체\ 경우의\ 수)}$$

이때
$$\frac{(사건\ A\ 또는\ 사건\ B가\ 일어나는\ 경우의\ 수)}{(전체\ 경우의\ 수)}$$
$=$(사건 A 또는 사건 B가 일어날 확률)
이고 사건 A가 일어날 확률을 p라 하고, 사건 B가 일어날 확률을
q라 하면
$$\frac{m}{(전체\ 경우의\ 수)}=p,\ \frac{n}{(전체\ 경우의\ 수)}=q이므로$$
(사건 A 또는 사건 B가 일어날 확률)$=p+q$

1 (1) 1에서 20까지의 자연수 중 소수는 2, 3, 5, 7, 11, 13, 17, 19의 8개이므로 구하는 확률은

$$\frac{8}{20}=\frac{2}{5}$$

(2) 1에서 20까지의 자연수 중 4의 배수는 4, 8, 12, 16, 20의 5개이므로 구하는 확률은

$$\frac{5}{20}=\frac{1}{4}$$

2 동전 3개를 동시에 던질 때, 나올 수 있는 모든 경우의 수는

$$2\times2\times2=8$$

세 동전이 모두 같은 면이 나오는 경우는 모두 앞면 또는 모두 뒷면이 나오는 2가지 경우이므로 구하는 확률은

$$\frac{2}{8}=\frac{1}{4}$$

3 한 문제를 풀 때 맞힐 확률은

$$\frac{90}{150}=\frac{3}{5}$$

4 4명의 학생이 한 개의 이름표를 집어 드는 경우의 수는

$$4!=4\times3\times2\times1=24$$

4명의 학생 중 2명만이 자신의 이름표를 집는 경우의 수는 4명 중 자신의 이름표를 집는 학생 2명을 선택하는 경우의 수와 같으므로

$$\frac{4\times3}{2!}=6$$

따라서 구하는 확률은

$$\frac{6}{24}=\frac{1}{4}$$

5 구하는 확률은

$$\frac{\text{(어두운 부채꼴의 중심각의 크기의 합)}}{\text{(전체 원의 중심각의 크기)}}$$

$$=\frac{60°+30°}{360°}$$

$$=\frac{90°}{360°}$$

$$=\frac{1}{4}$$

6 (1) 흰 구슬 또는 검은 구슬을 꺼내는 경우의 수가 5이므로 구하는 확률은

$$\frac{5}{5}=1$$

(2) 주머니 B에는 검은 구슬이 하나도 없으므로 검은 구슬을 꺼내는 경우의 수는 0이다.

따라서 구하는 확률은

$$\frac{0}{4}=0$$

(3) 주머니 C에는 검은 구슬만 5개 들어 있으므로 검은 구슬을 꺼내는 경우의 수는 5이다.

따라서 구하는 확률은

$$\frac{5}{5}=1$$

7 주사위 2개를 동시에 던질 때, 나올 수 있는 모든 경우의 수는

$$6\times6=36$$

두 눈의 수의 합이 5 미만, 즉 2, 3, 4인 경우는 다음과 같다.

(ⅰ) 두 눈의 수의 합이 2인 경우

(1, 1)의 1가지

(ⅱ) 두 눈의 수의 합이 3인 경우

(1, 2), (2, 1)의 2가지

(ⅲ) 두 눈의 수의 합이 4인 경우

(1, 3), (2, 2), (3, 1)의 3가지

(ⅰ), (ⅱ), (ⅲ)에서 두 눈의 수의 합이 5 미만일 확률은

$$\frac{1+2+3}{36}=\frac{6}{36}=\frac{1}{6}$$

따라서 구하는 확률은

$$1-\frac{1}{6}=\frac{5}{6}$$

8 4명을 일렬로 세우는 경우의 수는

$$4!=4\times3\times2\times1=24$$

재정이와 남윤이를 하나로 묶어서 생각하면 3명을 일렬로 세우는 경우의 수는 3!이고, 재정이와 남윤이의 자리를 바꾸는 경우의 수가 2!이므로 재정이와 남윤이가 이웃하여 서는 경우의 수는

$$3!\times2!=12$$

따라서 재정이와 남윤이가 이웃하여 설 확률은

$$\frac{12}{24}=\frac{1}{2}$$

이므로 재정이와 남윤이가 이웃하여 서지 않을 확률은

$$1-\frac{1}{2}=\frac{1}{2}$$

9 윷짝 4개를 동시에 던질 때, 일어날 수 있는 모든 경우의 수는

$$2^4=16$$

이때 개가 나오는 경우의 수는

$$\frac{4\times3}{2}=6$$

이므로 개가 나올 확률은

$\dfrac{6}{16}=\dfrac{3}{8}$

걸이 나오는 경우의 수는 4이므로 걸이 나올 확률은

$\dfrac{4}{16}=\dfrac{1}{4}$

따라서 구하는 확률은

$\dfrac{3}{8}+\dfrac{1}{4}=\dfrac{5}{8}$

> **TIP** 윷놀이에서 개가 나오는 경우의 수는 윷짝 4개 중 둥근 면이 나오는 윷짝 2개를 선택하는 경우의 수와 같으므로 $\dfrac{4\times3}{2}=6$이다. 마찬가지로 생각하면 걸이 나오는 경우의 수는 윷짝 4개에서 둥근 면이 나오는 윷짝 1개를 선택하는 경우의 수와 같으므로 4이다.

10 2의 배수가 적힌 카드를 뽑을 확률은 $\dfrac{25}{50}$, 3의 배수가 적힌 카드를 뽑을 확률은 $\dfrac{16}{50}$, 2의 배수이면서 3의 배수, 즉 6의 배수가 적힌 카드를 뽑을 확률은 $\dfrac{8}{50}$이므로 카드에 적힌 수가 2의 배수 또는 3의 배수일 확률은

$\dfrac{25}{50}+\dfrac{16}{50}-\dfrac{8}{50}=\dfrac{33}{50}$

따라서 구하는 확률은

$1-\dfrac{33}{50}=\dfrac{17}{50}$

11 한 개의 주사위를 던질 때 홀수의 눈이 나올 확률은

$\dfrac{3}{6}=\dfrac{1}{2}$

이므로 두 개의 주사위 모두 홀수의 눈이 나올 확률은

$\dfrac{1}{2}\times\dfrac{1}{2}=\dfrac{1}{4}$

따라서 구하는 확률은

$1-\dfrac{1}{4}=\dfrac{3}{4}$

12 (1) $\dfrac{3}{7}\times\dfrac{3}{7}=\dfrac{9}{49}$

(2) (i) 첫 번째에 흰 공이 나오고, 두 번째에 검은 공이 나올 확률은

$\dfrac{3}{7}\times\dfrac{4}{6}=\dfrac{2}{7}$

(ii) 첫 번째에 검은 공이 나오고, 두 번째에 흰 공이 나올 확률은

$\dfrac{4}{7}\times\dfrac{3}{6}=\dfrac{2}{7}$

(i), (ii)에서 구하는 확률은

$\dfrac{2}{7}+\dfrac{2}{7}=\dfrac{4}{7}$

13 활을 쏘아 과녁에 맞힐 확률이 $\dfrac{2}{3}$이므로 과녁에 맞히지 못할 확률은 $1-\dfrac{2}{3}=\dfrac{1}{3}$

(1) (i) 첫 번째는 맞히고, 두 번째는 맞히지 못할 확률은

$\dfrac{2}{3}\times\dfrac{1}{3}=\dfrac{2}{9}$

(ii) 첫 번째는 맞히지 못하고, 두 번째는 맞힐 확률은

$\dfrac{1}{3}\times\dfrac{2}{3}=\dfrac{2}{9}$

(i), (ii)에서 구하는 확률은 $\dfrac{2}{9}+\dfrac{2}{9}=\dfrac{4}{9}$

(2) (적어도 한 번은 과녁에 맞힐 확률)

$=1-$(두 번 모두 맞히지 못할 확률)

$=1-\dfrac{1}{3}\times\dfrac{1}{3}=1-\dfrac{1}{9}=\dfrac{8}{9}$

14 수학 문제를 풀어서 맞히지 못할 확률은 재돈이는 $\dfrac{1}{4}$, 지환이는 $\dfrac{3}{5}$, 슬기는 $\dfrac{1}{3}$이다.

(1) (i) 재돈이만 맞힐 확률은 $\dfrac{3}{4}\times\dfrac{3}{5}\times\dfrac{1}{3}=\dfrac{3}{20}$

(ii) 지환이만 맞힐 확률은 $\dfrac{1}{4}\times\dfrac{2}{5}\times\dfrac{1}{3}=\dfrac{1}{30}$

(iii) 슬기만 맞힐 확률은 $\dfrac{1}{4}\times\dfrac{3}{5}\times\dfrac{2}{3}=\dfrac{1}{10}$

(i), (ii), (iii)에서 구하는 확률은 $\dfrac{3}{20}+\dfrac{1}{30}+\dfrac{1}{10}=\dfrac{17}{60}$

(2) (적어도 한 명은 문제를 맞힐 확률)

$=1-$(세 명 모두 문제를 맞히지 못할 확률)

$=1-\dfrac{1}{4}\times\dfrac{3}{5}\times\dfrac{1}{3}$

$=1-\dfrac{1}{20}=\dfrac{19}{20}$

(3) $\dfrac{3}{4}\times\dfrac{2}{5}\times\dfrac{1}{3}=\dfrac{1}{10}$

15 포수가 명중시킬 확률은 $\dfrac{3}{10}$이므로 명중시키지 못할 확률은 $\dfrac{7}{10}$이다.

(i) 3발 중 첫 번째만 명중시킬 확률은

$\dfrac{3}{10}\times\dfrac{7}{10}\times\dfrac{7}{10}=\dfrac{147}{1000}$

(ii) 3발 중 두 번째만 명중시킬 확률은

$\dfrac{7}{10}\times\dfrac{3}{10}\times\dfrac{7}{10}=\dfrac{147}{1000}$

(iii) 3발 중 세 번째만 명중시킬 확률은

$\dfrac{7}{10}\times\dfrac{7}{10}\times\dfrac{3}{10}=\dfrac{147}{1000}$

(i), (ii), (iii)에서 구하는 확률은

$\dfrac{147}{1000}+\dfrac{147}{1000}+\dfrac{147}{1000}=\dfrac{441}{1000}$

1 $\frac{17}{20}$	2 $\frac{13}{25}$	3 $\frac{2}{5}$	4 $\frac{1}{9}$	5 23개	6 $\frac{9}{16}$
7 $\frac{13}{50}$	8 $\frac{8}{15}$	9 $\frac{7}{18}$	10 (1) $\frac{1}{2}$ (2) $\frac{5}{36}$	11 $\frac{1}{5}$	

문제 풀이

1 2의 배수가 나오는 경우는 10가지이고, 소수가 나오는 경우는 2, 3, 5, 7, 11, 13, 17, 19의 8가지이다.
이때 2의 배수이면서 소수인 수가 나오는 경우는 2의 1가지이므로 구하는 확률은

$$\frac{10+8-1}{20}=\frac{17}{20}$$

2 만들 수 있는 네 자리의 정수의 개수는

$5\times5\times4\times3=300$

이때 네 자리의 정수 중 짝수인 경우는 다음과 같다.

(i) □□□0일 때, $5\times4\times3=60$(가지)

(ii) □□□2일 때, $4\times4\times3=48$(가지)

(iii) □□□4일 때, $4\times4\times3=48$(가지)

(i), (ii), (iii)에서 구하는 확률은

$$\frac{60+48+48}{300}=\frac{156}{300}=\frac{13}{25}$$

3 서술형

표현 단계 기약분수로 나타내었을 때 분모의 소인수가 2나 5뿐인 분수는 유한소수로 나타내어지고, 그 외에는 모두 순환소수로 나타내어지므로

변형 단계 $a=3$, 6일 때, 즉 $\frac{1}{3}$, $\frac{1}{6}$이 순환소수로 나타내어진다.

풀이 단계 따라서 구하는 확률은 $\frac{2}{5}$

4 $x=3$일 때의 y좌표는 각각 $3-a$, $b-6$이므로
$3-a=b-6$, 즉 $a+b=9$가 되는 경우의 수를 구한다.
한 개의 주사위를 두 번 던질 때, 나올 수 있는 모든 경우의 수는 $6\times6=36$
이때 $a+b=9$가 되는 순서쌍 $(a,\ b)$는
$(3,\ 6)$, $(4,\ 5)$, $(5,\ 4)$, $(6,\ 3)$의 4가지이다.

따라서 구하는 확률은 $\frac{4}{36}=\frac{1}{9}$

5 서술형

표현 단계 남은 90타수 중 3할 타율을 유지하기 위해 쳐야 하는 안타의 개수를 x라 하면

변형 단계 (타율)$=\dfrac{(\text{안타의 개수})}{(\text{총 타수})}$이므로

$$\frac{67+x}{210+90}=0.3$$

풀이 단계 $67+x=90$ $\therefore x=23$

확인 단계 따라서 23개의 안타를 쳐야 한다.

6 0은 십의 자리에 올 수 없으므로 만들 수 있는 두 자리의 정수의 개수는 $4\times4=16$
20보다 작은 두 자리의 정수는 10, 12, 13, 14의 4개, 32보다 큰 정수는 34, 40, 41, 42, 43의 5개이다.
따라서 구하는 확률은

$$\frac{4}{16}+\frac{5}{16}=\frac{9}{16}$$

7 서술형

표현 단계 p의 경우는 두 번 꺼낼 때 모두 주머니 안의 공의 개수가 같고, q의 경우는 두 번째 꺼낼 때 주머니 안의 흰 공이 1개 줄어든다.

변형 단계 즉, $p=\dfrac{2}{5}\times\dfrac{2}{5}=\dfrac{4}{25}$, $q=\dfrac{2}{5}\times\dfrac{1}{4}=\dfrac{1}{10}$

풀이 단계 $\therefore p+q=\dfrac{4}{25}+\dfrac{1}{10}=\dfrac{13}{50}$

8 (적어도 한 개는 당첨 제비일 확률)

$=1-$(2개 모두 당첨 제비가 아닐 확률)

$=1-\dfrac{7}{10}\times\dfrac{6}{9}$

$=1-\dfrac{7}{15}$

$=\dfrac{8}{15}$

9 만들 수 있는 직사각형의 개수는

$$\frac{4\times3}{2}\times\frac{4\times3}{2}=6\times6=36$$

만들 수 있는 정사각형의 개수는

$3\times3+2\times2+1\times1=14$

따라서 구하는 확률은

$$\frac{14}{36}=\frac{7}{18}$$

10 두 개의 주사위를 동시에 던질 때, 나올 수 있는 모든 경우의 수는

$6 \times 6 = 36$

(1) (i) $|a-b|=2$인 경우

   $(1, 3)$, $(2, 4)$, $(3, 1)$, $(3, 5)$, $(4, 2)$, $(4, 6)$,

   $(5, 3)$, $(6, 4)$의 8가지

 (ii) $|a-b|=3$인 경우

   $(1, 4)$, $(2, 5)$, $(3, 6)$, $(4, 1)$, $(5, 2)$, $(6, 3)$의

   6가지

 (iii) $|a-b|=4$인 경우

   $(1, 5)$, $(2, 6)$, $(5, 1)$, $(6, 2)$의 4가지

 (i), (ii), (iii)에서 구하는 확률은

 $$\dfrac{8+6+4}{36} = \dfrac{18}{36} = \dfrac{1}{2}$$

(2) a^2+b^2의 값이 4, 6, 7, 9가 되는 경우는 없다.

 (i) $a^2+b^2=5$인 경우

   $(1, 2)$, $(2, 1)$의 2가지

 (ii) $a^2+b^2=8$인 경우

   $(2, 2)$의 1가지

(iii) $a^2+b^2=10$인 경우

   $(1, 3)$, $(3, 1)$의 2가지

 (i), (ii), (iii)에서 구하는 확률은

 $$\dfrac{2+1+2}{36} = \dfrac{5}{36}$$

TIP $|a-b|$, a^2+b^2의 값이 자연수임을 이용하여 두 주사위의 눈을 각각 구해 본다. 이때 $|a-b|$는 두 수 a와 b의 차를 의미한다.

11 7명의 학생이 원탁에 둘러앉는 경우의 수는

$(7-1)! = 6!$

여학생 3명을 하나로 묶어서 생각하면 5명이 원탁에 둘러앉는 경우의 수는

$(5-1)! = 4!$

이때 여학생 3명이 자리를 바꾸는 경우의 수는 $3!$이므로 구하는 확률은

$$\dfrac{4! \times 3!}{6!} = \dfrac{1}{5}$$

3 STEP 최고 실력 완성하기

123~125쪽

1 $\frac{5}{6}$	2 $\frac{1}{2}$	3 $\frac{3}{10}$	4 $\frac{31}{54}$	5 $\frac{5}{16}$	6 $\frac{5}{36}$
7 $\frac{2}{5}$	8 $\frac{8}{35}$	9 49.67 %	10 풀이 참조		

문제 풀이

1 3개의 주사위를 동시에 던질 때, 나올 수 있는 모든 경우의 수는

$6 \times 6 \times 6 = 216$

$M-m>1$일 확률은 $M-m \leq 1$인 경우의 수를 구한 후 여사건의 확률을 이용하여 구한다.

(i) $M-m=0$인 경우

 $(1, 1, 1)$, $(2, 2, 2)$, $(3, 3, 3)$, $(4, 4, 4)$,

 $(5, 5, 5)$, $(6, 6, 6)$의 6가지

(ii) $M-m=1$인 경우

 $(1, 1, 2)$, $(1, 2, 2)$, $(2, 2, 3)$, $(2, 3, 3)$,

 $(3, 3, 4)$, $(3, 4, 4)$, $(4, 4, 5)$, $(4, 5, 5)$,

 $(5, 5, 6)$, $(5, 6, 6)$의 10가지에서 각각의 경우에 순서가 바뀌는 경우가 3가지씩 있으므로

 $10 \times 3 = 30$(가지)

(i), (ii)에서 $M-m \leq 1$일 확률은

$$\dfrac{6+30}{216} = \dfrac{36}{216} = \dfrac{1}{6}$$

따라서 구하는 확률은

$$1 - \dfrac{1}{6} = \dfrac{5}{6}$$

2 한 개의 주사위를 두 번 던질 때, 나올 수 있는 모든 경우의 수는

$6 \times 6 = 36$

$a<2b-3$, 즉 $2b>a+3$인 경우는

(i) $a=1$일 때, $b=3, 4, 5, 6$의 4가지

(ii) $a=2$일 때, $b=3, 4, 5, 6$의 4가지

(iii) $a=3$일 때, $b=4, 5, 6$의 3가지

(iv) $a=4$일 때, $b=4, 5, 6$의 3가지

(v) $a=5$일 때, $b=5$, 6의 2가지
(vi) $a=6$일 때, $b=5$, 6의 2가지
(i)~(vi)에서 $a<2b-3$일 확률은
$$\frac{4+4+3+3+2+2}{36}=\frac{18}{36}$$
$$=\frac{1}{2}$$

3 5개의 끈 중에서 3개를 선택하는 경우의 수는
$$\frac{5\times4\times3}{3!}=\frac{5\times4\times3}{3\times2\times1}$$
$$=10$$
삼각형이 만들어지는 경우는 세 변의 길이가 각각
$(2\,\text{cm},\ 3\,\text{cm},\ 4\,\text{cm})$, $(2\,\text{cm},\ 4\,\text{cm},\ 5\,\text{cm})$,
$(3\,\text{cm},\ 4\,\text{cm},\ 5\,\text{cm})$의 3가지이다.
따라서 구하는 확률은 $\frac{3}{10}$이다.

4 버스를 타고 등교한 날을 B, 지하철을 타고 등교한 날을 S라고 하면 버스를 탄 다음 날 지하철을 탈 확률은 $\frac{2}{3}$, 지하철을 탄 다음 날 지하철을 탈 확률은 $\frac{1}{2}$이므로 월, 화, 수, 목의 순서대로
(i) BBBS일 확률은
$$\frac{1}{3}\times\frac{1}{3}\times\frac{2}{3}=\frac{2}{27}$$
(ii) BBSS일 확률은
$$\frac{1}{3}\times\frac{2}{3}\times\frac{1}{2}=\frac{1}{9}$$
(iii) BSBS일 확률은
$$\frac{2}{3}\times\frac{1}{2}\times\frac{2}{3}=\frac{2}{9}$$
(iv) BSSS일 확률은
$$\frac{2}{3}\times\frac{1}{2}\times\frac{1}{2}=\frac{1}{6}$$
(i)~(iv)에서 구하는 확률은
$$\frac{2}{27}+\frac{1}{9}+\frac{2}{9}+\frac{1}{6}=\frac{31}{54}$$

5 (i) 1회에 은정이가 짝수, 2회에 현정이가 홀수의 눈이 나올 확률은
$$\frac{1}{2}\times\frac{1}{2}=\frac{1}{4}$$
(ii) 1, 2, 3회에 은정이와 현정이가 모두 짝수, 4회에 현정이가 홀수의 눈이 나올 확률은
$$\frac{1}{2}\times\frac{1}{2}\times\frac{1}{2}\times\frac{1}{2}=\frac{1}{16}$$
(i), (ii)에서 구하는 확률은
$$\frac{1}{4}+\frac{1}{16}=\frac{5}{16}$$

6 (i) 나오는 눈의 수의 합이 7인 경우
$(1,\ 1,\ 5)$에서 $\frac{3!}{2!}=3(가지)$,
$(1,\ 2,\ 4)$에서 $3!=6(가지)$,
$(1,\ 3,\ 3)$에서 $\frac{3!}{2!}=3(가지)$,
$(2,\ 2,\ 3)$에서 $\frac{3!}{2!}=3(가지)$
(ii) 나오는 눈의 수의 합이 14인 경우
$(2,\ 6,\ 6)$에서 $\frac{3!}{2!}=3(가지)$,
$(3,\ 5,\ 6)$에서 $3!=6(가지)$,
$(4,\ 4,\ 6)$에서 $\frac{3!}{2!}=3(가지)$,
$(4,\ 5,\ 5)$에서 $\frac{3!}{2!}=3(가지)$
따라서 구하는 확률은
$$\frac{3+6+3+3+3+6+3+3}{216}=\frac{30}{216}=\frac{5}{36}$$

7 (i) 처음에 흰 공을 2개 꺼낸 경우
$$\left(\frac{4}{6}\times\frac{3}{5}\right)\times\left(\frac{2}{4}\times\frac{1}{3}\right)=\frac{1}{15}$$
(ii) 처음에 흰 공 1개와 검은 공 1개를 꺼낸 경우
$$\left(\frac{4}{6}\times\frac{2}{5}+\frac{2}{6}\times\frac{4}{5}\right)\times\left(\frac{3}{4}\times\frac{2}{3}\right)=\frac{4}{15}$$
(iii) 처음에 검은 공을 2개 꺼낸 경우
$$\left(\frac{2}{6}\times\frac{1}{5}\right)\times1=\frac{1}{15}$$
(i), (ii), (iii)에서 구하는 확률은
$$\frac{1}{15}+\frac{4}{15}+\frac{1}{15}=\frac{6}{15}=\frac{2}{5}$$

8 다음 그림과 같이 출전한 학생의 위치를 차례대로 ①, ②, …, ⑧이라고 하면

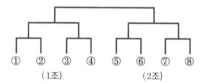

①의 자리에 온 학생과 같은 학교 학생이 다른 조에 배정될 확률은 $\frac{4}{7}$
②의 자리에 온 학생과 같은 학교 학생이 다른 조에 배정될 확률은 $\frac{3}{5}$
③의 자리에 온 학생과 같은 학교 학생이 다른 조에 배정될 확률은 $\frac{2}{3}$
따라서 구하는 확률은
$$\frac{4}{7}\times\frac{3}{5}\times\frac{2}{3}=\frac{8}{35}$$

8명의 학생을 배정하는 경우의 수는 8!

네 학교에서 각각 1명씩 뽑아 1조에 배정하고, 나머지 학생을 2조에 배정하는 경우의 수는 $2^4 \times 4! \times 4!$

따라서 구하는 확률은

$$\frac{2^4 \times 4! \times 4!}{8!} = \frac{8}{35}$$

9 8문제 중 2문제 미만을 맞힐 확률이

$16.78 + 33.55 = 50.33(\%)$

이므로 2문제 이상을 맞힐 확률은

$100 - 50.33 = 49.67(\%)$이다.

10 ②, ③, ④번 중 한 번호로 남은 문제를 다 찍는 것이 유리하다. 왜냐하면 ②, ③, ④번 중 한 번호로 남은 문제를 다 찍으면 2문제는 확실히 맞힐 수 있다. 하지만 아무 번호나 막 찍으면 2문제 이상을 맞힐 확률이 50 %가 안되므로 2문제도 못 맞힐 가능성이 더 크기 때문이다.

Ⅲ 단원 종합 문제

126~128쪽

1 15	**2** 12	**3** 12	**4** 8	**5** $\frac{3}{8}$	**6** ④
7 $\frac{2}{9}$	**8** $\frac{8}{9}$	**9** $\frac{1}{100}$	**10** $\frac{3}{7}$	**11** $\frac{11}{12}$	**12** $\frac{1}{2}$
13 $\frac{2}{5}$	**14** $\frac{2}{9}$	**15** $\frac{34}{35}$	**16** $\frac{5}{12}$	**17** ④	**18** $\frac{59}{192}$
19 $\frac{5}{36}$	**20** $\frac{5}{6}$	**21** 10명	**22** $\frac{3}{7}$	**23** $\frac{5}{54}$	

문제 풀이

1 (i) 합이 2인 경우

(1, 1)의 1가지

(ii) 합이 3인 경우

(1, 2), (2, 1)의 2가지

(iii) 합이 5인 경우

(1, 4), (2, 3), (3, 2), (4, 1)의 4가지

(iv) 합이 7인 경우

(1, 6), (2, 5), (3, 4), (4, 3), (5, 2), (6, 1)의 6가지

(v) 합이 11인 경우

(5, 6), (6, 5)의 2가지

(i)~(v)에서 구하는 경우의 수는

$1 + 2 + 4 + 6 + 2 = 15$

2 B, C를 하나로 묶어서 생각하면 세 문자를 일렬로 배열하는 경우의 수는 3!이고, B, C의 위치를 바꾸는 경우의 수가 2!이므로 구하는 경우의 수는

$3! \times 2! = (3 \times 2 \times 1) \times (2 \times 1) = 12$

3 4개의 문자 p, a, s, s에서 같은 문자 s가 2개이므로 구하는 방법의 수는

$$\frac{4!}{2!} = \frac{4 \times 3 \times 2 \times 1}{2 \times 1} = 12$$

4 먼저 가운데 정삼각형에 칠할 수 있는 색은 4가지이고, 나머지 정삼각형에 3가지 색을 칠할 때에는 원순열로 생각하면 칠하는 방법의 수가 (3−1)!이다.

따라서 구하는 방법의 수는

$4 \times (3-1)! = 4 \times 2 = 8$

5 동전을 3번 던질 때, 나올 수 있는 모든 경우의 수는

$2 \times 2 \times 2 = 8$

앞면이 1회, 뒷면이 2회 나오면 수의 합이 −1이 되므로 그 경우의 수는 (앞, 뒤, 뒤)를 나열하는 경우의 수인 3이다.

따라서 구하는 확률은 $\frac{3}{8}$이다.

6 ④ 확률이 1인 것은 그 사건이 반드시 일어난다는 뜻이다.

7 주사위 2개를 동시에 던질 때, 나올 수 있는 모든 경우의 수는

$6 \times 6 = 36$

(ⅰ) 1, 4가 나오는 경우 : 4가지

(ⅱ) 2, 2가 나오는 경우 : 4가지

(ⅰ), (ⅱ)에서 나오는 눈의 수의 곱이 4가 되는 경우의 수는

$4 + 4 = 8$

따라서 구하는 확률은

$\dfrac{8}{36} = \dfrac{2}{9}$

다른 풀이

(ⅰ) 1, 4가 나올 확률은

$\dfrac{1}{3} \times \dfrac{1}{6} + \dfrac{1}{6} \times \dfrac{1}{3} = \dfrac{1}{9}$

(ⅱ) 2, 2가 나올 확률은

$\dfrac{1}{3} \times \dfrac{1}{3} = \dfrac{1}{9}$

(ⅰ), (ⅱ)에서 구하는 확률은

$\dfrac{1}{9} + \dfrac{1}{9} = \dfrac{2}{9}$

8 (2골 이상 넣을 확률) = 1 − (0골 또는 1골을 넣을 확률)

골을 넣지 못할 확률은 $1 - \dfrac{2}{3} = \dfrac{1}{3}$ 이므로

4번의 기회 중 0골을 넣을 확률은

$\dfrac{1}{3} \times \dfrac{1}{3} \times \dfrac{1}{3} \times \dfrac{1}{3} = \dfrac{1}{81}$

또, 4번의 기회 중 1골을 넣을 확률은

$\left(\dfrac{2}{3} \times \dfrac{1}{3} \times \dfrac{1}{3} \times \dfrac{1}{3}\right) + \left(\dfrac{1}{3} \times \dfrac{2}{3} \times \dfrac{1}{3} \times \dfrac{1}{3}\right)$

$+ \left(\dfrac{1}{3} \times \dfrac{1}{3} \times \dfrac{2}{3} \times \dfrac{1}{3}\right) + \left(\dfrac{1}{3} \times \dfrac{1}{3} \times \dfrac{1}{3} \times \dfrac{2}{3}\right) = \dfrac{8}{81}$

따라서 구하는 확률은

$1 - \left(\dfrac{1}{81} + \dfrac{8}{81}\right) = \dfrac{8}{9}$

TIP 4번의 기회가 주어질 때, 2골 이상 넣는 경우는 2골, 3골, 4골을 넣는 경우, 즉 세 경우로 나누어 생각해야 한다. 하지만 여사건의 경우 0골, 1골을 넣는 경우, 즉 두 경우로 나누어 생각할 수 있으므로 여사건을 이용하여 확률을 계산하는 것이 편리하다.

9 화살이 구멍을 통과하여 나갈 확률은 넓이에 비례하므로 구하는 확률은

$\dfrac{\pi \times 1^2}{\pi \times 10^2} = \dfrac{\pi}{100\pi} = \dfrac{1}{100}$

TIP 반지름의 길이가 10 cm인 원과 반지름의 길이가 1 cm인 원의 닮음비는 10 : 1이므로 넓이의 비는 100 : 1이다. 따라서 화살이 구멍을 통과하여 나갈 확률은 $\dfrac{1}{100}$ 이다. 이와 같이 닮음비와 넓이의 비의 관계를 이용하여 확률을 계산할 수도 있다.

10 (ⅰ) 2개 모두 파란 구슬일 확률은

$\dfrac{3}{7} \times \dfrac{2}{6} = \dfrac{1}{7}$

(ⅱ) 2개 모두 붉은 구슬일 확률은

$\dfrac{4}{7} \times \dfrac{3}{6} = \dfrac{2}{7}$

(ⅰ), (ⅱ)에서 구하는 확률은

$\dfrac{1}{7} + \dfrac{2}{7} = \dfrac{3}{7}$

11 (ⅰ) 갑은 맞히고, 을은 맞히지 못할 확률은

$\dfrac{3}{4} \times \left(1 - \dfrac{2}{3}\right) = \dfrac{3}{4} \times \dfrac{1}{3} = \dfrac{3}{12}$

(ⅱ) 갑은 맞히지 못하고, 을은 맞힐 확률은

$\left(1 - \dfrac{3}{4}\right) \times \dfrac{2}{3} = \dfrac{1}{4} \times \dfrac{2}{3} = \dfrac{2}{12}$

(ⅲ) 갑, 을 모두 맞힐 확률은

$\dfrac{3}{4} \times \dfrac{2}{3} = \dfrac{6}{12}$

(ⅰ), (ⅱ), (ⅲ)에서 구하는 확률은

$\dfrac{3}{12} + \dfrac{2}{12} + \dfrac{6}{12} = \dfrac{11}{12}$

다른 풀이

(오리가 총에 맞을 확률)

= 1 − (두 사람 모두 맞히지 못할 확률)

$= 1 - \left(1 - \dfrac{3}{4}\right) \times \left(1 - \dfrac{2}{3}\right)$

$= 1 - \dfrac{1}{4} \times \dfrac{1}{3}$

$= 1 - \dfrac{1}{12}$

$= \dfrac{11}{12}$

12 두 개의 주사위를 동시에 던질 때, 나올 수 있는 모든 경우의 수는

$6 \times 6 = 36$

(ⅰ) 두 눈의 수의 차가 1인 경우

(1, 2), (2, 1), (2, 3), (3, 2), (3, 4), (4, 3),

(4, 5), (5, 4), (5, 6), (6, 5)의 10가지

(ⅱ) 두 눈의 수의 차가 3인 경우

(1, 4), (4, 1), (2, 5), (5, 2), (3, 6), (6, 3)의 6가지

(ⅲ) 두 눈의 수의 차가 5인 경우

(1, 6), (6, 1)의 2가지

(i), (ii), (iii)에서 구하는 확률은

$$\frac{10+6+2}{36}=\frac{18}{36}=\frac{1}{2}$$

13 만들 수 있는 세 자리의 정수의 개수는

$5\times4\times3=60$

300 이하인 경우는 다음과 같다.

(i) $1\square\square$일 때, $4\times3=12$(가지)

(ii) $2\square\square$일 때, $4\times3=12$(가지)

(i), (ii)에서 300 이하인 수의 개수는

$12+12=24$

따라서 구하는 확률은

$$\frac{24}{60}=\frac{2}{5}$$

14 1이 대응될 수 있는 값은 4, 5, 6의 3가지이고, 2와 3도 마찬가지이므로 대응되는 총 개수는

$3\times3\times3=27$

일대일로 대응되려면 1이 대응될 수 있는 값은 4, 5, 6의 3가지이고, 2가 대응될 수 있는 값은 1이 대응되지 않은 2가지, 3이 대응될 수 있는 값은 1과 2가 대응되지 않은 1가지이므로 일대일로 대응되는 개수는

$3\times2\times1=6$

따라서 구하는 확률은

$$\frac{6}{27}=\frac{2}{9}$$

15 7명 중에서 3명의 대표를 뽑는 경우의 수는

$$\frac{7\times6\times5}{3!}=\frac{7\times6\times5}{3\times2\times1}=35$$

여자 3명 중에서 3명의 대표를 뽑는 경우의 수는 1이므로 대표가 모두 여자가 뽑힐 확률은 $\frac{1}{35}$이다.

따라서 구하는 확률은

$$1-\frac{1}{35}=\frac{34}{35}$$

16 한 개의 주사위를 두 번 던질 때, 나올 수 있는 모든 경우의 수는

$6\times6=36$

$\frac{1}{2}\le\frac{x}{y}\le1$, 즉 $\frac{y}{2}\le x\le y$인 경우는 다음과 같다.

(i) $y=1$일 때, $x=1$의 1가지

(ii) $y=2$일 때, $x=1$, 2의 2가지

(iii) $y=3$일 때, $x=2$, 3의 2가지

(iv) $y=4$일 때, $x=2$, 3, 4의 3가지

(v) $y=5$일 때, $x=3$, 4, 5의 3가지

(vi) $y=6$일 때, $x=3$, 4, 5, 6의 4가지

(i)~(vi)에서 구하는 확률은

$$\frac{1+2+2+3+3+4}{36}=\frac{15}{36}=\frac{5}{12}$$

17 두 개의 주사위를 동시에 던질 때, 나올 수 있는 모든 경우의 수는

$6\times6=36$

① 두 눈의 수의 합이 4 이하가 되는 경우는

$(1, 1)$, $(1, 2)$, $(1, 3)$, $(2, 1)$, $(2, 2)$, $(3, 1)$의 6가지이므로 구하는 확률은

$$\frac{6}{36}=\frac{1}{6}$$

② 두 눈의 수의 합이 4의 배수가 되는 경우는

$(1, 3)$, $(2, 2)$, $(2, 6)$, $(3, 1)$, $(3, 5)$, $(4, 4)$, $(5, 3)$, $(6, 2)$, $(6, 6)$의 9가지이므로 구하는 확률은

$$\frac{9}{36}=\frac{1}{4}$$

③ 두 눈의 수의 차가 5가 되는 경우는

$(1, 6)$, $(6, 1)$의 2가지이므로 구하는 확률은

$$\frac{2}{36}=\frac{1}{18}$$

④ 모두 홀수의 눈이 나올 확률이 $\frac{1}{2}\times\frac{1}{2}=\frac{1}{4}$이므로 적어도 하나의 주사위에서 짝수의 눈이 나올 확률은

$$1-\frac{1}{4}=\frac{3}{4}$$

⑤ (i) $y=1$일 때, $x=1$, 2, 3, 4, 5, 6의 6가지

(ii) $y=2$일 때, $x=2$, 4, 6의 3가지

(iii) $y=3$일 때, $x=3$, 6의 2가지

(iv) $y=4$일 때, $x=4$의 1가지

(v) $y=5$일 때, $x=5$의 1가지

(vi) $y=6$일 때, $x=6$의 1가지

(i)~(vi)에서 구하는 확률은

$$\frac{6+3+2+1+1+1}{36}=\frac{14}{36}=\frac{7}{18}$$

따라서 확률이 가장 큰 것은 ④이다.

18 눈이 내린 날을 ○, 눈이 내리지 않은 날을 ×라 하면 다음과 같다.

(i) ○○○○인 경우

$$\frac{1}{4}\times\frac{1}{4}\times\frac{1}{4}=\frac{1}{64}$$

(ii) ○○×○인 경우

$$\frac{1}{4}\times\frac{3}{4}\times\frac{1}{3}=\frac{1}{16}$$

(iii) ○×○○인 경우

$$\frac{3}{4}\times\frac{1}{3}\times\frac{1}{4}=\frac{1}{16}$$

(iv) ○×××○인 경우

$$\frac{3}{4}\times\frac{2}{3}\times\frac{1}{3}=\frac{1}{6}$$

(i)~(iv)에서 구하는 확률은

$$\frac{1}{64}+\frac{1}{16}+\frac{1}{16}+\frac{1}{6}=\frac{59}{192}$$

19 두 개의 주사위를 동시에 던질 때 나올 수 있는 경우의 수는

$6\times6=36$

두 직선의 교점의 x좌표는 $2x-a=-x+b$에서

$3x=a+b$

$\therefore x=\dfrac{a+b}{3}$

교점의 x좌표가 2이므로 $\dfrac{a+b}{3}=2$에서

$a+b=6$

따라서 $a+b=6$인 경우는 $(1,\ 5),\ (2,\ 4),\ (3,\ 3),\ (4,\ 2),$
$(5,\ 1)$의 5가지이므로 구하는 확률은

$\dfrac{5}{36}$이다.

20 (승패가 결정될 확률)$=1-$(같은 눈이 나올 확률)

$$=1-\frac{6}{36}$$
$$=1-\frac{1}{6}$$
$$=\frac{5}{6}$$

21 여자 회원의 수를 x명이라 하면

회장, 부회장이 모두 여자일 확률은 $\dfrac{3}{8}$이므로

$$\frac{x}{16}\times\frac{x-1}{15}=\frac{3}{8}$$

$x(x-1)=90$

즉, 연속한 두 자연수의 곱이 90이 되려면

두 수는 9, 10이어야 하므로 $x=10$이다.

따라서 여자 회원의 수는 10명이다.

22 세 점을 골라 만들 수 있는 삼각형의 개수는

$$\frac{8\times7\times6}{3\times2\times1}=56$$

오른쪽 그림과 같이 $\overline{AE}$를 빗변으
로 하는 직각삼각형은 6개이다.

이와 같이 빗변이 될 수 있는 것은
$\overline{AE}$, $\overline{BF}$, $\overline{CG}$, $\overline{DH}$의 4가지이고,
그 각각에 대하여 6개의 직각삼각
형을 만들 수 있으므로 직각삼각형
의 개수는

$6\times4=24$

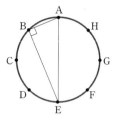

따라서 구하는 확률은 $\dfrac{24}{56}=\dfrac{3}{7}$

23 혜진이가 주사위를 던져서 나오는 눈의 수의 합을 s라
하면 s는 2 이상이다.

(i) $s=2$일 때, $(1,\ 1)$의 1가지이고, 이때 건엽이가 이기려
면 3, 4, 5, 6이 나와야 하므로 $\dfrac{1}{36}\times\dfrac{4}{6}=\dfrac{1}{54}$

(ii) $s=3$일 때, $(1,\ 2),\ (2,\ 1)$의 2가지이고, 이때 건엽이가
이기려면 4, 5, 6이 나와야 하므로 $\dfrac{2}{36}\times\dfrac{3}{6}=\dfrac{1}{36}$

(iii) $s=4$일 때, $(1,\ 3),\ (2,\ 2),\ (3,\ 1)$의 3가지이고, 이때
건엽이가 이기려면 5, 6이 나와야 하므로 $\dfrac{3}{36}\times\dfrac{2}{6}=\dfrac{1}{36}$

(iv) $s=5$일 때, $(1,\ 4),\ (2,\ 3),\ (3,\ 2),\ (4,\ 1)$의 4가지이
고, 이때 건엽이가 이기려면 6이 나와야 하므로

$$\frac{4}{36}\times\frac{1}{6}=\frac{1}{54}$$

(v) $s\geq6$이면 건엽이가 이길 수 없다.

(i)~(v)에서 구하는 확률은 $\dfrac{1}{54}+\dfrac{1}{36}+\dfrac{1}{36}+\dfrac{1}{54}=\dfrac{5}{54}$

개념 확장

최상위수학

수학적 사고력 확장을 위한
심화 학습 교재

심화 완성

개념부터
심화까지

수학은 개념이다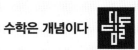

이 책을 만드신 선생님

최문섭 최희영 한송이 고길동 송낙천 최영욱 김종군 박민선

이 책을 검토하신 선생님

'수학나눔연구회' 선생님들

최상위수학 중 2-2

펴낸날 [개정판 1쇄] 2020년 1월 2일 [개정판 9쇄] 2024년 3월 1일
펴낸이 이기열
펴낸곳 (주)디딤돌 교육
주소 (03972) 서울특별시 마포구 월드컵북로 122 청원선와이즈타워
대표전화 02-3142-9000
구입문의 02-322-8451
내용문의 02-336-7918
팩시밀리 02-335-6038
흠페이지 www.didimdol.co.kr
등록번호 제10-718호
구입한 후에는 철회되지 않으며 잘못 인쇄된 책은 바꾸어 드립니다.
이 책에 실린 모든 삽화 및 편집 형태에 대한 저작권은 (주)디딤돌 교육에 있으므로 무단으로 복사 복제할 수 없습니다.
Copyright ⓒ Didimdol Co.
[2003050]